L'enfant manipulateur

L'enfant manipulateur

COMMENT REPRENDRE LE CONTRÔLE ET AIDER NOS ENFANTS À DEVENIR FORTS, AUTONOMES ET INDÉPENDANTS

Patrick Cotter, Ph. D. • Ernest Swihart, M. D.

Traduit de l'américain par
Claire-Marie Clozel

ÉDITIONS

TRUSTAR

ÉDITIONS
TRUSTAR

Une division de Trustar ltée
2020, rue University,
20ᵉ étage, bureau 2000
Montréal (Québec) H3A 2A5

Publié sous le titre original The Manipulative Child
© 1996 par Ernest W. Swihart Jr. et Patrick D. Cotter

Directrice d'éditions : Annie Tonneau
Correction : Camille Gagnon, Roger Magini, Claire Morasse,
            Corinne de Vailly
Couverture : Laurent Trudel
Infographie : Jean-François Gosselin

Distribution pour le Canada :
Agence de distribution populaire
1261 A, rue Shearer
Montréal (Québec) H3K 3G4
Téléphone : (514) 523-1182 • Télécopieur : (514) 939-0705

Distribution pour la France et la Belgique :
Diffusion Casteilla
10, rue Léon-Foucault
78184 Saint-Quentin-en-Yvelines Cedex
Téléphone : (1) 30 14 19 30

Distribution pour la Suisse :
Diffusion Transat S.A.
Case postale 1210, 4 ter, route des Jeunes, 1211 Genève 26
Téléphone : 022 / 342 77 40 • Télécopieur : 022 / 343 4646

© Éditions Trustar, 1997
Dépôt légal : troisième trimestre 1997
Bibliothèque nationale du Québec
Bibliothèque nationale du Canada
ISBN : 2-921714-21-3

N.B. Dans la traduction, le masculin a été utilisé, et ce pour des raisons strictement stylistiques — même si les femmes restent, dans l'immense majorité des cas, les premières préoccupées par l'éducation des enfants.

Sommaire

Nous dédions ce livre à nos parents,
Ernest et Ida Swihart et Vince et Dorothy Cotter.
Ils nous ont éduqués en s'appuyant sur les valeurs
qui leur étaient chères, nous ont apporté
un soutien sans faille et ont toujours eu confiance
dans nos capacités. Ils nous ont donné la liberté
de nous découvrir, de faire nos propres erreurs
et d'accepter la responsabilité de nos vies.
On ne saurait mieux faire.
Nous dédions aussi ce livre à nos deux familles :
Karen, Kay, David, Daniel, Gretchen et Jason.
Tout au long des années, ceux-ci,
et plus particulièrement nos épouses,
nous ont appuyés sans réserve, en nous apportant leur aide
et en nous donnant leur avis chaque fois
que nous en avions besoin et en endurant
nos ruminations, nos radotages et nos diatribes,
croyant en nous quand nous n'y croyions plus nous-mêmes...

Remerciements

Nous voudrions d'abord remercier Karen et Kay qui ont assuré une partie de la frappe de ce livre et corrigé une grammaire parfois erratique. Leurs critiques, tant sur nos idées que sur leur formulation, et leur soutien dans les moments de découragement nous ont été précieux.

Nous voudrions aussi remercier de tout cœur les enfants qui, avec leurs familles, nous ont procuré, par leur franchise et par le courage dont ils ont fait preuve en essayant de modifier leur comportement, l'information clinique qui a servi à élaborer les hypothèses qui sont à la base de ce livre. Sans eux, les idées qui y sont exprimées n'auraient jamais vu le jour. Plus encore que leurs encouragements, c'est surtout leurs succès qui nous ont convaincus que nous étions sur la bonne voie.

À tous ceux qui nous ont offert leur aide au cours de l'écriture du manuscrit, nous voulons dire que, sans eux, nous n'aurions pu en venir à bout. Jason Swihart a été un critique remarquable : il nous a aidés à exprimer nos idées et à clarifier les ambiguïtés qu'elles contenaient avec une perspicacité qui nous a stupéfiés de la part d'un étudiant de collège. Nous remercions également Jean Tasa, Sue Kimmel et Tom Langersfield qui ont assumé la frappe et l'édition jusqu'à ce que nous apprenions à le faire nous-mêmes.

Beaucoup de gens nous ont offert leur appui tout au long de la réalisation de ce livre et nous ont encouragés à persévérer dans notre projet. Al Heimel et Linda Kellog nous en ont demandé des nouvelles chaque fois que nous les rencontrions au cours des six dernières années. Orv Huseby a exprimé sa confiance et son appui à Ernest Swihart chaque mardi pendant leur partie de *racketball**, Bill Hebert et Jack Rosberg étaient

---

* Jeu de raquettes ressemblant au jeu de «paume». [N.d.T.]

toujours disposés à nous écouter et à nous faire part de leurs commentaires. Et la liste pourrait continuer...

Il nous faut aussi remercier Jonathan et Wendy Lazear, qui nous ont guidés à travers tout le processus et n'ont jamais renoncé, même si l'idée du livre n'était pas facile à vendre, car ils pensaient que nous avions quelque chose à dire.

Enfin, Emily Heckman, Pam Hoenig et Nick Bakalar, des éditions Macmillan, nous ont aidés à préciser l'orientation de notre travail et à en améliorer la présentation. Ils nous ont encouragés tout au long de son exécution et sans leur aide, notre projet aurait probablement sombré.

Patrick Cotter et Ernest W. Swihart

Je remercie mon ami et coauteur, Ernie, pour sa révision de mon texte, qu'il a su débarrasser adroitement des trop nombreux détails qui en rendaient la lecture ennuyeuse.

Patrick Cotter

Je remercie Pat pour son inestimable apport scientifique et critique. C'est ce qu'on appelle un esprit indépendant et je sais que je peux faire confiance à son esprit critique lorsque j'ai l'une de mes «grandes» idées. Ce livre est donc le résultat d'une véritable collaboration.

Ernest W. Swihart

Introduction

L'idée d'écrire ce livre nous est venue il y a quelques années, comme nous prenions un lunch à la suite d'un atelier intitulé *Manipulation et estime de soi*. La réaction des participants nous avait montré leur intérêt pour une de nos observations cliniques : les enfants et adolescents les plus manipulateurs semblaient développer une piètre estime d'eux-mêmes. Ils voulaient en savoir plus : ils voulaient savoir comment empêcher que cette interaction pernicieuse ne se produise. Nous avons donc écrit ce livre pour tenter d'éclairer la relation entre ces deux phénomènes, de décrire le processus d'acquisition et de dégradation de l'estime de soi, et surtout pour examiner ce que chacun de nous peut faire pour fournir aux enfants les outils nécessaires à l'acquisition et à la préservation de leur estime de soi.

Nous sommes profondément troublés par ce qui se passe en Amérique avec les enfants. Les difficultés que rencontre notre jeunesse depuis maintenant plus de vingt-cinq ans ont pris la forme d'une véritable épidémie, qui empire d'année en année sans qu'il soit possible d'en prévoir la fin. Pire, il semble que la majeure partie de ce qu'on a conseillé aux parents ou aux écoles pour faire face à cette épidémie ait eu pour résultat une aggravation de la situation. Les explications simplistes et les pseudo-réponses abondent – les problèmes de la jeunesse constituent un des thèmes favoris des politiciens, des experts et des différentes autorités – mais la plupart des intervenants ne semblent pas avoir une idée claire de ce qui va mal, sans parler de ce qu'il faudrait faire.

Patrick D. Cotter travaille depuis plus de vingt ans comme psychologue pour enfants et il a eu l'occasion de traiter toute la gamme des problèmes que ceux-ci (ainsi que leurs familles) peuvent rencontrer. Il partage son temps entre un hôpital pour enfants et sa pratique privée. Je suis, quant à moi, pédiatre et j'ai passé plusieurs années après mon internat à étudier puis à enseigner la pédiatrie comportementale à l'Université du Wisconsin. (La pédiatrie comportementale est une vaste spécialité qui s'intéresse à l'ensemble des problèmes psycho-socio-comportementaux des enfants – depuis les problèmes d'éducation jusqu'aux problèmes les plus spécifiques, comme l'énurésie, les problèmes d'apprentissage et d'alimentation ou la dépression.) Depuis plus de vingt ans, je pratique à la fois la pédiatrie comportementale et la pédiatrie générale. Lorsque nous avons confronté nos expériences, nos observations et nos points de vue, nous avons constaté qu'ils présentaient d'incroyables ressemblances. J'ai pu observer, comme seul un pédiatre peut le faire, la croissance, depuis le berceau jusqu'au collège, de centaines d'enfants dont certains sont devenus des adultes solides et bien intégrés, alors que d'autres ont rencontré toutes sortes de difficultés. Avec la vaste expérience clinique de Patrick Cotter et ses connaissances théoriques, nous avions là tout le matériel nécessaire pour analyser non seulement ce qui pouvait amener les enfants à avoir des problèmes, mais aussi ce qui leur permettait d'être bien adaptés. (La plupart des psychologues et des psychiatres ne peuvent disposer de ces dernières observations car ils ne rencontrent que les enfants qui ont des problèmes et, le plus souvent, pour une courte période.)

Ayant établi une corrélation entre les comportements de manipulation et un faible degré d'estime de soi, nous en sommes venus à penser que l'ensemble des problèmes apparemment sans relation que nous rencontrions – depuis les troubles de l'alimentation jusqu'aux problèmes de drogue – pourraient être reliés les uns aux autres à un niveau plus fondamental : si nous parvenions à comprendre ce qu'ils avaient en commun, nous ferions œuvre plus utile qu'en nous concentrant tour à tour sur chacun d'eux.

Nous avons d'abord remarqué que l'épidémie affectait une population bien particulière d'enfants. Les enfants élevés dans la pauvreté ont toujours eu leur lot de problèmes, mais dans ce cas il s'agissait d'enfants de la classe moyenne, de la classe moyenne la plus libre, la plus influente et la mieux éduquée que le monde ait jamais connue. Les parents de ces enfants étaient des gens motivés, cultivés et qui avaient réussi – c'est-à-dire précisément le groupe de personnes dans lequel on se serait le moins attendu à rencontrer ce genre de problèmes.

Le fait de reconnaître l'Universalité des comportements de manipulation parmi les enfants à problèmes nous a permis d'avoir un premier aperçu du tableau d'ensemble. Ces enfants utilisaient la manipulation pour s'adapter aux circonstances. Or, comme la manipulation met en jeu d'autres personnes, il s'agit d'un comportement dépendant. Le contraste avec le comportement des enfants qui allaient bien était frappant : ces derniers n'avaient pas recours à la manipulation : ils agissaient de manière autonome.

En réunissant tous ces éléments, nous en sommes arrivés à la série de conclusions suivantes : toutes les manifestations de l'épidémie pouvaient être ramenées à une cause centrale. La manipulation (ou la dépendance), qui est la principale stratégie utilisée par les enfants à problèmes pour s'adapter, n'était pas la conséquence de leurs difficultés mais leur cause : des gens bien intentionnés, cultivés et qui avaient réussi avaient appris à leurs enfants à s'adapter aux circonstances de cette façon.

Ceci nous a amenés à nous poser de nouvelles questions. Qu'est-ce que la manipulation? Comment est-elle reliée à la cause de l'épidémie? Comment se manifeste-t-elle? Quel rôle jouent ceux qui se font manipuler? Y a-t-il des personnalités prédisposées à la manipulation? Quelles sont les origines de cette forme de dépendance? Que font les parents, que fait la société, pour favoriser le développement d'enfants dépendants? Mais, au fond, qu'est-ce que l'indépendance? Et enfin, que peuvent faire les parents et les éducateurs, en général, pour favoriser le développement d'un comportement autonome, sans manipulation, de la part des enfants?

Nous espérons que ce livre vous servira de guide pour aider vos enfants à devenir des adultes forts et indépendants, capables de réagir aux différentes situations et de s'adapter à la vie telle qu'elle est plutôt que de lui demander de s'adapter à eux. Vous serez surpris de voir combien les changements que nous proposons sont simples et faciles à comprendre – ce qui ne signifie pas qu'ils soient faciles à mettre en œuvre. Ils commencent avec le fait d'accorder aux parents le droit d'agir en parents. Ils font aussi appel à quelques subtilités dans la technique et dans l'approche qui demandent du temps et de la patience pour être bien maîtrisées. Ils supposent que vous considériez votre enfant comme un individu capable mais inexpérimenté, qui a besoin de consignes claires et de discipline pour progresser. Et surtout ils permettent de mener à bien une de nos tâches les plus exigeantes et les plus importantes : élever nos enfants.

Ernest W. Swihart
Minnetonka, Minnesota

AVERTISSEMENT DU TRADUCTEUR

Ce livre a été écrit aux États-Unis, où le système et le style d'éducation sont quelque peu différents de ceux du Québec et, a fortiori, de la France, mais les problèmes qui y sont décrits ne sont pas étrangers à ces deux pays.

Je n'ai pas tenté «d'adapter» le livre à la situation des pays francophones, mais ai seulement introduit quelques précisions lorsque c'était nécessaire. Le lecteur pourra juger par lui-même des parallèles et des différences qu'il convient d'établir.

Chapitre 1

La manipulation : une explication aux problèmes des jeunes

Les enfants américains rencontrent toutes sortes de difficultés du point de vue psychosocial. Les statistiques nous le confirment : nous avons un problème. Au Minnesota, où les auteurs vivent et pratiquent, le taux de suicides d'adolescents a triplé dans les quatre ans qui ont précédé l'année 1991; un adolescent sur trois et une adolescente sur six a pensé au suicide; les grossesses précoces ont triplé dans les quinze dernières années, malgré la diffusion de la contraception sur une large échelle, et 11,8 % des jeunes ont été diagnostiqués comme étant atteints de troubles psychologiques majeurs. Des groupes d'adolescents errent dans de nombreuses cités à travers le pays, la consommation de drogue continue à augmenter et les consultations pour des troubles de l'alimentation, autrefois rarissimes, sont devenues monnaie courante. Il apparaît clairement que nous n'assistons pas seulement à une nouvelle forme de la traditionnelle «crise d'adolescence», mais à quelque chose de nouveau qui ne peut être mis sur le compte des hormones, de l'âge ou d'une crise passagère : ces adolescents n'ont aucun but, aucune structure, ni la moindre conscience d'eux-mêmes.

Comment se fait-il que nos sociétés d'abondance, pleines de richesses et de possibilités, aient pu produire plusieurs générations d'enfants qui ne réussissent pas à faire leurs devoirs à la maison, qui obtiennent des notes médiocres dans les tests internationaux de connaissances scolaires, qui montrent aussi peu de contrôle de soi et qui, lorsqu'ils deviennent adolescents, sont de plus en plus souvent victimes de dépression, de suicide, de grossesses non désirées, de troubles de l'alimentation ou de dépendance envers des substances chimiques – quand ils ne manifestent pas des comportements violents? Un éditorial de la revue *Pediatrics* attribue ce malaise national à un renoncement à l'effort. Les explications des problèmes de la jeunesse américaine abondent, mais aucune ne propose une description cohérente et approfondie de la genèse de ceux-ci, encore moins des actions à entreprendre pour y remédier.

Nous pratiquons depuis assez longtemps pour avoir eu le temps de voir une génération entière passer de l'enfance à l'âge adulte. Bien des enfants que nous suivions ont manifesté, en grandissant, des problèmes de comportement que nous avons observés en tentant de comprendre ce qui se passait. Nous avons cherché quelle pouvait être la cause mystérieuse de tous ces troubles. Nous nous sommes demandé : «Qu'est-ce qui a tellement changé aujourd'hui par rapport à ce qui existait il y a quarante ou cinquante ans?» Nous avons examiné les réponses de la société à ces problèmes et nous nous sommes alors interrogés : «Comment se fait-il que nos efforts de traitement et de prévention aient été aussi peu efficaces?» La bibliothèque publique de New York dispose de plus de quatre cents ouvrages traitant de la manière d'élever les enfants et pourtant, en dépit de toute cette information, la situation semble empirer. Pourquoi, malgré les efforts des parents, des écoles et du système judiciaire, reculons-nous? Quelqu'un a-t-il une idée? Nous devons faire quelque chose de travers. Quelque chose qui, quoi que ce soit, est fondamental pour le développement d'individus sains et adaptés.

Aujourd'hui, les parents abordent l'éducation de leurs enfants dans la crainte et dans l'agitation alors qu'autrefois ils le faisaient avec joie et remplis d'espoir. De nombreux parents semblent considérer leurs enfants comme des bombes à retardement, convaincus qu'une maladresse de leur part suffira à déclencher le compte à rebours. Il est vrai que ces craintes ne sont pas sans fondement : les faits ne sont guère encourageants.

Récemment, une mère dévouée, qui avait jusqu'alors élevé ses trois enfants avec succès, nous a demandé : «Comment se fait-il que quand je dis non à mes enfants je me sente coupable?» En effet! Nous connaissons cette femme et nous savons que lorsqu'elle dit «non» à ses enfants, c'est qu'elle a pris une décision mûrement réfléchie et qu'elle a raison. Pourtant, elle se sent coupable de s'opposer à la volonté de ses enfants. Ce genre de sentiment ne favorise pas la constance dans les décisions et lorsqu'il interfère dans l'éducation, cela n'augure rien de bon pour les enfants. Cette mère nous a avoué : «Vous savez, nous sommes terrifiés par nos enfants. Nous avons peur de les mettre en colère ou de faire une erreur, et nous ne voulons pas courir de risque, nous ne voulons pas être responsables.» Nous étions d'accord avec elle et nous le lui avons dit. Il est temps de se rendre compte que notre approche de l'éducation ne marche pas.

Le dilemme exprimé par cette mère mérite qu'on y prête attention. Si quelque chose caractérise les parents d'aujourd'hui, c'est la peur et la culpabilité qu'ils ressentent même lorsqu'ils font de leur mieux pour élever leurs enfants. Ce malaise fait la fortune des donneurs de leçons : nous voyons sans cesse des parents qui ont lu tout ce qu'ils pouvaient trouver sur la question et se sentent finalement plus démunis que jamais, faute d'y avoir trouvé les conseils dont ils avaient réellement besoin.

Ce livre n'a pas pour but de passer en revue toute la littérature et les recherches sur l'éducation et n'a pas la prétention de donner toutes les réponses – nous savons que personne ne les possède. Nous désirons seulement explorer un aspect du problème, la manipulation, qui peut nous permettre de mieux comprendre les difficultés de nos enfants. Si nous comprenons la signification des comportements de manipulation – comment ils fonctionnent et agissent sur les enfants – nous pouvons en tirer des conclusions susceptibles d'aider les parents et les professeurs à élever les enfants de telle sorte qu'ils deviennent des individus adaptés et responsables.

Notre livre n'a pas non plus pour but d'excuser les parents : nous ne souhaitons pas que notre analyse soit utilisée pour justifier leur incapacité d'apprendre aux enfants à survivre et à se développer. Si nous l'avons écrit, c'est avant tout parce que nos clients et nos patients ont jugé que nos idées leur avaient été utiles pour aider leurs enfants à acquérir autonomie et indépendance. Si vous y cherchez seulement une *explication* aux problèmes que vous rencontrez avec vos enfants ou une recette facile et sans effort pour les éduquer, inutile d'aller plus loin. Ce livre à pour but de vous amener à réviser fondamentalement vos idées sur les enfants et leur éducation, et de vous conduire à faire des changements essentiels dans la manière dont vous vous y prenez. Beaucoup des chose que nous vous demanderons requièrent du temps et certaines peuvent être difficiles à vivre du point de vue émotionnel mais le résultat – que vos enfants puissent devenir forts, indépendants, autonomes, qu'ils aient confiance en eux-mêmes et soient capables de réagir adéquatement dans toutes les situations – en vaut la peine.

Les difficultés de nos enfants ont des racines historiques qui remontent à plus d'un siècle : elles sont le fruit amer de tendances dont l'apparition date de plusieurs années. Les parents d'aujourd'hui se trouvent à la confluence de ces diverses tendances, ce qui les paralyse et les rend incapables d'affronter la lourde tâche d'élever leurs enfants. Dans son livre, *A Nation of Victims*, Charles Sykes a fait la chronique de certains des antécédents historiques qui peuvent expliquer le malaise actuel et nous en reprendrons essentiellement deux.

Les fondements de notre manière de considérer les enfants et l'éducation remontent aux travaux de Sigmund Freud, au tournant du siècle. Selon Freud, les maladies mentales des adultes sont le résultat de dommages subis par la *psyché* de l'enfant au cours des stades critiques de son développement. Cette théorie est devenue populaire et a commencé à influencer l'éducation des enfants après la Seconde Guerre mondiale grâce, notamment, aux efforts de Benjamin Spock. Les parents, qui jusque-là se préoccupaient surtout d'inculquer à leurs enfants la différence entre le bien et le mal, de faire en sorte qu'ils aient bon caractère et soient disposés à travailler dur, se mirent à craindre de leur faire du mal. Comme, de plus, la théorie en question était complexe, déroutante, et pleine de chausse-trappes, l'éducation devint inaccessible au commun des mortels et réservée aux experts. Aucun parent conscient de ses responsabilités ne pouvait espérer s'en sortir sans l'avis de professionnels. Pour la première fois dans l'histoire de l'humanité, la confiance traditionnellement mise dans la famille et la communauté en ce qui concerne l'éducation des enfants s'effondra. L'idée se répandit soudainement que nos enfants étaient fragiles, qu'on devait les manier avec précaution et qu'il fallait avoir au moins un doctorat pour savoir comment s'y prendre.

Une seconde tendance se dessina à la suite de la publication, en 1950, d'un livre intitulé *The Authoritarian personality*, dans lequel les auteurs, Theodor Adorno et ses collaborateurs, tentaient de dégager les caractéristiques de l'autoritarisme à travers les temps. Dans cette période d'après-guerre, ils considéraient le fait de posséder de fermes croyances, reposant sur de solides convictions morales (avec, bien entendu, le désir de les inculquer à ses enfants) comme une forme de fascisme. Cette idée – que toute personne exprimant un jugement moral était un fasciste – trouva un terrain fertile dans une population qui sortait de la guerre contre le fascisme. L'antiautoritarisme prit ainsi racine et les parents commencèrent à douter d'eux-mêmes et à s'interroger sur la valeur de leurs croyances. Ils se sentirent coupables d'imposer leur conception du bien et du mal à leurs enfants. L'accent mis par Spock sur la permissivité se combina avec ce nouvel état d'esprit pour révolutionner de fond en comble l'éducation des enfants. Mais, depuis la première génération élevée selon ces principes – dans les années soixante – jusqu'à aujourd'hui, nous avons eu le temps de constater qu'il y a quelque chose qui ne marche pas.

La mère que nous avons rencontrée en témoigne de façon exemplaire : elle se sent coupable de faire ce qu'elle croit juste car elle craint d'être autoritaire. Elle craint de faire du tort à ses enfants en leur imposant ses décisions et, du coup, elle a du mal à jouer son rôle de parent de manière efficace et en toute confiance.

La plupart des parents ont ce sentiment, au moins de temps à autre.

Le problème ne concerne pas seulement la famille

Syles, dans une pénétrante description du malaise national, cite Jaime Escalante, qui a servi de modèle au professeur du film *Stand and Deliver* :

> Nos écoles [...] ont aujourd'hui tendance à considérer les étudiants appartenant aux minorités défavorisées comme s'ils étaient sur le point de faire une dépression nerveuse et qu'il faille les protéger de tout stress inutile [...] Non seulement de telles idées sont fausses mais elles constituent pour ces jeunes un véritable arrêt de mort et, si on les laisse se répandre, elles peuvent freiner de manière significative la promotion des minorités.

Nous sommes tout à fait d'accord avec M. Escalante, si ce n'est que le problème n'est pas réservé aux jeunes des milieux défavorisés. Il se retrouve également dans les classes moyennes privilégiées. Non seulement les parents sont incapables d'assumer leur autorité dans les familles, mais le malaise affecte aussi, et peut-être plus encore, les écoles. Peu de temps avant d'écrire ceci, nous avons rencontré un adolescent de treize ans, Randy, avec lequel nous travaillons depuis sa petite enfance, avant même qu'il n'ait commencé à fréquenter l'école. Bien que ses parents soient des personnes solides et efficaces, ils ont vite été dépassés. Leurs problèmes ont encore été aggravés par la maladie chronique d'un enfant plus jeune auquel ils ont dû consacrer beaucoup de temps. Alors que tout s'était assez bien passé tant que Randy était à la maison, ses progrès à l'école ont consisté en une série de hauts et de bas – avec plus de bas que de hauts. Sa sixième année de primaire dans une école publique «progressive» a été un véritable désastre, bien qu'il ait eu droit à une aide particulière, ait participé à des réunions de groupe entre amis ou en famille pour «réduire le stress» et ait bénéficié de rencontres régulières avec un conseiller – sans parler des fréquentes réunions qui eurent lieu entre ses parents et l'équipe de professeurs et de travailleurs sociaux.

À la fin de l'année scolaire, la famille a déménagé à proximité d'une école paroissiale. Après mûres réflexions, les parents de Randy décidèrent de lui faire reprendre sa sixième année dans cette école, pensant que ni ses résultats scolaires ni sa maturité personnelle ne lui permettaient d'entreprendre des études secondaires.

À la mi-mars nous avons eu une réunion de suivi. Dès que nous sommes entrés dans la salle de consultation, il est apparu immédiatement que quelque chose avait changé. Il se tenait droit et nous regardait bien en face, avec un grand sourire. «Alors, Randy, comment ça va? – Bien, répondit-il, je suis à la tête de ma classe en maths et en anglais!» Il rayonnait, visiblement plein de confiance en lui-même. Nous étions à la fois stupéfaits et ravis.

Un peu plus tard, nous avons demandé à son père ce qui avait bien pu provoquer un tel changement. Il nous a répondu que celui-ci était entièrement dû à son institutrice. «Les deux premiers mois ont été vraiment ardus. Son institutrice ne lui accordait aucun répit et ne renonçait jamais. Elle le dominait, sans agressivité ni méchanceté, mais d'une manière qui lui faisait sentir qu'elle s'intéressait à lui, qu'elle croyait en ses capacités et ne lui permet-trait pas d'échouer par paresse. Il haïssait ça. Il haïssait son institutrice mais elle restait sereine et souriante, et continuait à exiger de bons résultats. Il était réellement en colère contre nous pour l'avoir envoyé dans cet "horrible" endroit. Il voulait continuer à jouer le rôle de la victime comme il l'avait toujours fait. Au bout de deux mois, il a cédé. Il s'est dit qu'après tout il pourrait peut-être travailler et réussir.» On aimerait pouvoir «reproduire» ce professeur à des centaines d'exemplaires. Elle sait ce qu'elle attend des élèves, elle sait qu'elle doit établir son autorité dès le début de l'année scolaire et elle sait que les élèves n'aimeront pas ça. Elle sait aussi que, si elle le fait malgré tout, ils la respecteront et même l'aimeront. Plus important encore, elle sait que si ses élèves progressent, ils vont s'estimer et apprécier l'école. Mais les professeurs de la trempe de celle-ci ne sont pas nombreux. Peu de professeurs n'ont pas peur de frustrer les élèves ou de les stresser. Peu ont conscience de la nécessité d'imposer leur autorité sans s'inquiéter que, pendant un certain temps, leurs élèves les détestent – et détestent l'école. Et il est encore plus exceptionnel de trouver un professeur qui peut se permettre de passer outre à la désapprobation des parents et à toutes les conséquences légales que peut avoir celle-ci.

Le pire, c'est le peu de soutien qu'un professeur qui a décidé de prendre ce risque peut attendre de la part de l'administration. Dans nos écoles, beaucoup de professeurs pourraient être excellents, mais ils savent que s'ils demandent réellement à leurs élèves de travailler et que cela débouche sur un conflit, ils se retrouveront seuls. Nous avons tous les ingrédients nécessaires pour faire d'excellents professeurs, mais leur tâche est devenue tellement compliquée que même les bons deviennent impuissants. Il faut un réel courage pour faire ce qui est bon pour les enfants et supporter leur colère ou leur indignation lorsqu'on leur demande de travailler. Or, nous avons sapé le moral des professeurs en invoquant les prétendues incapacités des élèves et en leur demandant de *donner* à ces derniers l'estime d'eux-mêmes plutôt que de les aider à forger celle-ci sur la base de leurs résultats scolaires. Et tout un ensemble de programmes et de politiques a été mis en place, dont le résultat est de diluer les responsabilités tant des élèves que des professeurs.

Le «refus de tout effort» est évident dans tous les groupes socio-économiques, et la classe moyenne américaine ne fait pas exception. Il semble que plus on tente de remédier au problème, plus il empire, comme nous l'avons constaté tout au long de notre carrière : de plus en plus d'enfants nous étaient envoyés pour que nous les aidions. Les écoles et les familles rencontraient de plus en plus de problèmes de comportement et d'échec scolaire et les enfants étaient de moins en moins capables de supporter les contraintes. Nous avons vu des écoles entières devenir «thérapeutiques» pour tenter d'aider les enfants à affronter des exigences d'ordre comportemental ou académique qui, quelques générations plus tôt, auraient semblé minimales. Nous avons vu les écoles et les parents se renvoyer le blâme les uns aux autres. Nous avons pu constater que lorsque les professeurs diminuaient leurs exigences dans l'espoir de renforcer l'estime des enfants pour eux-mêmes en leur permettant de réussir, les résultats de ceux-ci diminuaient autant que les exigences et leur confiance en eux-mêmes en souffrait encore plus. Nous avons entendu réclamer un allongement du calendrier scolaire comme si plus de médiocrité pouvait remédier à l'échec. On nous a aussi dit que le problème était d'ordre financier, qu'il était possible d'obtenir de meilleurs résultats si on y mettait le prix. Mais nous n'y croyons pas.

Marva Collins, le légendaire professeur qui dirige une école dans le ghetto de Chicago, a montré combien nos attentes vis-à-vis des enfants ont diminué en rappelant simplement le contenu d'un manuel publié en 1862 et destiné à l'école primaire, le *Rhetorical Reader*. On trouve dans ce manuel des textes de John Ruskin, Oliver Goldsmith, John Milton et Léon Tolstoï. Les enfants étaient-ils plus intelligents en 1862 qu'aujourd'hui? Nous en doutons.

Que se passe-t-il? Nos enfants seraient-ils moins aptes à réussir que ceux de Taiwan, de Corée du Sud ou de l'ancienne Union soviétique (comme le suggèrent les résultats des tests internationaux)? Le déclin des résultats au SAT (test verbal : de 477 à 428; test de maths : de 498 à 476) de 1960 à aujourd'hui, en dépit d'une augmentation des dépenses en dollars constants d'environ 300 % par élève, traduit-il un mystérieux accroissement du pourcentage d'enfants inaptes dans la population? Pensons-nous réellement que des moyens supplémentaires pourront aider à résoudre le problème alors que nous sommes au second rang – derrière la Suisse – pour ce qui est de l'ensemble des dépenses par élève et que celles-ci sont déjà deux fois plus élevées qu'au Japon? Allons-nous croire que la réponse est dans la diminution du nombre d'élèves par classe alors qu'au Japon la moyenne à l'école primaire est de quarante-cinq élèves? À moins que nous ne pensions que le légendaire succès des immigrants d'origine asiatique soit dû au fait qu'ils sont naturellement plus intelligents? Pour notre part, nous ne le croyons pas. Il est clair à nos yeux que quelque chose a changé dans la manière dont nous élevons nos enfants et dont nous les préparons à la vie, aussi bien à l'école que dans nos familles, et que ce phénomène est relativement récent – même si ses racines plongent dans le passé.

La réponse de la société à ce problème a été encore pire que ce à quoi on pouvait s'attendre. Nous avons demandé à un jeune patient, qui nous avait été adressé en raison de ses mauvais résultats scolaires, comment il pensait réussir en classe. «Bien», a-t-il répondu. «Et comment le sais-tu? – Parce que mon professeur colle tout plein de visages souriants* sur mes cahiers.» De l'avis de Chester Finn, qui supervisait le rapport du professeur sur les progrès de l'enfant, il s'agit là de l'exemple même «d'un mariage contre nature entre des attentes faibles et des récompenses élevées... d'un mélange empoisonné d'humanisme et de condescendance». La quasi-totalité des réponses de la société et des professionnels a visé à préserver l'estime des enfants pour eux-mêmes, à les protéger de la réalité et à leur permettre d'échapper aux contraintes plutôt qu'à former leur caractère et à favoriser leur apprentissage. Or, il semble que plus nous nous efforçons de donner aux enfants une bonne opinion d'eux-mêmes, moins nous y réussissons. Une des écoles avec lesquelles nous sommes en contact possède des groupes thérapeutiques pour une multitude de problèmes et l'école tout entière a pour objectif de renforcer l'estime que ses élèves ont d'eux-mêmes. Or, nous avons vu les résultats des enfants de cette école diminuer constamment et les enfants devenir de plus en plus tristes, tout en se montrant moins responsables que leurs condisciples des autres écoles. Et savez-vous quelle a été la réponse de l'école devant cette baisse évidente de l'estime de soi des enfants? Augmenter le nombre de groupes de thérapie! Si un peu de thérapie ne marche pas, faisons-en davantage...

---

* Signe de félicitations couramment utilisé en Amérique du Nord, «bon point». [N.d.T.]

Tandis que les écoles devenaient de plus en plus «thérapeutiques», une tendance pernicieuse se fit jour dans les années soixante-dix : les États passèrent des lois demandant aux écoles d'identifier les enfants qui avaient des «difficultés d'apprentissage». Des critères furent établis à cette fin et les États mirent des fonds à la disposition des écoles pour fournir des services aux enfants ainsi «étiquetés». Bien que les écoles, les enseignants et les parents ne l'aient jamais su – ou l'aient oublié – le protocole de test utilisé avait plutôt pour but de satisfaire les exigences légales de chaque État que de permettre d'établir un diagnostic scientifique et complet. En fait, tout le champ des supposées «difficultés d'apprentissage» relève d'un mélange entre quelques rares faits scientifiques, un grand nombre d'opinions subjectives et des dispositions légales, le peu que nous sachions vraiment étant obscurci par l'utilisation d'un langage fantaisiste. Les enfants ont des problèmes d'écoute (ce qui signifie qu'ils n'écoutent pas au moment requis), des problèmes d'encodage et de décodage (ce qui signifie qu'ils n'appliquent pas les règles phonétiques qu'ils ont – ou n'ont pas – apprises et préfèrent essayer de deviner les mots qu'ils n'ont jamais vus, ou les sauter) ou des problèmes d'intégration visuomotrice (c'est mon cas : j'ai une écriture plutôt illisible!).

Nous ne doutons pas qu'il existe quelques personnes, peu nombreuses, qui ont de réels déficits neurologiques qui interfèrent avec l'apprentissage, de même qu'il s'en trouve d'autres qui n'ont pas l'oreille musicale ou qui sont atteintes de troubles moteurs, comme la chorée, qui rendent l'écriture difficile. Mais les dimensions mêmes de la population actuellement identifiée comme ayant des «problèmes d'apprentissage» amènent à se poser de sérieuses questions quant à la définition utilisée. Il semblerait plutôt qu'on a ainsi trouvé un moyen d'expliquer l'échec non pas des élèves mais des méthodes d'enseignement. Le travail difficile et exigeant du point de vue émotionnel que suppose l'apprentissage de la lecture aux enfants a tout simplement été mis de côté. De plus, on a ainsi assuré du travail à plein temps au personnel de l'éducation spécialisée. Mais il y a un prix à cela et ce prix, ce sont les enfants qui le payent en restant marqués tout au long de leur cours d'étude par un prétendu diagnostic d'inaptitude et en étant eux-mêmes convaincus qu'ils sont incapables de réussir comme les autres enfants.

Patti, une jeune fille de dix-sept ans, nous a été envoyée récemment pour une évaluation, à cause de ses mauvais résultats scolaires. Pleine de charme et de vivacité, elle s'exprime clairement et c'est visiblement quelqu'un d'intelligent. Sa mère est professeur, son père gastro-entérologue. Patti a eu des difficultés à apprendre à lire en première et en deuxième années et a été évaluée pour difficultés d'apprentissage à l'âge de huit ans. L'évaluation ayant conclu qu'elle avait effectivement un problème, elle a reçu une aide spéciale à l'école depuis lors. Lorsque nous l'avons rencontrée, elle avait effectivement de la difficulté à lire. En fait, elle avait *horreur* de lire. En poursuivant nos investigations, nous avons constaté que Patti était incapable de déchiffrer un mot qu'elle ne connaissait pas. Quand elle devait le faire, elle tentait de deviner d'après le contexte et le résultat n'était pas toujours pertinent. La plupart du temps, elle se contentait de sauter les mots qu'elle ne connaissait pas. Comme on pouvait s'y attendre, son degré de compréhension de ce qu'elle lisait était faible. Nous avons alors décidé d'un traitement d'orthophonie, auquel Patti résista d'abord vigoureusement : elle ne souhaitait pas du tout perdre le confort que lui procuraient ses «difficultés d'apprentissage» et nous assurait avec véhémence que notre méthode ne marcherait pas. En réalité, il est apparu que Patti savait mieux déchiffrer qu'elle n'en avait elle-même conscience et ses progrès furent rapides. Son véritable problème était d'utiliser ce qu'elle savait. Elle avait si bien intégré la méthode consistant à «deviner ou sauter» que l'abandonner pour adopter une nouvelle approche lui demanda beaucoup d'efforts. Mais son travail avec l'orthophoniste finit par produire des résultats : sa capacité de lecture s'améliora rapidement ainsi que ses performances scolaires. Elle se considère aujourd'hui comme une étudiante normale et capable – et non plus comme la victime d'un handicap.

Mais pourquoi Patti n'a-t-elle pas appris à lire dès le départ? Son handicap aurait-il magiquement disparu grâce à nos soins? Patti, comme la plupart des enfants, ne savait pas lire lorsqu'elle entra en première année. Elle s'aperçut alors que certains enfants savaient déjà lire et se demanda pourquoi *elle* ne savait pas. Elle devint craintive et peu sûre d'elle. Ses parents et ses professeurs tentaient de l'aider mais, chaque fois qu'elle rencontrait un mot qu'elle ne connaissait pas, elle manifestait de la frustration et appelait à l'aide. «Je ne peux pas», disait-elle, et tout le monde la croyait. Ses parents et ses professeurs craignaient qu'elle ne renonce. Ils ne supportaient pas de voir sa frustration et, par conséquent, lui disaient les mots qu'elle ne connaissait pas plutôt que d'insister pour qu'elle les déchiffre. Patti apprit alors à déchiffrer le premier phonème d'un mot et à tenter de deviner la suite jusqu'à ce qu'elle finisse par tomber sur la bonne réponse, recevant alors les félicitations de ses parents et de son professeur. Elle apprit ainsi à lire les mots globalement : elle mémorisa tous les mots dont elle avait besoin pour passer en deuxième année. Mais en troisième année cela devint plus difficile. À partir de la troisième année on n'apprend plus à déchiffrer, la lecture devient individuelle. Or, Patti ne pouvait apprendre de nouveaux mots qu'avec l'aide de quelqu'un. Elle se convainquit alors qu'elle était incapable de lire et personne n'eut l'idée d'en revenir aux bases – qu'elle n'avait en fait jamais apprises. Dès lors, lire resta pour Patti difficile et dénué de signification. Essayer seulement de lire la remplissait d'appréhension et elle apprit à l'éviter. Et le diagnostic de «difficultés d'apprentissage» et l'aide spéciale qu'elle reçut par la suite achevèrent de la convaincre de son incapacité à réussir sans aide.

Le lecteur pense peut-être que l'histoire de Patti est exceptionnelle, mais il n'en est rien. Au contraire, elle illustre un problème central de notre approche de l'éducation, que celle-ci soit dispensée par les parents ou les professeurs, un problème dont il faut absolument nous occuper si nous voulons former des enfants compétents et qui aient confiance en eux. Nous ne pouvons continuer à considérer les enfants, pour reprendre les termes de M. Escalante, comme «étant sur le point de faire une dépression nerveuse et [devant être protégés] de tout stress inutile» si nous voulons être capables de les voir traverser le processus difficile et parfois frustrant de l'apprentissage.

La présence de salles d'étude est devenue aujourd'hui une caractéristique universelle des écoles secondaires. Ces salles ont été créées en réponse à la diminution du travail à la maison et reflètent la croyance que les enfants ont besoin, pour étudier, d'un encadrement spécialisé, avec un professeur pour répondre à leurs questions. À première vue cela pourrait sembler une bonne approche pour améliorer les performances, mais on peut s'interroger sur la quantité d'étude qui s'effectue réellement dans ces salles – beaucoup seraient plus adéquatement désignées par le terme «salle de discussion». Pire, la plupart constituent pour les élèves un lieu privilégié où s'exercer à la manipulation, les amis et professeurs présents étant souvent trop contents de les y aider. Du coup, l'attitude générale parmi nos clients ayant des problèmes à l'école est la suivante : «Si le travail ne peut être fait à l'école, ça n'est pas la peine de le faire.»

Récemment, les parents d'un enfant ayant des difficultés scolaires ont assisté à une réunion destinée à examiner son «plan individuel d'éducation». Les parents nous ont raconté que le programme en question précisait que leur enfant devait faire 80 % de son travail avec un niveau de correction de 80 %. «Ce qui signifie, nous dirent-ils, qu'ils attendent de lui qu'il fasse 64 % du travail correctement : trouvez-vous cela raisonnable?» Plutôt que d'exiger que l'enfant travaille, l'école proposait une formule dans laquelle la réussite correspondait à peu près à ce qui aurait valu un D* dans la plupart des cours. L'objectif fixé était donc qu'il continue à obtenir de mauvais résultats.

Nous sommes troublés par ces tendances. Au fur et à mesure que la société devient plus protectrice à l'égard des enfants, que l'on s'efforce de mieux les «soutenir», de leur «donner» une meilleure opinion d'eux-mêmes et d'être plus «positifs» en ce qui les concerne, il apparaît que les choses vont de plus en plus mal. Plus on intervient dans leurs relations entre

---

* Dans ce système de notation un A correspond environ à une note de 17 à 20/20; un B, de 15 à 17; un C de 13 à 15 et un D de 10 à 13. Il faut aussi tenir compte du fait que la notation est généralement plus généreuse en Amérique du Nord qu'en France. Un D est donc une mauvaise note. [N.d.T.]

eux, plus ils se battent et se disputent. Plus on leur offre d'aide individuelle pour réussir dans leurs études, plus on diagnostique de «problèmes d'apprentissage» et plus ils échouent. Plus on s'efforce de les rendre heureux, plus ils sont déprimés. Et plus la liste des choses dont l'école est censée être responsable s'allonge, plus on perd de vue l'objectif premier de l'éducation. Nous observons l'ensemble de ces phénomènes depuis que nous pratiquons et la conclusion est incontournable : aider les enfants en leur rendant la vie plus facile a généré plus de problèmes que de solutions.

La clé du mystère

Laissez-nous vous raconter l'histoire de deux jeunes femmes que nous connaissons bien.

Kathy, une jeune fille de seize ans, est la plus jeune de trois enfants qui fréquentent l'école secondaire. Nous l'avons rencontrée à cause de problèmes persistants d'insomnie. Elle a deux frères dont l'un commence son secondaire et l'autre est sur le point de le terminer. Elle s'entend bien avec tous les deux. Ses parents sont mariés depuis plus de vingt ans. Elle a une moyenne de B+* à l'école, rend son travail à temps et produit la plupart du temps un travail de bonne qualité. Son niveau de réussite correspond à ses aptitudes et elle travaille généralement dur à la maison quoique, à l'occasion, elle puisse passer un peu trop vite sur un devoir pour en finir.

Kathy est bien connue à l'école et a pas mal d'amis, dont certains très proches. D'après Kathy, ses amis considèrent qu'ils peuvent compter sur elle, qu'elle est loyale et honnête, qu'on a du plaisir à être avec elle, et qu'elle n'est pas prétentieuse – ce qui compte beaucoup pour les adolescents.

* Voir note page 30.

Kathy est une athlète. Elle aime le basket-ball et le *softball** et a pour le soccer** une véritable passion. En première année, Kathy a essayé de faire partie de l'équipe de soccer mais elle n'a pas réussi. L'entraîneur appréciait son dynamisme et sa détermination, mais il pensait qu'elle n'était pas prête. Il l'encouragea à prendre de l'expérience en jouant dans une autre équipe et à essayer de nouveau d'entrer dans celle du collège, l'année suivante. «Ça a été un sale coup! nous a dit Kathy en nous racontant l'histoire, je croyais vraiment que je pouvais le faire. Je faisais de mon mieux, mais je n'étais pas assez bonne. Alors, j'ai fait ce que l'entraîneur m'a dit.»

Durant toute l'année suivante, Kathy a joué à la fois à l'intérieur et à l'extérieur avec l'équipe *Park and Recreation*. Le printemps suivant, dès que la neige a été fondue, on pouvait la voir pratiquer ses dribbles, s'entraîner à marquer des buts ou courir pour être en forme.

Quand Kathy a finalement été acceptée dans l'équipe de l'école, l'automne suivant, elle était aux anges. «Je pensais bien que je pouvais y arriver, a-t-elle dit à ses parents, tout excitée. Je n'en étais pas tout à fait sûre pendant les matchs d'avant-saison mais je me suis accrochée. Je suis contente de ne pas avoir lâché!» Bien qu'elle n'ait pas été le meilleur joueur au cours de sa première saison, le jeu de Kathy se distinguait par sa constance et sa régularité. À la fin de l'année son entraîneur a loué sa ténacité, lui disant : «Je peux toujours être sûr que tu feras de ton mieux.»

Kathy s'engage dans la vie avec enthousiasme. Elle est capable de parler de toutes sortes de sujets – depuis le soccer jusqu'à la politique, en passant par les petits potins de l'école – et le fait avec plaisir. Depuis toujours, elle manifeste un intérêt particulier pour les questions pratiques et elle parle souvent avec son père, cadre dans une entreprise, de gestion financière, sur le plan personnel ou sur le plan de l'entreprise.

* Jeu proche du baseball (avec une balle plus molle). [N.d.T.]

** En Europe : football (mais en Amérique du Nord le football est un jeu différent). [N.d.T.]

Les parents de Kathy ont toujours insisté pour que leurs enfants prennent part aux travaux domestiques. Kathy participe donc à l'entretien de la maison avec ses frères et elle est tenue de tenir sa chambre propre et en ordre. Bien que ce travail ne l'enthousiasme guère, elle le fait tout de même – avec quelques récriminations. «Je le fais, dit-elle avec résignation, même si ce n'est pas le meilleur moment de la semaine.»

Kathy teste les limites et essaie de les étirer comme n'importe quelle adolescente. Une des règles de la maison est la suivante : pas de nourriture sur la moquette du salon. Kathy a enfreint cette règle à quelques reprises et il semble qu'elle se soit fait surprendre chaque fois, dénoncée par quelques croustilles oubliées ou par une canette de Coca-cola. Réprimandée par sa mère, Kathy finit par admettre les faits et alla nettoyer la moquette.

Il y a un an, avant qu'elle ne soit autorisée à avoir officiellement des rendez-vous avec des amis, Kathy s'est arrangée avec son frère, John, pour que celui-ci l'emmène au MacDonald pour y rencontrer un garçon qui lui plaisait. Elle l'aurait retrouvé là, aurait passé quelques heures avec lui et aurait ensuite rejoint John pour rentrer à la maison.

Mais ses parents ont eu des soupçons et lui ont demandé si elle avait eu un rendez-vous. Elle finit par avouer, se plaignant que toutes ses amies aient l'autorisation d'avoir des rendez-vous avant seize ans et déclarant que ce n'était pas juste. Réponse de ses parents : «Nous sommes désolés que tu considères la règle comme injuste, mais tu devras la suivre.» Kathy accepta à contre-cœur et n'eut pas d'autre rendez-vous avant seize ans. Elle continua de penser que la règle était archaïque et injuste, mais elle la respecta néanmoins, ce qui est tout à son honneur. Et, même si elle n'était pas ravie, elle continua sa vie.

L'autre jeune femme, Margie, a également seize ans et fréquente notre clinique depuis plusieurs années. Margie vient d'une famille apparemment «bien». Son père travaille dans un commerce spécialisé et bien qu'il soit souvent sur la route pour ses affaires, il est attentif à Margie et à ses frères et sœurs et semble être un père aimant. La mère de Margie est une femme dévote qui fréquente l'église régulièrement et a tenu à donner une éducation religieuse à ses enfants. Une des sœurs de Margie est au collège où ses études marchent bien. Son autre sœur, la plus jeune, est en fauteuil roulant : elle est atteinte de paralysie cérébrale. Margie est une jeune fille attachante et fort séduisante, qui excelle au collège – tant dans les matières scolaires qu'en sport. Elle est toujours tirée à quatre épingles. Les garçons l'attirent, mais elle n'a de relation sérieuse avec aucun d'entre eux. Elle a l'air d'une jeune fille sage et possède un certain charme, un peu craintif.

Mais Margie a un problème : elle ne pèse que quatre-vingt-sept livres (environ quarante kilos) et, en la connaissant mieux, nous avons découvert chez elle un type de comportement inquiétant. Margie ne tire de satisfaction dans la vie que d'une seule activité : contrôler son poids. Elle n'est satisfaite d'elle-même dans aucun autre domaine. Elle ne fait jamais aucun éloge d'elle-même et n'éprouve aucune fierté de ses réussites scolaires ou sportives. Elle n'est jamais «assez bonne». Elle est incapable de se voir comme une personne de quelque valeur. Elle a l'impression de cacher un horrible secret. Elle est convaincue que si les gens la connaissaient vraiment, ils la trouveraient stupide. Croyez-le ou non, son grand secret est une chose que la plupart des gens acceptent en ce qui les concerne : elle n'est pas parfaite! Mais Margie ne peut supporter de n'être pas parfaite et elle déteste la trop humaine partie d'elle-même qui ne l'est pas. Or, son but est absolument hors d'atteinte, même lorsqu'elle limite ses aspirations à la perfection au contrôle de son poids. Ainsi, elle ne se considère pas comme attirante mais se trouve mal habillée et peu désirable. Elle n'a de relation durable ou d'amitié profonde avec personne et elle est terrifiée par toute intimité. Ses relations les plus intimes sont celles qu'elle entretient avec les thérapeutes, mais elle ne leur dit que ce qu'elle veut bien qu'ils sachent – et ça n'est pas grand-chose. Elle se sent isolée et inefficace et elle a pensé plusieurs fois au suicide.

La famille de Margie paraît stable. Ses parents n'ont jamais envisagé de divorcer et ne semblent pas avoir de problèmes de couple. Mais la mère de Margie se fait beaucoup de souci pour sa fille. La sœur de Margie l'encourage sans arrêt à manger davantage et, à l'heure du repas, l'attention de toute la famille est tournée vers ce qu'elle mange – peu de chose – ou vers son programme d'exercices – qui est proprement fanatique.

La mère de Margie la décrit comme la fille la plus charmante du monde. Petite, elle était parfaite et faisait toutes sortes de choses pour sa maman, notamment quand celle-ci devait s'occuper de sa plus jeune fille qui est handicapée. Margie ne disait jamais un mot de travers. Elle faisait tout ce qu'on lui demandait. En fait, elle semblait vivre pour plaire à sa mère.

La préoccupation essentielle de Margie est de savoir si les autres l'aiment. Elle se tourmente à l'idée de faire quelque chose qui puisse attrister ou décevoir ceux qui l'entourent, surtout ses parents. Elle se préoccupe sans arrêt de ce qu'on pense d'elle, jamais de ce que *elle* pense. Elle essaie toujours d'être convenable, d'être parfaite. Pourtant elle ment, à la fois aux autres et à elle-même, à propos de son alimentation, de ses exercices et de son poids. Margie est passée de médecin en médecin et de traitement en traitement. Malgré toute l'aide qu'elle a reçue, elle continue à s'intéresser à une seule chose : faire ses exercices, se peser et se désespérer de tout ce qui entre dans sa bouche. Elle ne sait pas – et ne se demande pas – comment se rendre heureuse, mais seulement comment rendre les autres heureux. C'est une déprimée chronique, et elle ne semble pas posséder les ressources nécessaires pour améliorer sa situation.

Du point de vue du thérapeute, les membres de la famille de Margie se préoccupent excessivement les uns des autres et pas assez d'eux-mêmes. Ils manquent d'indépendance; ils ne peuvent se soutenir l'un l'autre pour résoudre un problème sans interférer dans la solution. Ils éprouvent de la difficulté à percevoir les limites de leurs domaines respectifs et n'hésitent pas une seconde à violer l'intimité de l'autre. Le message de la famille est : «Nous sommes responsables les uns des autres» et non «Nous sommes responsables, d'abord et avant tout, de nous-mêmes». Margie se sent responsable des problèmes de tout le monde à l'exception des siens propres.

Margie ne prend pas spécialement de plaisir à ses activités physiques, mais elle a constaté que nager et courir l'aidaient à contrôler son poids. Elle pense aussi qu'un corps parfait doit être en parfaite condition physique, et le fait de participer à ces activités lui donne le sentiment d'être un peu plus normale. Son statut de sportive, ses résultats presque parfaits et surtout son corps squelettique sont les seules choses qu'elle reconnaisse comme siennes. Quoi que les autres en pensent, les seules choses dans lesquelles elle se sente compétente sont de courir sur de vastes distances et de rester maigre.

Margie et Kathy sont toutes deux attirantes et intelligentes, et ce sont d'excellentes athlètes. Elles viennent toutes deux de familles stables et leurs parents souhaitent leur bien. Pourtant, l'une se referme sur son malheur tandis que l'autre est une jeune femme pleine de vivacité et de joie de vivre. D'où peut bien provenir une telle différence? Nous pensons que la famille de Kathy a encouragé, et même poussé, ses enfants à être indépendants et autonomes. La famille de Margie, au contraire, les a activement, quoique inconsciemment, amenés à être dépendants. Elle a alimenté et exigé cette dépendance.

Dans la famille de Kathy, les sentiments sont des expériences privées qui appartiennent à celui qui les ressent; ils sont respectés pour ce qu'ils sont. On peut en discuter, mais on n'est pas responsable des sentiments des autres. L'empathie vis-à-vis des autres est encouragée, mais elle ne doit pas aller au-delà d'une attitude compatissante et chaleureuse. Elle ne doit pas conduire à interférer et à tenter de changer les sentiments de l'autre. Dans la famille de Margie, les sentiments de chacun sont l'affaire de tous; Margie n'a jamais appris à se préoccuper de ses propres sentiments. Si vous êtes triste, c'est aux autres de vous aider à vous sentir mieux et de résoudre le problème à votre place. Et s'ils n'y parviennent pas, c'est leur faute. Margie a grandi en attendant de sa famille qu'elle fasse disparaître ses problèmes. Elle a appris à laisser les autres prendre soin d'elle tandis que Kathy a appris qu'elle pouvait et devait prendre soin d'elle-même.

En dépit de leur foi, les valeurs des parents de Margie changeaient constamment pour s'accommoder aux désirs immédiats de chacun. Chez Kathy, au contraire, les valeurs familiales supplantaient les sentiments personnels. Les règles et les valeurs n'étaient jamais modifiées pour rendre quelqu'un heureux.

Le monde de Margie est terrifiant. Elle est constamment sur ses gardes pour protéger son secret – qu'elle est humaine et non parfaite. La préservation de son image est son seul objectif. Elle croit qu'elle doit être l'enfant, l'étudiante et l'amie parfaite, qu'elle ne doit jamais décevoir personne et que tout le monde doit l'approuver.

À l'opposé, Kathy a appris qu'un échec n'est pas la fin du monde. C'est une expérience désagréable mais pas une catastrophe. Elle a également appris que l'échec peut être attribué à deux facteurs : un effort insuffisant ou un objectif déraisonnable. Et elle sait faire la différence entre les deux. Elle sait aussi que la persévérance et la patience sont les clés du succès.

Margie n'a jamais pu apprendre à suivre les règles de ses parents parce que celles-ci pouvaient toujours changer. Quand elle ne peut pas changer une règle, elle la contourne en fournissant une explication rationnelle ou des excuses qui suscitent de la sympathie pour sa transgression. Margie est malhonnête, à la fois avec les autres et avec elle-même. Cette malhonnêteté se manifeste notamment par le contrôle rigide de son poids – à la recherche de la perfection – et ses efforts sans conviction pour tenter de corriger le problème. Elle blâme les autres de ses échecs. Lorsqu'on lui demande comment elle fait, elle répond d'un ton morne et défait «J'essaie... Je fais de mon mieux...» ou elle recourt au blâme : «Je sais que je pourrais faire mieux... les choses sont allées tellement mal ces temps-ci... Je ne reçois pas assez de soutien de ma famille. Dans une semaine, quand les choses seront moins difficiles, je vais m'y remettre» ou «Ce n'est pas ma faute, je ne peux pas y arriver, ma famille est trop perturbée.» Chaque fois que nous la voyons, elle trouve des excuses et rejette la responsabilité de son échec sur quelqu'un ou quelque chose d'autre.

Kathy, en revanche, a appris à accepter la responsabilité de ses actes. Elle s'excuse rarement et ne tente pas de se justifier. Elle aurait parfaitement pu mentir à propos de son rendez-vous, rejeter sur son entraîneur la responsabilité du fait qu'elle n'a pas été admise dans l'équipe ou nié avoir laissé traîner des canettes dans le salon, mais elle a assumé ses responsabilités. Même si elle n'était pas d'accord avec la règle concernant les rendez-vous, elle l'a respectée. Il aurait été beaucoup moins pénible pour elle de mentir pour éviter la colère de ses parents. Elle aurait pu se trouver une excuse ou nier le pacte qu'elle avait conclu avec son frère. Mais elle a reconnu ses torts et accepté d'y remédier, même si cela lui demandait un effort. Kathy a exprimé le sentiment que les règles de ses parents concernant les rendez-vous étaient déraisonnables et injustes, mais elle savait qu'en fin de compte elle devait quand même les observer. Son expérience lui a appris qu'il n'est pas toujours facile de s'adapter au monde, que les choses ne sont pas toujours justes ni raisonnables, que le monde ne va pas se soumettre à son interprétation de la vie et qu'il vaut mieux apprendre à composer avec les choses telles qu'elles sont.

Nous avons passé beaucoup de temps à traiter des enfants dont le comportement ressemblait à celui de Margie, et nous nous sommes longtemps interrogés quant à notre absence de succès et celle des autres thérapeutes. Nous avons remarqué que bien que leurs problèmes soient aussi nombreux que divers, la plupart de ces enfants trouvaient difficile, sinon impossible, de jouer le jeu de la vie en respectant les règles. Ils étaient généralement craintifs, agressifs et maussades. Au lieu de reconnaître leurs propres torts et d'en assumer la responsabilisé, ils la rejetaient sur les circonstances ou sur les autres, entonnant toujours le même refrain : «Je ne peux pas; je ne le ferai pas; ce n'est pas juste; ce n'est pas vrai; ce n'est pas ma faute.» Pour ces enfants tristes et mal adaptés, l'échec est dévastateur. Souvent, ils s'entendent mal avec leurs parents, leurs frères et sœurs, leurs camarades de classe et leurs professeurs. Quand ils ont un problème, ils ont tendance à demander aux autres de le résoudre à leur place.

La hausse des statistiques reflétant les difficultés de notre jeunesse nous laissait tout aussi perplexes, jusqu'à ce qu'un jour, il y a six ans, une observation a changé notre compréhension de ces problèmes et notre approche vis-à-vis de ceux-ci. Il nous a fallu tout ce temps pour comprendre la signification de ce nouveau point de vue, mais le résultat en valait la peine.

Nous avions un repas de travail dans un restaurant italien. Nous nous rencontrons au moins une fois par semaine pour échanger nos idées, nous consulter à propos de nos patients et discuter de la situation des enfants américains. J'étais en train (c'est E.W. Stewart qui parle) de raconter l'histoire de trois adolescents qui, quoique ayant des problèmes de nature différente, avaient réussi tous les trois à décourager les efforts de tous les professionnels qui avaient tenté de les aider, que ce soit à l'école ou ailleurs. Ils étaient tous les trois extrêmement manipulateurs. Je ne faisais pas plus de progrès que les autres et j'étais frustré de l'inutilité de mes efforts. Finalement, je me suis exclamé : «Patrick, est-ce que tout est manipulation?» Mon collègue fronça les sourcils et réfléchit un moment. Finalement, il répondit : «Peut-être. C'est une idée intéressante.» Cette idée a mûri dans notre esprit et nous avons partagé plusieurs autres repas à parler de manipulation, explorant la possibilité que celle-ci soit la clé du mystère que représentaient pour nous ces échecs.

Nous étions déjà parfaitement conscients qu'un comportement manipulateur se rencontrait couramment chez les enfants qui avaient des problèmes. Mais, comme la plupart des professionnels dans ce domaine, nous y voyions une manifestation de leurs difficulté, un effet secondaire. Tout à coup, nous nous sommes mis à voir la manipulation de façon différente, comme un comportement plus fondamental, relié d'une manière ou d'une autre à la *cause* de leurs difficultés. En examinant de plus près les comportements manipulateurs, nous avons constaté que presque tous ces enfants utilisaient la manipulation comme une manière de résoudre leurs problèmes. Tant que c'était facile, la plupart d'entre eux agissaient exactement comme les autres, mais dès que quelque chose allait mal, leur comportement changeait et ils se mettaient à user de manipulation pour éliminer ou circonvenir le problème. Certains utilisaient sans arrêt la manipulation et passaient la quasi-totalité de leur temps à tenter d'influencer et de diriger le comportement des autres.

Ensuite, nous avons examiné le comportement des enfants qui allaient bien. Eurêka! Ceux-ci utilisaient peu la manipulation et, quand ils essayaient, ils se heurtaient aux rebuffades de leurs parents, de leurs frères et sœurs ou de leurs amis. La différence était si impressionnante que nous avons commencé à soupçonner que toutes les caractéristiques que nous utilisions pour caractériser un enfant en bonne santé – être responsable de soi, être honnête, avoir des buts dans la vie, être capable de supporter aussi bien le succès que l'échec sans se laisser abattre, être sensible sans être submergé par ses émotions – étaient intrinsèquement non manipulatrices. Les enfants en bonne santé l'étaient précisément parce qu'ils ne tentaient pas de résoudre leurs problèmes en manipulant les autres.

Nous avons compris que le commun dénominateur entre tous les enfants présentant des problèmes était, malgré la diversité de ceux-ci, l'utilisation de la manipulation comme méthode d'adaptation. Autrement dit, tous les enfants qui avaient des difficultés, tous sans exception (sauf ceux qui étaient franchement psychotiques ou avaient des problèmes neurologiques qui expliquaient leurs difficultés), pouvaient être réunis en un seul groupe selon cette variable. Les gens qu'ils manipulaient, la manière dont ils procédaient et les conditions dans lesquelles ils le faisaient différaient, mais le facteur de manipulation restait constant.

Estime de soi et manipulation

L'estime de soi est un ensemble de croyances sur soi-même dynamique et changeant. Elle se manifeste par un sentiment de compétence personnelle, par la confiance en soi et en sa valeur. Elle varie en fonction du temps et de la situation. Elle vient de soi et requiert des efforts pour se maintenir et se renforcer. Ce n'est pas un bien qui, une fois acquis, est garanti, mais plutôt un ensemble de sentiments qui exige d'être renouvelé constamment. On ne peut donner à quelqu'un l'estime de soi, mais on peut lui donner des outils pour la construire. L'estime de soi n'est pas égotiste, elle ne se développe pas sur la base des défaites et des échecs des autres ou par comparaison avec eux. Elle est particulièrement manifeste chez les individus qui savent exactement quels sont leurs objectifs et valeurs personnels et qui vivent en conformité avec ceux-ci.

Avoir de l'estime pour soi-même ne consiste pas à se sentir bien ou heureux. Comme dit le proverbe, «L'or et l'argent sont forgés au feu de la fournaise, le caractère l'est au feu de l'adversité». On gagne l'estime de soi en surmontant les difficultés. Les meilleures leçons que nous puissions recevoir sur notre valeur propre nous sont données par les choses les plus difficiles et les plus effrayantes. Les succès fabriqués, les réussites faciles, ou l'évitement des situations qui nous effraient ne rehaussent pas notre valeur à nos propres yeux. L'estime de soi se construit sur la base de nombreuses expériences qui, mises ensemble, sont la preuve de notre capacité d'accomplir ce que nous avons décidé. Quand nous trouvons le moyen d'échapper à une difficulté ou que nous avons recours aux autres pour en venir à nos fins, nous pouvons nous sentir soulagés, mais notre estime de nous-mêmes en souffrira à long terme.

Comme nous continuions à comparer les enfants qui croient en eux-mêmes, qui se sentent capables d'affronter le monde et qui ont une juste conscience de leur valeur avec leurs camarades moins fortunés, nous nous sommes rendu compte que les premiers utilisaient très peu la manipulation. Les enfants qui se font une haute idée de leur propre personne sont égotistes et centrés sur eux-mêmes et ceux qui pensent ne pas valoir grand-chose et ne s'aiment pas manipulent leur entourage. Nous avons alors constaté que l'estime de soi et la manifestation d'un comportement manipulateur se retrouvaient presque sans exception en proportion inverse : plus les enfants manipulaient, moins ils étaient capables de développer leur estime d'eux-mêmes.

À partir de là, de nombreuses questions se posaient. Qu'est-ce que la manipulation? Peut-on la définir scientifiquement? Quels sont les différents styles de manipulation? D'où provient un tel comportement? Comment l'apprend-on? Pouvons-nous prévenir ses effets néfastes sur l'estime de soi? Comment traiter les patients manipulateurs? Quel conseil peut-on donner aux parents pour les aider à réduire le risque que leurs enfants deviennent des manipulateurs. Tout le reste de ce livre sera consacré à répondre à ces questions.

Pour récapituler...

1. Évaluez votre propre estime de vous-même. Quels événements de votre vie ont contribué le plus à vous donner conscience de votre valeur et de votre compétence? Y a-t-il des domaines que vous évitez systématiquement parce que vous craignez ne pas être capable de vous en sortir? Décrivez des activités ou des travaux récents qui vous ont donné le sentiment de votre propre valeur. Quelles conclusions pouvez-vous tirer de ces expériences?

2. Quel rôle vos parents ont-ils joué dans le développement de votre estime pour vous-même? Si leur intervention a eu un effet bénéfique, essayez de caractériser celle-ci. Si vous pensez qu'elle a eu un effet négatif, essayez de préciser en quoi. Rappelez-vous que nous parlons d'estime de soi, non de se sentir bien ou heureux. Comment vos parents vous ont-ils communiqué leur confiance en vous?

3. Essayez-vous d'élever vos enfants en évitant de répéter les erreurs de vos parents? Quelles étaient ces erreurs? Était-ce vraiment des erreurs à long terme ou seulement des moments désagréables? Avez-vous appris quelque chose de valable à travers ces épisodes? Élever vos enfants en essayant d'éviter les erreurs de vos parents ne vous aidera pas à les empêcher de devenir manipulateurs. Vous devez savoir clairement ce à quoi vous voulez arriver en tant que parent plutôt que de réagir aux expériences que vous avez vécues comme enfant.

4. Quelle est votre tâche principale en tant que parent?
   Écrivez-la et demandez-vous ensuite si vous y réussissez.
   Est-ce que le résultat que vous visez est que votre enfant
   devienne autonome et indépendant? Ce que vous avez
   écrit est-il votre tâche ou celle de l'enfant? À quoi voulez-
   vous réussir en ce qui concerne votre enfant?

Chapitre 2

Qu'est-ce que la manipulation?

Lorsque nous avons constaté pour la première fois l'importance de la manipulation dans la vie des enfants qui étaient en traitement avec nous, nous ne disposions pas encore d'une définition précise et utile de celle-ci. Tout le monde semble avoir sa propre idée de ce qu'est la manipulation et de ce qu'elle fait, mais nous avions besoin d'une définition précise, scientifiquement valide et qui englobe tous les cas. Nous voulions comprendre comment la manipulation fonctionne réellement, quels sont les différents styles de manipulation, le genre de personnes qui y recourent et les raisons pour lesquelles elles le font.

Nous avons remarqué que la plupart des descriptions de la manipulation présumaient ou supposaient que ce comportement était guidé par des pensées conscientes : tout le monde, du romancier au scientifique, semblait considérer la manipulation comme un comportement consciemment planifié. Mais lorsque nous regardions nos patients manœuvrer pour se faire un chemin dans la vie, nous découvrions au contraire qu'ils ne semblaient pas conscients de la manière dont ils agissaient ni de la raison pour laquelle ils le faisaient. La manipulation semblait être simplement pour eux une manière de se débrouiller dans la vie, de s'adapter au monde. Il s'agissait d'un comportement qu'ils avaient acquis par la pratique et qui, ensuite, était devenu habituel et presque inconscient. Et, chose remarquable, nous nous sommes aperçus que nos patients utilisaient la manipulation même quand des méthodes plus honnêtes et plus directes auraient pu être aussi efficaces et même plus.

Mais nous n'avons pas trouvé grand-chose qui pût nous aider à comprendre comment ou pourquoi la manipulation marche.

Bien que celle-ci fasse partie du fond de commerce de nombreux romanciers, nous y avons découvert peu de renseignements sur le processus réel des interactions mises en cause dans la manipulation et les raisons pour lesquelles ce comportement était appris au départ et conduisait inévitablement à l'échec. Les descriptions et définitions que nous avons trouvées ne donnaient pas les caractéristiques personnelles ni des manipulateurs ni de leurs victimes, n'indiquaient pas les problèmes dont ils avaient pu hériter en cours de route et ne disaient pas grand-chose des motifs de l'interaction. Les descriptions des romanciers sous-entendaient généralement que la manipulation était consciemment planifiée, ce qui ne nous aidait guère : visiblement, le travail restait à faire. Nous avons alors décidé de décrire ce que nous pouvions observer chez nos patients pour essayer de donner un sens à ce qui apparaissait souvent comme un comportement incompréhensible.

Pour cela, nous avions besoin d'outils d'investigation qui nous permettraient de dégager les éléments significatifs. Pour l'essentiel, nous avons employé à cette fin la méthode appelée «Analyse comportementale appliquée» qui consiste à utiliser comme données les comportements observables et à analyser la relation temporelle qui existe entre ceux-ci. Quand un comportement donné se produit, les circonstances qui précèdent et suivent immédiatement la manifestation de celui-ci sont enregistrées et analysées. Grâce à cette méthode, on peut comprendre pourquoi un comportement donné se manifeste et, le cas échéant, élaborer un plan de traitement pour modifier le comportement en question dans un sens ou dans l'autre. Bien que fastidieuse, cette méthode est fiable et permet d'analyser des situations qui resteraient sans cela totalement incompréhensibles.

Quand nous avons commencé notre analyse, nous pensions découvrir que les manipulations faisaient l'objet d'un renforcement positif – c'est-à-dire que les réponses des personnes manipulées procuraient immédiatement au manipulateur un bénéfice supplémentaire répondant à son désir. Mais nous nous sommes vite aperçus que cette hypothèse ne correspondait pas aux données observées. Certes les manipulations étaient souvent récompensées et le manipulateur arrivait alors à ses fins, mais il se produisait aussi qu'elles semblaient aller nulle part ou conduire à une impasse. Nous savions que les comportements positivement renforcés tendent à disparaître quand le résultat désiré ne se produit pas. Or, nos clients persévéraient dans leurs manipulations même lorsque celles-ci ne leur procuraient aucun bénéfice additionnel.

Nous étions perplexes. Finalement, nous en avons conclu qu'il devait y avoir un autre mécanisme en jeu, quelque chose qui expliquerait la persistance de ces comportements malgré leur échec à produire le résultat désiré. Un jour, finalement, Patrick Cotter eut l'idée suivante : «Se pourrait-il qu'il y ait renforcement négatif? Qu'il s'agisse d'un comportement d'évitement?»

Mais oui! Ça collait! Nous avions observé à de nombreuses reprises que le manipulateur et sa victime évitaient souvent (peut-être même toujours) quelque chose. Cette hypothèse expliquait nos observations : nous pouvions maintenant donner un sens à nos observations.

«Quelle différence?» vous demandez-vous peut-être. Pour bien vous faire comprendre celle-ci, il nous faut préciser quelques concepts de la théorie behavioriste.

Le renforcement consiste dans n'importe quelle réponse immédiate à un comportement qui favorise la répétition de ce comportement à l'avenir.

Le renforcement positif est quelque chose qui suit immédiatement le comportement et s'y ajoute. Le mot «positif» dans cette expression ne signifie pas «bon», «agréable», «plaisant» ou même «désirable», mais il laisse entendre que quelque chose *de plus* s'est produit, plutôt que quelque chose *de moins*. Par exemple, si nous disons quelque chose à quelqu'un et que sa réponse est immédiate et appropriée, cette réponse a pour effet de renforcer notre comportement et nous serons poussés à poursuivre l'interaction. S'il n'y a pas de réponse, nous serons moins disposés à continuer. La plupart de nos actions sont transformées par la réponse que nous enregistrons, qu'il s'agisse d'interactions sociales, de sport ou de conduite automobile. Et l'analyse cognitive joue un rôle très limité dans ce processus, sauf si la réponse arrive après un certain délai. Les comportements acquis et transformés par le biais du renforcement positif ne sont pas très durables. Ils sont flexibles et s'adaptent aux changements de situation parce que les réponses changent.

Le terme «négatif» dans l'expression «renforcement négatif» signifie que quelque chose est soustrait du système comme conséquence immédiate d'un comportement. Quand vous prenez votre voiture, tournez la clé et que la radio se met à cracher des hurlements de guitare électrique à 110 décibels parce que votre fils a été le dernier à l'utiliser, vous vous précipitez sur le bouton pour couper le son. Vous subissez un renforcement négatif : les accents tonitruants du *heavy metal* sont soustraits de votre environnement et vous vous sentez soulagés. Contrairement à une croyance populaire; le renforcement négatif n'est pas la punition et cette différence est très importante. Il y a punition quand quelque chose de désagréable suit immédiatement un comportement. La punition est donc ajoutée au système. Comme pour le renforcement positif, ses effets disparaissent si les conditions nécessaires à la punition ne sont pas réunies (par exemple; lorsque les parents sont absents). Par contre, le comportement acquis par renforcement négatif est extrêmement durable, même si la situation change.

Deux types de comportements acquis par renforcement négatif sont d'une importance toute particulière pour comprendre la manipulation : la fuite et l'évitement. Vite acquis et incroyablement persistants, ils constituent la base des comportements de manipulation. Voici comment les choses se passent : si une personne vit une expérience désagréable ou douloureuse, si, par exemple, elle subit une décharge électrique, elle apprendra à éviter les situations dans lesquelles cette expérience risque de se reproduire ou à fuir chaque fois qu'une décharge risque de se produire. Les précautions que les gens vont prendre pour éviter ou fuir une décharge peuvent être très élaborées et inventives. Le psychologue R.L. Solomon est un des premiers chercheurs à avoir fait des expériences sur les animaux dans ce domaine. Des chiens apprenaient à sauter hors d'une boîte quand une lumière était allumée parce qu'ils risquaient de recevoir une décharge électrique à travers le fond de la boîte. Ils acquéraient ce comportement après quelques expériences seulement et celui-ci persistait pendant des années, même après que les conditions dans lesquelles il avait été appris eurent été changées. Ce n'est qu'après des centaines d'essais sans risque de choc que la réponse primitivement apprise commençait à faiblir.

Pensez à une situation que vous évitez : recevoir une décharge électrique ou rencontrer quelqu'un que vous détestez. Pensez maintenant à tous les moyens que vous utilisez pour éviter de vous trouver dans cette situation et combien votre réaction est constante à travers le temps! Un grand nombre de comportements de base sont de ce type et la plupart d'entre eux sont parfaitement sains et ont une valeur d'adaptation. (Par exemple, sortirez-vous dans la rue en sous-vêtements? Mangerez-vous avec les mains et roterez-vous à table dans un dîner officiel?) Une réaction d'évitement une fois adoptée, la simple évocation du souvenir qui est à l'origine de celle-ci suffit à provoquer un sentiment d'appréhension ou d'anxiété : les réponses d'évitement ou de fuite ne sont pas rationnelles et il est difficile de s'en débarrasser par le raisonnement.

Les comportements acquis par renforcement négatif peuvent produire toutes sortes de réactions physiques désagréables. Il y a quelques années, un psychologue de l'université de Stanford a décrit ce qu'il nomme malicieusement «le syndrome de la sauce béarnaise». Le filet mignon à la sauce béarnaise était le mets favori d'un professeur de collège. Une nuit, alors qu'il était allé au restaurant la veille au soir et avait mangé précisément du filet mignon à la sauce béarnaise, il fut victime d'une grippe intestinale : il était secoué de nausées et avait vomi toute la nuit. Vous devinez la suite : à partir de ce moment, le simple fait de penser à de la sauce béarnaise lui donnait la nausée et il n'en a jamais mangé depuis. Beaucoup de gens réagissent viscéralement à certaines situations ou à certaines pensées : ces réactions ont généralement été acquises par renforcement négatif et elles peuvent durer pendant des années.

Mais comment la manipulation se développe-t-elle sur la base de l'évitement ou de la fuite? La manipulation ne peut fonctionner que si la personne manipulée cherche à éviter quelque chose. Le manipulateur a une conscience précise de ce que sa victime veut éviter : c'est la base de sa manœuvre. Mais lui aussi veut éviter quelque chose, et il est prêt à prendre tous les moyens pour y réussir. La relation de manipulation est donc caractérisée par l'évitement mutuel.

Prenons un exemple. Joey est un enfant de six ans, plutôt anxieux de nature. Les nouvelles expériences l'effraient et il préfère rester avec ses parents que d'essayer quelque chose qu'il n'a jamais fait auparavant. Ses parents le savent et, le considérant comme fragile, ils craignent de le traumatiser : ils pensent que cela pourrait entraver le développement de sa personnalité. Ils vivent au Minnesota, une région où l'on trouve des dizaines de milliers de lacs et où il est indispensable de savoir nager pour jouir de la vie en toute sécurité. Cette année là, la mère de Joey, Katie, l'avait inscrit à des leçons de natation pour l'été suivant et, dans un premier temps, Joey avait accepté. Mais comme la date de la première leçon approchait, il commença à exprimer des résistances vis-à-vis des leçons, et le jour dit, il se plaignait de mystérieux maux de ventre et refusa de se lever. Katie, qui pensait bien que ces douleurs étaient causées par l'anxiété, le rassura, l'assurant que tout irait bien, et insista pour qu'il se lève et se prépare. Joey se plaignit de plus belle et, voyant que cela ne marchait pas, piqua une crise en accusant sa mère de ne pas prendre soin de lui.

«Tu ne m'écoutes pas, j'ai mal au ventre!» criait Joey. «Ton ventre ira bien dès que la leçon sera finie. Il faut que tu apprennes à nager, sans quoi tu ne seras jamais en sécurité au bord de l'eau. Maintenant, lève-toi, s'il te plaît», insistait Katie. «J'ai horreur de nager. Et d'ailleurs je sais déjà nager. – Tu ne sais pas nager. Et comment peux-tu dire que tu as horreur de ça? Tu adores être dans l'eau.» Joey était de plus en plus énervé et criait si fort qu'il finit par vomir. Finalement, sa mère céda, se disant qu'il serait sans doute mieux disposé l'année suivante. «Il ne faut pas le pousser, se dit-elle, il fera les choses à son propre rythme.»

Katie et Joey ont ainsi évité l'un comme l'autre ce qu'ils redoutaient. Joey n'aura pas à faire face à une situation qui ne lui est pas familière et au manque de contrôle qui pourrait en résulter, et Katie, qui se sentait coupable d'obliger Joey à faire quelque chose contre son gré, est finalement soulagée d'acquiescer à son refus. Joey a ainsi raté l'occasion d'acquérir une connaissance nouvelle et utile et de surmonter sa crainte de la nouveauté. Quant à Katie, elle a raté une occasion de voir son fils faire un pas vers l'indépendance. Du coup, elle lui fait prendre un risque réel (se noyer) pour éviter un risque imaginaire (être traumatisé). Et quand Joey eut sept ans, ils rejouèrent la même scène, laquelle cette fois fut encore plus violente, car Joey et sa mère étaient plus déterminés dans leurs tentatives d'évitement.

Ce scénario illustre l'essence de la manipulation. Chacun des deux participants a ses propres objectifs et aucun des deux n'exprime ses véritables sentiments (de peur). Chacun sait, de par son expérience, ce que l'autre veut éviter. Ni les craintes de l'un ni celles de l'autre ne sont rationnelles et le seul bénéfice immédiat (renforcement) est le soulagement de l'anxiété et de la culpabilité. Tous deux croient pouvoir justifier leurs actions et leurs positions, mais ces explications ne résisteraient pas à l'examen d'un observateur étranger. Le résultat ne sert les intérêts à long terme d'aucun des deux participants. La réalité (le fait que savoir nager soit essentiel pour être en sécurité dans l'eau) a été occultée par les émotions. Personne n'a consciemment planifié ou suivi un scénario, mais chacun des deux participants a réagi de manière prévisible en fonction de sa peur ou de sa culpabilité.

Pendant plusieurs années, nous avons analysé un grand nombre de situations cliniques, comme celle de Joey et Katie, dans lesquelles la manipulation était présente et nous en avons tiré certaines caractéristiques communes.

- Tous les participants à une manipulation évitent quelque chose. Ce qu'ils évitent est généralement caché.

- Ni le manipulateur ni la personne manipulée ne sont conscients de ce qu'ils font.

- La manipulation tend à préserver le statu quo pour les deux parties, plutôt que de servir des intérêts à long terme.

- L'interaction est soumise à la recherche de l'intérêt immédiat au lieu d'être guidée par des principes.

- La manipulation s'accompagne d'une perte d'indépendance ou d'un accroissement de la dépendance.

- Lorsque des justifications sont données, celles-ci ne résistent pas à l'analyse.

- Les manipulations sont rarement planifiées ou même conscientes; elles font simplement partie de la manière dont la personne se comporte dans la vie.

- Quand une manipulation ne marche pas, le manipulateur redouble d'efforts et a souvent recours à une forme de manipulation plus grossière pour parvenir à ses fins.

Différentes formes de manipulation

Quand nous avons commencé à étudier les comportements manipulateurs de nos clients, nous nous sommes tout de suite rendu compte qu'il en existait plusieurs sortes. Certaines manipulations étaient évidentes et grossières, et d'autres, plus subtiles et plus sophistiquées. Certaines ne fonctionnaient que dans des situations données, d'autres étaient d'un usage plus étendu. Les manipulations les plus grossières et les plus évidentes étaient acquises très tôt, les enfants plus âgés employant souvent des formes plus subtiles. Le style de manipulation utilisé par un enfant semblait déterminé par son tempérament inné plutôt que par celui de ses parents. À partir de notre expérience, nous avons alors développé une classification des différents types de manipulation.

Le mensonge vis-à-vis de soi-même et des autres

Il s'agit des mensonges qu'on dit à quelqu'un pour éviter quelque chose. Qu'ils soient subtils ou transparents pour un observateur étranger, si la victime de la manipulation les accepte, la manipulation pourra avoir lieu. Généralement, ces mensonges sont paralysants. Au départ ils peuvent avoir ouvertement pour but d'éviter quelque chose, mais ils se transforment souvent en croyances sur soi basées sur – et validées par – des échecs, qui ne sont, en fait, que le résultat du manque d'effort ou du refus de prendre des risques. Car quelqu'un qui croit ne pas être capable de faire quelque chose n'essaiera pas ou ne le fera qu'à contre-cœur, confirmant ainsi sa croyance initiale. Tenter de démasquer ces mensonges provoque en général une vigoureuse réaction et une vive aversion, généralement de courte durée, pour l'intervenant. Et s'il persiste à essayer de montrer au manipulateur qu'il agit de façon incohérente par rapport à sa croyance, ce dernier aura souvent recours à une forme de manipulation plus grossière et plus violente.

Voici quelques exemples de ce genre de mensonges : «Je ne peux pas...», «J'ai trop peur pour...», «Je ne comprends pas...», «Je déteste...», «Je suis fatigué de...», «Je suis trop bête», «Je le ferai plus tard». Combien de fois n'avons-nous pas accepté ce genre de réponse de la part d'un enfant, le dégageant ainsi de la responsabilité de sa vie et de son bonheur? Quand nous compatissons ainsi aux plaintes d'un enfant et que cette compassion nous conduit à «l'aider», nous affaiblissons son indépendance. Et, si nous agissons ainsi continuellement, pendant plusieurs années, nous risquons de le rendre complètement dépendant. Or, il existe une façon d'agir qui favorise l'indépendance et la responsabilité sans manquer pour autant à la compassion.

Les mauvais résultats de Mary ont commencé dès sa première année d'école. Elle avait de la difficulté à apprendre à lire, mais elle réussit à s'en sortir grâce à ses manières charmantes et à son sourire désarmant. On diagnostiqua un déficit d'attention et le traitement commença. Son attention en classe s'améliora un peu mais elle n'acquit jamais les bases de la lecture et du déchiffrage. Quand elle arriva en septième année la situation n'était pas brillante. Elle ne réussissait à faire ses devoirs à la maison qu'à condition d'être sans arrêt stimulée par ses parents et, même ainsi, ses résultats étaient médiocres. Elle rendait ses devoirs en retard ou pas du tout. Et, quand elle les faisait, c'était avec l'aide de ses amis ou des surveillants de la salle d'études. En huitième année elle tenta de s'améliorer mais échoua, faute de pouvoir trouver de l'aide. Quand elle eut quatorze ans, elle jugea que la pression était trop forte et décida de renoncer complètement.

Quand Mary commença à apprendre à lire en première année, elle eut le même problème que de nombreux enfants souffrant de «déficit d'attention» : apprendre à déchiffrer les mots est ennuyeux et répétitif, exactement le genre de travail que ces enfants trouvent insupportable. Elle chercha alors de l'aide pour y échapper et elle la trouva. Elle réussit ainsi à éviter d'avoir à déchiffrer les mots en les apprenant par cœur et arriva à s'en sortir de cette manière jusqu'en troisième année. Par la suite les choses devinrent plus difficiles. Déchiffrer de nouveaux mots lui étant impossible sans l'aide des autres, elle en conclut qu'elle en était incapable et y renonça, excusant son échec et son manque d'efforts vis-à-vis d'elle-même et des autres par sa prétendue «stupidité».

Se décharger de sa responsabilité et rejeter le blâme

Cette forme de manipulation particulièrement évidente consiste en un habile tour de passe-passe visant à se dégager de sa responsabilité. En autorisant ce type de manipulation, nous permettons au manipulateur d'échapper à la nécessité de prendre sa vie en mains.

Revenons, par exemple, à Margie, la jeune femme atteinte d'anorexie évoquée dans le premier chapitre. Elle était passée maître dans cette technique de manipulation et c'est ce qui rendait son traitement si difficile. On pouvait compter sur elle pour avoir toujours une excuse prête pour expliquer son incapacité à faire des progrès : «La situation à la maison est vraiment stressante», «C'est difficile à l'école ce semestre», «Ma sœur n'arrête pas de m'ennuyer.»

Les enfants qui ont de mauvais résultats scolaires ont souvent, comme Mary, des excuses toutes prêtes : «J'ai prêté mes livres à un ami», «J'ai oublié mes affaires à l'école», etc. Les excuses sont aussi nombreuses que diverses.

Chaque fois que nous demandons «pourquoi?» à un enfant qui a mal agi, nous l'encourageons à se décharger du blâme au lieu qu'il assume ses responsabilités. Si nous avons de la chance, il répondra : «Je ne sais pas.» Mais le plus souvent il fabriquera un mensonge pour expliquer son comportement, pensant que, s'il trouve une bonne réponse, il pourra se tirer d'affaire. Malheureusement, il s'agit là d'une pratique fort répandue. Il suffit pour s'en convaincre de regarder comment de nombreux professeurs réagissent au comportement des enfants, mais les parents qui souhaitent apprendre à leurs enfants à assumer leurs responsabilités doivent résolument l'éviter.

Les gens qui demandent «pourquoi?» semblent croire que nous pouvons en permanence contrôler notre comportement de façon calculée et consciente. Un peu d'introspection leur démontrerait pourtant que nous décidons bien peu de nos actions avant de les accomplir. Imaginez à quoi pourrait ressembler une journée si vous deviez planifier tout ce que vous avez à faire avant de l'exécuter. Quelle attention accordez-vous à votre routine quotidienne lorsque vous vous levez le matin, que vous prenez votre douche, votre petit déjeuner, que vous vous habillez et vous rendez à votre travail? Vous pouvez pendant ce temps planifier votre journée et faire une liste des choses que vous avez à accomplir, mais il est peu probable que vous dirigiez consciemment vos actions immédiates. Les seuls moments où nous guidons consciemment notre comportement immédiat sont ceux où nous sommes en train de faire quelque chose de nouveau – et généralement nous ne faisons pas alors un très bon travail parce que nous n'avons pas assez de pratique pour que celui-ci soit automatique. De plus, si nous essayons de diriger consciemment un comportement automatique, tout se met à aller de travers. Par exemple, un athlète qui devient conscient de sa performance et tente de la diriger consciemment va commencer aussitôt à faire des erreurs. Il en va de même des performances scolaires : lorsque l'attention se déplace de la matière à étudier sur la performance, les résultats en souffrent aussitôt. Comme c'est souvent le cas avant les examens.

Plutôt que de diriger consciemment notre comportement, nous décidons de nous engager dans une activité donnée et, une fois la décision prise, notre «répertoire» de comportements acquis prend le relais. Dieu merci! Sans cela nous ne pourrions rien faire. Et certaines de nos actions sont totalement impulsives : nous pensons à quelque chose et agissons – il n'y a pas de *décision d'agir*. C'est souvent le cas des mauvais comportements : ils ne sont ni planifiés ni décidés d'avance, et demander à un enfant pourquoi il a agi de telle ou telle façon lui apprend seulement à inventer une explication pour obtenir l'absolution. Du reste il est rarement utile de trouver la raison de nos actions, mais apprendre à en accepter la responsabilité et les conséquences, même si c'est désagréable sur le moment, constitue une étape essentielle sur la voie de l'autonomie.

Combien d'entre nous ont travaillé avec des gens qui passent leur temps à se justifier et à rejeter sur les autres la responsabilité de tous leurs ennuis? Sont-ils efficaces? Chaque fois que quelqu'un rejette le blâme ou la responsabilité d'une action et se pose en victime, il renonce à conduire lui-même sa propre vie. Quand nous autorisons un enfant à agir ainsi en lui demandant pourquoi, nous l'empêchons d'avancer dans la prise en main de sa propre vie.

Rejeter le blâme et la responsabilité sur les autres permet d'éviter de résoudre les problèmes qui se posent et empêche d'apprendre de ses erreurs. Nous ne devons pas enseigner ce mécanisme à nos enfants. À long terme, il risque de les paralyser. Nous en reparlerons dans le chapitre concernant les différents styles d'éducation.

Séduction et coercition

La séduction et la cœrcition sont les deux faces d'une même pièce. Il arrive que des enfants manipulateurs adoptent une seule de ces méthodes, mais la plupart utilisent tantôt l'une tantôt l'autre, selon les circonstances. Généralement, le manipulateur fait usage de coercition lorsqu'il se rend compte que la séduction ne lui permet plus de contrôler la situation.

Le manipulateur qui utilise la séduction semble offrir quelque chose à la personne manipulée en échange de ses faveurs. Mais, en réalité, ce qui est offert n'est qu'un mirage, un simple moyen pour le manipulateur d'atteindre son but. La séduction sexuelle est la forme de séduction la plus courante, mais il en existe bien d'autres : promesses d'attention, d'argent, de gratifications matérielles ou d'avantages futurs. La séduction est difficile à contrer parce qu'elle plaît à la personne manipulée qui craint, de plus, de perdre la sympathie, l'amour ou l'affection du manipulateur. Souvent le comportement en question apparaît désirable et même approprié jusqu'à ce que, en y regardant de plus près, nous nous apercevions qu'il n'a d'autre but que de servir les fins du manipulateur. Si la séduction ne marche pas, il en résulte généralement de la colère. Le manipulateur abandonne la personne qu'il a tenté de manipuler en la qualifiant de façon péjorative : minable, pauvre type, sans-cœur, égoïste, égocentrique, etc. La colère peut conduire à des représailles allant du ragot malveillant jusqu'à des poursuites légales ou même à des violences.

Certains manipulateurs obligent leur entourage à leur obéir en utilisant des méthodes ouvertement déplaisantes et même effrayantes – violences ou menaces de violence, crises de colère ou de rage – mais la plupart usent de moyens plus subtils. Par exemple, le manipulateur peut réveiller des sentiments de culpabilité chez la personne visée qui tentera de les apaiser en acquiesçant à ses exigences. Il peut aussi savoir quelque chose que la personne désire cacher, ce qui peut la conduire à accepter le chantage de crainte que la vérité ne soit révélée. Enfin, un manipulateur peut être une personne charmante dont nous ne voulons pas prendre le risque d'être privé de son affection. Les bambins savent déjà utiliser notre gêne, ou notre crainte d'être gênés en public, mais les adolescents possèdent cet art à la perfection. Et lorsqu'on essaie d'apprendre à un enfant à se comporter comme il faut en le raisonnant, celui-ci risque d'utiliser la même méthode pour contrôler ses parents. D'une manière générale, on ne peut être honnête et direct si l'on est vulnérable au chantage affectif car on craindra de ressentir ou de faire ressentir aux autres des émotions désagréables.

Les manipulateurs qui connaissent toutes les subtilités de la séduction et de la coercition ont généralement recours à des méthodes plus primitives et plus grossières lorsque des moyens plus raffinés échouent. C'est ainsi que le «charmant» manipulateur peut devenir soudainement méchant et violent, le négociateur «rationnel» piquer une crise de nerfs ou le coupable vous mettre sur le dos tous ses malheurs. Si l'on cède, le manipulateur redevient comme par magie charmant, raisonnable ou repentant... jusqu'à ce qu'il ait de nouveau besoin d'avoir recours à la séduction ou à la coercition pour obtenir ce qu'il veut. Voici maintenant quelques exemples de ce genre de manipulations.

Les parents de Julie, inquiets de ses résultats scolaires, lui demandent : «Julie, tu as eu un *D* en anglais, que se passe-t-il?» «J'étais tellement énervée par vos disputes que je ne pouvais pas me concentrer», répond Julie, rejetant immédiatement le blâme sur ses parents au lieu de parler de ses propres sentiments, de manière à ce que ceux-ci la rendent coupable et responsables de ses résultats.

On demande à George, le frère de Julie, qui lève rarement le petit doigt pour aider dans la maison, de sortir les poubelles. «Pourquoi est-ce toujours moi qui dois le faire? réplique George, je l'ai déjà fait hier et Julie ne le fait jamais, elle.» Comme sa mère répond que Julie a d'autres responsabilités, George joue lui aussi la carte de la culpabilité : «Oh! bien sûr! Et je suppose qu'elle aussi doit interrompre son travail scolaire pour le faire!» La mère remarque : «Mais tu n'es pas en train de travailler, tu regardes la télé. Et pendant ce temps, les poubelles attendent que quelqu'un les sorte!» Et la discussion continue...

Il y a aussi les vieilles rengaines : «Les parents des autres enfants leur laissent...» «Ils ne les obligent pas à...», etc.

Jane avait environ quatorze ans quand un garçon avec lequel elle avait rendez-vous lui fit des avances sexuelles alors qu'ils étaient allongés au bord de la piscine, chez ses parents. Elle portait un bikini minuscule et il avait réussi à lui enlever le haut quand un ami de la famille arriva. Le garçon n'avait pas utilisé la force, mais Jane avait été incapable de lui dire de s'arrêter. Quand elle en parla à sa mère, elles conclurent toutes deux qu'il s'agissait d'une tentative de viol et que c'était entièrement la faute du garçon. Jane se sentit déprimée à la suite de cet incident, mais elle n'arrêta pas de voir des garçons. Alors qu'elle avait seize ans, un garçon qu'elle considérait comme un ami lui rendit visite. Ils étaient seuls, couchés sur le sol, les jambes entrelacées, à écouter de la musique, quand le garçon commença à la caresser. Pas plus que le premier, il n'utilisa la force et encore une fois elle fut incapable de dire non. Et, de nouveau, elle fut «sauvée par la cloche» : un voisin passa, lui donnant une excuse pour monter à l'étage supérieur et sortir. Quand elle en parla à sa mère, elles en conclurent de nouveau qu'il s'agissait d'une tentative de viol sans se poser aucune question sur la participation de Jane à l'événement, admettant que, pour une raison quelconque, Jane était incapable de s'exprimer clairement et de dire aux garçons d'arrêter. Le fait que dans les deux cas l'attitude et l'habillement de Jane aient pu être provocants fut laissé de côté. Lorsque nous avons souligné ces omissions à Jane et avons remarqué que les avances sexuelles faisaient partie de la vie et qu'il fallait apprendre à y faire face, elle commença à pleurer. Quand nous lui avons demandé comment elle se sentait, elle répondit «écrasée». Sa compréhension de comment le monde était ou devait être se trouvait bouleversée et elle n'aimait pas ça : les garçons étaient supposés jouer le jeu à *sa* manière, quelles que soient la taille du bikini et son attitude. Or, même si l'on n'appréciait pas le comportement des deux garçons, on ne pouvait, pour autant, dans son propre intérêt, fermer les yeux sur la part que Jane avait joué dans ces deux scénarios.

Jane a commencé à se voir comme une victime après le premier de ces prétendus viols. Depuis, elle a abusé à plusieurs reprises de médicaments comme le Tylenol* quand, selon ses propres paroles, elle «ne pouvait plus continuer comme ça». Elle n'en a jamais pris suffisamment pour mettre sa vie en danger, mais ses parents ont vécu dans la crainte pendant plusieurs années. Une fois, comme ses parents refusaient de la laisser passer le week-end dans le chalet d'un ami qui organisait une fête en l'absence des parents, elle a simplement déclaré : «Si vous refusez, je me suicide.» Et ses parents ont cédé.

Jane est très dépendante. Il faut que les choses aillent exactement comme elle le désire. En dépit des événements précédemment racontés, elle prétend que ses meilleurs amis sont des garçons et, de fait, elle n'a pas d'amies intimes. Jane a un visage d'une beauté saisissante. À notre avis, depuis des années elle se sert de cet atout pour attirer les garçons, mais lorsque ses manœuvres de séduction provoquent une réaction, elle ne peut en accepter la responsabilité. En grandissant, elle s'est aperçue qu'elle réussissait de moins en moins bien à contrôler sa vie par cette tactique et devint de plus en plus déprimée et dépendante. Et, quand elle ne réussissait pas à faire en sorte que les choses aillent comme elle le voulait, elle utilisait la menace de suicide comme ultime moyen de coercition.

Un panneau d'affichage local proclame : «La principale cause de suicide chez les adolescents : une dépression non traitée.» Dans les dernières années, le suicide a augmenté chez les jeunes et on en parle de plus en plus. Il ne fait aucun doute que les gens qui se suicident sont généralement déprimés et que des traitements peuvent y remédier. Malheureusement, de nombreux enfants ont découvert que la simple allusion à une quelconque pensée ayant quelque chose à voir avec le suicide provoquait chez leurs parents une réaction ahurissante. Il semble que nous soyons incapables de faire la différence entre la dépression et la réaction de dépit que provoque chez un enfant le fait de l'empêcher d'en faire à sa tête. Dans son livre, *A Nation of Victims*, Sykes parle des équipes de prévention du suicide qui interviennent dans les écoles

---

* Médicament antidouleur très courant en Amérique du Nord. [N.d.T.]

pour faire en sorte que tout aille bien pour les enfants et pour transformer leur environnement de manière qu'ils soient plus heureux. Mais on demande rarement à l'enfant de changer, de se prendre en charge, de s'adapter au monde réel et de renoncer à son statut de victime. Aussi risquée qu'une telle approche puisse paraître, il nous semble qu'il serait préférable de se préoccuper de la dépendance de l'enfant et de l'aider à s'adapter au monde réel plutôt que de tenter d'améliorer son état émotionnel. Sur le moment, il peut sembler plus urgent d'aider l'enfant à se sentir mieux en le soulageant de ses responsabilités et il est facile de se convaincre qu'on fait ainsi quelque chose d'utile mais, en fait, tout cela nourrit sa dépendance. Peut-être que plutôt que de considérer tous les enfants malheureux comme déprimés, nous devrions jeter un regard sévère sur la dépendance dans laquelle nous les avons mis, dépendance qui est à la racine de leurs problèmes.

Soyons clairs; nous traitons de nombreux enfants et adolescents déprimés. Il ne fait aucun doute que la dépression correspond à un état chimique du cerveau, exactement comme le bonheur, la colère ou l'irritation, et qu'on peut y être prédisposé de façon héréditaire. Et nous avons des preuves que la plupart des dépressions sont aussi dues en partie à l'environnement : il est évident que certains événements ont contribué à les précipiter. Mais nous voulons insister sur le puissant moyen de contrôle qu'on donne aux enfants en leur permettant de plier les adultes à leur volonté par la seule mention du «mot qui commence par "s"»*.

Inversement, demander «pourquoi?» aux parents fait partie de la plupart des tactiques de coercition. Cette question déclenche tout un ballet d'explications et de dénégations accompagnées de culpabilité et de honte, de craintes (de perte d'amour, d'attentions ou de privilèges), de colère ou de violence. À première vue demander pourquoi semble parfaitement raisonnable, mais cette apparence cache chez l'enfant une volonté déterminée de n'en faire qu'à sa tête en utilisant tour à tour toute la gamme de

---

* Il existe depuis quelques années aux États-Unis une tendance à remplacer les termes angoissants ou litigieux par des euphémismes ou des élisions. D'où l'expression «le mot qui commence par "s"». [N.d.T.]

tactiques déjà décrites, et même plus. Une discussion ou une confrontation utile est évidemment impossible dans ces conditions.

Les enfants manipulent souvent leur entourage en se montrant gentils et charmants. Bill était de ce type : il se tirait de toutes les situations en faisant assaut de gentillesse et de charme. Pendant des années il eut de très mauvais résultats à l'école, mais ses professeurs insistaient toujours sur le fait qu'il était un enfant «charmant» en dépit de ses piètres performances. Au collège, son professeur de mathématiques montra ainsi à sa mère un devoir fait juste avant Noël. Bill n'avait fait qu'un tiers environ du test et, de plus, ses réponses étaient inexactes. Mais, au bas de la page, il avait écrit «Joyeux Noël, Monsieur Olson!», dessiné un visage souriant et signé de son nom. «Comment, dit M. Olson à la mère de Bill, pourrais-je recaler un élève aussi charmant?»

Bill n'avait pas un seul véritable ami. Il essayait de plaire aux autres enfants, mais ne parvenait pas à gagner leur respect. Ceux-ci jugeaient qu'il était facile de se servir de lui et ne s'en privaient guère. Plus d'une fois, il ne put réviser un examen «parce que» il avait prêté ses livres à des camarades. Comme il grandissait et que son style de manipulation se montrait de moins en moins efficace, il devint dépressif et se mit à éprouver de la colère et du ressentiment : les gens ne faisaient pas ce qu'il fallait (c'est-à-dire ce qu'il voulait). En thérapie, il raconta qu'il s'était souvent imaginé qu'il se procurait un pistolet et se débarrassait de tous ceux qui, selon lui, étaient «contre lui». Bill n'acceptait jamais une part quelconque de responsabilité dans sa situation : c'était toujours la faute de quelqu'un d'autre. Combien de fois n'avons-nous pas ainsi entendu les voisins et connaissances d'un adolescent ayant assassiné sa famille tout entière dire : «Il semblait si gentil.»

D'une certaine manière, Judy est comme Bill : quand elle veut quelque chose, elle fait un sourire éblouissant et ses yeux brillent. Son père fond et, lorsque la demande suit, il l'accepte la plupart du temps. Mais dans les rares cas où il a refusé, l'amabilité de Judy a instantanément disparu pour faire place à des plaintes acerbes et des tentatives de culpabilisation. Le père de Judy ne possédant pas assez d'estime de lui-même pour affronter sa colère, il apprit à l'éviter : il avait «besoin» de son amabilité même si celle-ci n'était pas sincère.

Aujourd'hui, Judy a appris à utiliser la même technique avec les garçons de l'école. Elle manipule ainsi un garçon après l'autre, jusqu'à ce qu'ils se rendent compte de ce qui se passe, et elle ne comprend pas pourquoi ses flirts ne durent jamais longtemps. Elle blâme toujours le garçon pour l'échec, disant par exemple : «C'est un imbécile, je me demande pourquoi je suis sortie avec lui!» La vie émotionnelle de Judy ressemble ainsi à des montagnes russes. Les garçons avec lesquels elle est sortie récemment n'étaient effectivement pas extraordinaires – les garçons indépendants se gardant bien d'avoir affaire à elle – et nous craignons que sa vie ne soit qu'une succession de relations ratées car elle n'a aucune idée de la façon de se conduire avec les hommes sans utiliser la séduction pour les contrôler. Judy est victime de son talent pour la manipulation et ne réussira probablement pas à s'en sortir avant qu'une catastrophe ne l'y oblige.

La séduction est aussi souvent utilisée par les personnes qui souffrent de désordres alimentaires. Les anorexiques sont généralement des enfants parfaits, agréables et gentils. Les boulimiques ont tendance à être extravertis, bavards et parfois séducteurs. Ces enfants apprennent à organiser leur monde en utilisant toutes sortes de tactiques de manipulation. Mais à l'adolescence tout leur système s'écroule avec pour résultat symptomatique des troubles de l'alimentation.

Flexibilité des normes et adoption d'une sous-culture

Les adolescents faibles et manipulateurs adoptent souvent un ensemble de valeurs «sur mesure» qui les autorise à agir comme ils ont décidé de le faire. Ces valeurs proviennent souvent d'une sous-culture adolescente (punk, hippie, etc.). Quand on leur demande des comptes sur leur comportement ou leurs résultats scolaires, ils répondent en guise d'explication : «Je n'y crois pas, c'est contre mes principes.»

Sherry avait organisé une grande fête chez ses parents, alors que ceux-ci étaient absents pour le week-end. La maison fut mise à sac, la police dut intervenir et Sherry, complètement saoule, passa la nuit dans une unité de soins psychiatriques pour adolescents. Quand ses parents lui demandèrent pourquoi elle n'avait pas arrêté la fête lorsque elle avait vu que ça tournait mal, elle répondit avec colère : «Parce que c'est contre mes principes : jamais je ne mettrai quelqu'un à la porte de chez moi!» Sherry utilise le même genre d'argument pour expliquer la faiblesse de ses résultats scolaires et le fait qu'elle ait perdu de nombreux emplois. À y regarder de plus près, il apparaît qu'elle trouve toujours un «principe» pour expliquer n'importe quelle situation. Ses parents l'ont chapitrée sur la question des valeurs et elle a compris que c'était leur talon d'Achille.

Malhonnêteté ouverte et planifiée

Quand on pense «manipulation», on pense généralement que les manipulateurs sont conscients de leurs manipulations et des mensonges qui les accompagnent. C'est parfois le cas, mais la plupart d'entre eux n'ont en fait que très vaguement conscience des contre-vérités et des distorsions de la réalité sur lesquelles reposent leurs tentatives. Ou encore ils se sont convaincus que leurs mensonges étaient excusables en vertu du principe selon lequel «la fin justifie les moyens».

La malhonnêteté planifiée est institutionnalisée par certains avocats, hommes d'affaires, politiciens, vendeurs, prêcheurs évangélistes, chefs de sectes et autres personnages sans scrupules qui n'hésitent pas à travestir la réalité pour qu'elle serve leurs fins. Ils peuvent mentir par action ou par omission et jouent fréquemment sur le fait que certaines données ne sont pas à la disposition des personnes qu'ils veulent manipuler, lesquelles collaborent en ne faisant pas l'effort de poser suffisamment de questions ou de chercher à découvrir la réalité.

Les victimes de ce genre de manipulation aiment généralement croire qu'on leur dit la vérité : ils *veulent faire confiance* au manipulateur. Quant à ce dernier, il doit avoir du talent pour le boniment : mirages et illusions forment son fonds de commerce. Un observateur étranger, assistant à la scène, serait sans doute ahuri de la crédulité de la victime, oubliant comment il a été lui-même amené à acheter une encyclopédie en plusieurs volumes ou à donner de l'argent pour une «bonne» cause. Nous sommes tous victimes de ce genre de manipulation à un moment ou à un autre. La méfiance et l'expérience sont notre seule défense.

Manipulations honnêtes

Les manipulations honnêtes sont des situations assez courantes, dans lesquelles les parties en cause savent que l'échec fait partie du jeu. Le gagnant est celui qui découvre le premier la position de son adversaire. Le poker en est un exemple classique, mais il y en a d'autres : un grand nombre de transactions d'affaires, l'achat d'une maison ou d'une voiture, la politique institutionnelle, les marchandages en tous genres, les farces et les contes – toutes les situations dans lesquelles les cartes ne sont pas toutes sur la table et où tout le monde le sait – sont autant d'exemples de manipulations honnêtes. Ce sont souvent des interactions parfaitement saines; la vie en est pleine et les enfants doivent être encouragés à les apprendre. Tous les enfants devraient peut-être apprendre à jouer au poker...

Caractéristiques de la relation de manipulation

Certaines caractéristiques sont communes à toutes les relations de manipulation et peuvent nous aider à les comprendre et à les déceler lorsqu'elles se présentent.

L'évitement mutuel est presque toujours présent. La personne manipulée peut tenter d'échapper à la culpabilité, à une situation déplaisante, à la lutte, au risque, à la gêne, à l'humiliation, à la perte de contrôle, à l'anxiété ou à des dommages sur sa propriété ou sur sa personne. Le manipulateur attend généralement quelque chose de tangible de la part du manipulé, mais s'il persiste, c'est moins à cause de ce désir que de l'angoisse que provoque chez lui toute perte de contrôle.

Nous rencontrons souvent des parents qui se lèvent plusieurs fois par nuit à cause de leur enfant. Le traitement pour résoudre ce genre de problème est facile à expliquer mais difficile à mettre en œuvre pour de nombreux parents. Il consiste à ramener l'enfant dans son lit, sans aucune interaction, autant de fois que nécessaire. Souvent, la première nuit du traitement se passe en allées et venues – le record à ce jour est de cent trente-six allers et retours en huit heures! Les parents se sont relayés pour ramener l'enfant toute la nuit. La nuit suivante ils ont dû le ramener cinquante fois, celle d'après vingt-trois, puis onze, puis une, et la cinquième nuit l'enfant a dormi toute la nuit.

Nous avertissons toujours les parents que l'enfant va mettre en œuvre toutes les tactiques possibles et imaginables pour faire échouer le programme : depuis le simple fait de demander à boire jusqu'aux pires crises de nerfs. Les enfants tentent de garder le contrôle de la situation et de ses conséquences et n'y renoncent que quand ils ont épuisé tous leurs tours.

Les terreurs nocturnes sont une des raisons les plus souvent invoquées par les jeunes enfants pour se lever et aller rejoindre leurs parents dans leur lit. C'est ce que faisait Sean, un enfant de quatre ans, intelligent et précoce, qui avait dormi avec ses parents jusqu'à deux ans et demi. Récemment des monstres s'étaient mis à ramper dans la poussière et à cacher ses jouets sous son lit, mais ce n'était là que le dernier de la longue série de stratagèmes qu'il avait utilisés pour pouvoir rejoindre ses parents. Quand ceux-ci nous l'amenèrent pour nous demander de l'aide, ils étaient épuisés et à bout de nerfs et mentionnèrent le fait que c'était la raison pour laquelle Sean n'avait ni petit frère ni petite sœur. Le père de Sean était fatigué d'être réveillé chaque nuit et avait tout essayé pour que son fils reste dans son lit. Il lui était même arrivé de perdre son sang-froid et de lui donner une fessée, ce dont il s'était ensuite senti coupable. La mère de Sean se trouvait face à un dilemme : elle voulait être seule avec son mari la nuit, mais elle était sensible aux peurs de Sean et pensait qu'il fallait faire quelque chose : qui sait quelles conséquences celles-ci pourraient avoir si on le laissait les affronter tout seul?

Nous leur avons proposé notre programme habituel et les avons prévenus que Sean et eux-mêmes allaient avoir quelques nuits particulièrement difficiles. Nous leur avons suggéré de préparer Sean à ce qu'ils allaient faire et lui dire que le lendemain il pourrait dessiner les monstres qu'il aurait vus pendant la nuit. Nous les avons assurés que Sean était capable de supporter ses émotions avec leur soutien et sous leur conduite. Nous leur avons dit de se préparer à ce que Sean essaie tout ce qu'il pourrait imaginer pour qu'ils l'autorisent à rester dans leur lit.

Ils commencèrent le vendredi soir. Sean réagit, comme prévu, en pleurant et en se lamentant et fut ramené dans son lit à plusieurs reprises. Aucun d'entre eux ne dormit cette nuit-là. La nuit suivante fut meilleure et la quatrième nuit, Sean fit une tentative sans conviction pour quitter son lit, mais retourna ensuite se coucher de lui-même. Une semaine plus tard, Sean et sa famille revinrent nous voir pour nous faire part de leur succès. Ils avaient l'air reposés et ils nous ont dit que Sean semblait plus heureux pendant la journée et était mieux disposé qu'auparavant à se conformer aux demandes de ses parents.

Sean est un enfant anxieux et qui veut garder le contrôle sur son environnent. Il voulait continuer de dormir avec ses parents et avait trouvé toutes sortes de moyens pour y parvenir. Il craignait d'avoir à dormir seul, de manière indépendante, et comme ses parents craignaient pour son bien-être s'ils n'acquiesçaient pas à ses demandes, ils étaient dans l'impossibilité de lui demander de prendre lui-même en charge ses problèmes.

En fait, aussi bien Sean que ses parents avaient leur secret. Les parents qui se laissent aisément manipuler sont souvent convaincus que des expériences négatives du point de vue émotionnel peuvent être dangereuses pour leur enfant. L'enfant ne le sait pas, mais il apprend, par essais et erreurs, que ses parents vont capituler s'il exprime certaines émotions et il emploie ces émotions en réponse aux situations qu'il veut contrôler. Il ne s'agit pas là d'un processus cognitif rationnel : en grandissant, l'enfant peut prendre conscience de la cause de la vulnérabilité de ses parents, mais c'est inconsciemment qu'il apprend et parfait tout le processus, et il aura beaucoup de difficulté à s'en débarrasser ensuite.

Les manipulateurs protègent leur sentiment de sécurité face au monde et évitent l'anxiété en contrôlant les autres. Bien qu'une manipulation particulière puisse avoir un objectif déterminé (pour Sean, dormir avec ses parents), l'énergie qu'y met le manipulateur vient de la crainte de perdre le contrôle de la situation et de son évolution, et non de cet objectif. Quant à la personne manipulée elle n'a pas conscience de tout cela et pense que l'enjeu de la manipulation est l'objectif avoué. Les parents de Sean croyaient ainsi qu'il était vraiment effrayé par les monstres cachés sous son lit, et ce; en dépit du fait que cette explication n'était que la dernière d'une longue série de justifications à la suite desquelles ils l'avaient autorisé à dormir avec eux. Ils craignaient qu'il ne soit pas capable de composer avec sa peur s'ils refusaient. D'autres enfants proposent des marchés, font des promesses, cajolent leurs parents ou s'efforcent de les séduire par un langage et un comportement engageant.

Il importe de se souvenir que les enfants apprennent à se comporter selon les règles qui fonctionnent dans leur système environnant. Ce ne sont pas de petits psychopathes, mais leur principale motivation est de servir leurs propres désirs et ils apprennent vite à utiliser les adultes à cette fin. Tous les enfants vont essayer, la plupart vont rencontrer des succès occasionnels et quelques-uns vont découvrir que certaines tactiques, utilisées avec certains individus, leur permettent d'obtenir le résultat désiré. C'est à ces derniers que nous nous intéressons ici.

Il était difficile de percevoir clairement la réalité de la situation de Sean. En se plaçant d'un point de vue extérieur et honnête, la plupart des gens auraient pu voir que quelque chose n'allait pas mais, dans le feu de l'action, l'évitement se met en place et la malhonnêteté et l'illusion se mettent à vivre de leur propre vie.

Les manipulateurs accomplis tiennent souvent un compte de leurs entreprises. Ils se remémorent amèrement leurs défaites et les utilisent pour prendre l'avantage dans des tentatives ultérieures : quand quelqu'un tient ainsi le compte de ses expériences, on peut immédiatement soupçonner qu'il s'agit d'un manipulateur. Mais quand la manipulation a carrément échoué, l'amertume est la seule chose qui subsiste.

Les manipulateurs accomplis voient le monde en termes bipolaires. On est avec eux ou contre eux : les autres sont bons ou mauvais, selon leur degré de coopération avec le manipulateur et celui-ci montre généralement peu d'estime pour la profondeur et l'étendue de leurs qualités humaines. Les jugements extrêmes et catégoriques sont fréquents : «Je déteste...», «Le meilleur...», «Le plus...», par exemple. Ces généralisations hâtives et ces jugements stéréotypés sur les personnes ou les situations révèlent le manque de considération honnête et sincère qui caractérise la vision que le manipulateur a de son univers.

Les menaces relèvent presque toujours de la manipulation : une personne tente d'en obliger une autre à se comporter selon ses désirs. Elles sont également malhonnêtes. Les parents qui menacent leurs enfants pour contrôler leur comportement sont eux-mêmes des manipulateurs et ils risquent de se trouver manipulés en retour par leurs enfants plutôt que de gagner leur docilité. Les enfants qui ont recours aux menaces pour arriver à leurs fins peuvent en venir à utiliser les armes ultimes que constituent la violence ou la menace de suicide.

Quand une manipulation échoue, le manipulateur est amer et en colère. Il y a peu de place pour le pardon et la compréhension dans ce tableau et la colère et l'amertume peuvent conduire à la vengeance. Mais en même temps, les sentiments réels sont rarement exprimés : le manipulateur ne dit pas : «Je suis en colère parce que j'ai l'impression de perdre le contrôle» et il est peu probable qu'il ait conscience que son sentiment d'impuissance provienne de son échec à contrôler une autre personne.

Beaucoup de parents essaient d'influencer la conduite de leurs enfants en les manipulant par des incitations, des promesses, des récompenses ou des punitions, des marchés, des menaces en les harcelant. Ces tactiques produisent rarement les résultats souhaités mais elles apprennent à l'enfant comment «jouer le jeu» de la manipulation. Si bien qu'en utilisant ces techniques, les parents portent involontairement atteinte à la capacité des enfants de devenir indépendants. Nous en reparlerons un peu plus loin.

La confusion règne généralement lorsqu'une manipulation se produit. Si vous ne parvenez pas à comprendre ce qui se passe, arrêtez-vous pour examiner la situation. Si vous êtes en train de discuter de choses dénuées de sens, que la discussion ne va nulle part, que vous vous sentez déconcerté ou intimidé, pensez à la manipulation. La distorsion de la réalité est une caractéristique fondamentale de la manipulation, c'est elle qui provoque la confusion et la perplexité. Une manière courante de réagir à cette confusion est de suspecter l'existence d'un problème «plus profond» : quelque chose de mystérieux que seul un thérapeute compétent et bien entraîné pourra maîtriser. On envoie souvent les enfants en thérapie pour cette raison, mais le résultat justifie rarement le dérangement – et le prix. Pire, le thérapeute peut concocter une explication fantaisiste de ce qui se passe et, si les autres personnes se laissent convaincre, l'enfant se trouvera gratifié d'une explication de comportement qui lui permettra de se soustraire à toute tentative de changement. Thomas Szasz, un psychiatre critique du rôle de la psychothérapie dans notre culture, soutient que la psychothérapie «s'est emparée de ce qui relève, en réalité, de la condition humaine pour l'annexer à la profession médicale». La psychologie, populaire ou professionnelle, regorge ainsi d'explications visant à rendre compte des comportements inappropriés en déniant aux individus la responsabilité de leur propre vie, de leur bonheur et de leur comportement.

«Pourquoi est-ce que je ne peux pas faire ça?», «Pourquoi est-ce que je ne peux pas mettre ça?», «Pourquoi ne me laissez-vous pas...?» La grande question «Pourquoi?» annonce le début d'une discussion ou d'une négociation. Il ne semble pas y avoir d'objection *a priori* à ce qu'un enfant discute avec quelqu'un, mais il faut savoir qu'il s'agit d'une forme de manipulation couramment employée par les enfants intelligents et raisonneurs avec leurs parents intelligents et bien éduqués. Une certaine expérience de la négociation est utile dans la vie, mais la plupart des choses ne sont pas négociables et le fait d'être capable de faire la différence est d'une importance capitale pour la réussite à long terme et le bonheur d'un individu. L'enfant qui a l'habitude que le monde se plie à ses raisonnements et que tout soit négociable avec ceux qui ont le pouvoir (parents, professeurs, etc.) est mal préparé pour agir de manière saine et indépendante. Les parents peuvent aider leurs enfants à apprendre à négocier en identifiant clairement ce qui est négociable et ce qui ne l'est pas. Mais quand un enfant essaie de négocier à n'importe quelle occasion, quand la question «Pourquoi?» revient sans arrêt et que toute tentative de guider l'enfant et de lui imposer des limites se heurtent à un contre-argument, il s'agit de manipulation.

La procrastination est aussi un signe de manipulation. «Je le ferai dès que l'émission de télé sera finie», «Je suis occupé, je le ferai tout à l'heure» : tous ces énoncés permettent à l'enfant de ne pas faire ce qu'on lui demande. Et le parent «raisonnable» accepte ces «bonnes raisons» en dépit du fait que l'enfant n'a pas assumé la responsabilité des tâches qui auraient dû être accomplies. L'enfant apprend ainsi à remettre systématiquement à plus tard les choses désagréables, ce qui constitue une bien mauvaise préparation pour la plupart des situations auxquelles il aura à faire face dans la vie. Les parents apprennent pour leur part à éviter d'avoir à affronter le déplaisir de l'enfant quand on l'oblige à faire ce qu'on lui demande. Mais, plus tard, de mauvais résultats scolaires peuvent sanctionner cette attitude. La procrastination devrait nous alerter et nous rendre sensible à une forme de manipulation subtile mais dont les effets peuvent être dévastateurs à long terme.

Des enfants sont charmants dans certains contextes et terribles dans d'autres. Les rapports de la garderie peuvent être excellents et le comportement à la maison insupportable; tout peut aller bien avec papa tandis que maman se fait des cheveux blancs. Que se passe-t-il? Les enfants apprennent vite quand la manipulation marche et avec qui. Ce scénario du type «Docteur Jekyll et Mr Hyde» nous indique que, dans certains contextes, l'enfant est bien adapté et que, dans d'autres, il a appris à obliger tout le monde à faire ses quatre volontés. Il a appris à prendre l'avantage, à tricher, à mentir et à malmener ses proches : «Si vous m'aimez, vous allez faire ce que je veux», «Vous allez supporter

mes caprices et me donner ce que je veux». Imaginez les conséquences futures de ce genre d'arrangement.

«Ce professeur en a contre moi», «Je déteste Monsieur... »,
«Je déteste l'anglais», «C'est ennuyeux». Ces énoncés sont ceux
d'un manipulateur qui ne parvient pas à faire aller les choses
comme il le veut. Quand le bien-être d'une personne repose sur
sa capacité à manipuler une situation, elle supporte très mal les
situations qui échappent à son contrôle, elle les craint. Généralement, ses jugements sont alors sévères et non réfléchis. Elle ne
dira pas «Je ne m'intéresse pas beaucoup aux mathématiques»
mais «Je déteste les maths, c'est stupide». Inversement, si elle dit
de quelqu'un qu'il est formidable, que c'est le meilleur du monde,
vous pouvez soupçonner qu'il s'agit de quelqu'un qui entre dans
le jeu de la manipulation. Quand vous entendez ces jugements
catégoriques, pensez à la manipulation. Car, comme le dit Linda
Kellog, une psychologue pour laquelle nous éprouvons un grand
respect, «même si le professeur est ennuyeux, même si le professeur a quelque chose contre vous, c'est la vie. Il faut faire avec».

Les secrets forment souvent la pierre de touche de la
manipulation. Communiquer ouvertement et honnêtement est
souvent la meilleure médecine préventive qu'une famille puisse
utiliser contre la manipulation. (Mais attention! Avoir une communication ouverte ne signifie pas qu'on doit accepter de se faire
réduire au silence agressivement. Par ailleurs, l'intimité de chacun
doit être respectée.) Lorsqu'on vous demande de garder un secret,
soyez prudent. Faites attention avant d'accepter. Certains secrets
sont charmants («Je suis amoureux de...» ou «Devine ce que je vais
offrir à maman pour son anniversaire!») mais d'autres constituent
les prémisses d'une manipulation («Promets-moi de ne pas le dire
à papa : j'ai raté mon examen d'anglais» ou «Ce que je fais dans
ma chambre me regarde, ne t'occupe pas de ça»). Si on accepte de
garder le secret, on participe alors à la manipulation. Comme
adulte et comme parent, vous devez faire la distinction et prévenir
l'enfant : «Si tu as l'intention de me parler de ton examen, et si tu
ne veux pas que ton père le sache, il vaut mieux que tu le gardes
pour toi.»

Kim est une jolie jeune femme de vingt et un ans qui est venue nous voir à cause d'une dépression qui s'est déclarée lorsque elle est entrée au collège. À l'école secondaire, elle avait réussi sans trop d'efforts mais quand elle arriva au collège et tenta de continuer de la même façon, elle obtint des notes pitoyables. Déprimée, elle a abandonné ses études et s'est mise à travailler, mais sans le dire à ses parents. Nous avons discuté de son manque d'efforts au collège et du cycle d'échecs qui s'en était suivi et en avons conclu d'un commun accord que ses performances n'avaient pas été à la hauteur de ses capacités. Elle avait trouvé toutes sortes d'excuses pour expliquer ses échecs, mais elle refusait d'affronter le véritable problème : la nécessité de travailler. Elle avait une opinion désastreuse d'elle-même. Dans un premier temps, nous l'avons encouragée à tout avouer à ses parents. Il lui a fallu trois mois pour en trouver le courage, mais elle a fini par le faire. À la visite suivante, elle était transformée. Elle avait agi de manière conséquente avec ce qu'elle jugeait devoir faire et, pour la première fois depuis deux ans, elle se sentait bien. Elle reprit le collège, prête à affronter le difficile travail que cela lui demandait, et réussit beaucoup mieux que précédemment. Nous pensons qu'elle a appris quelque chose sur la nécessité de travailler dur dans la vie pour réussir.

Enfin, les manipulations se caractérisent par l'absence de valeurs ou par la création de nouvelles «valeurs» adaptées à chaque situation. Certains manipulateurs semblent n'avoir aucun système de valeurs cohérent; d'autres «bricolent» leurs valeurs pour les adapter à la situation. Si l'intégrité consiste à agir en conformité avec leurs valeurs, les manipulateurs ne peuvent être intègres puisque leur système de valeurs ne gouverne pas leur comportement.

La distorsion de la réalité : une composante essentielle de la manipulation

La véritable essence de la manipulation est l'illusion et la tromperie. Les supercheries d'un manipulateur sont rarement planifiées. Simplement, les choses tournent comme ça... Et le manipulateur sait se servir de toutes les occasions, comme en témoigne l'histoire suivante.

Tom avait douze ans et était en sixième année dans une école secondaire publique recommandée par le professeur qui s'occupait de ses problèmes d'apprentissage. Pendant l'automne ses résultats avaient été désastreux en dépit d'un programme allégé et de l'aide individuelle qui lui était fournie dans le cadre de cours particuliers destinés à corriger ces problèmes. Nous avons appris que ceux-ci avaient été diagnostiqués alors que Tom était en deuxième année parce qu'il avait du mal à apprendre à lire. Depuis, il recevait chaque jour une aide spéciale, mais malgré cela, ses performances restaient médiocres. Nous n'avons pas été surpris d'apprendre qu'il ne semblait pas avoir beaucoup de travail scolaire à faire à la maison et qu'il était incapable d'accomplir le peu qu'il en avait sans l'aide de ses parents. Des recherches plus approfondies ont montré que Tom avait du travail en retard dans toutes les matières, qu'il s'agisse de travail à faire en classe ou à la maison.

Tout au long de notre première rencontre, Tom se montra renfermé et irritable. Chez lui, il avait la même attitude. Nous nous sommes aperçus que, bien que Tom affirme avoir de nombreux amis, il recevait peu d'appels téléphoniques et n'était jamais invité chez les autres enfants. À l'école, il semblait rester à l'écart et ne participait à aucune activité. Il avait abandonné le sport au début de l'année scolaire. Nous avons constaté qu'il pensait que tous ses problèmes étaient de la faute des autres : ses professeurs attendaient trop de lui, les autres enfants étaient méchants, ses entraîneurs étaient des «dindes» et ses parents ne l'aidaient pas assez.

Compte tenu qu'il y avait déjà longtemps qu'il ne faisait guère d'efforts, nous avions quelques doutes quant aux problèmes d'apprentissage de Tom. Il nous paraissait clair qu'il avait appris à ne travailler qu'avec de l'aide, n'essayant même pas de le faire sans la supervision d'un adulte. Après réflexion et discussion, nous avons proposé de mettre en œuvre un programme avec l'aide du professeur qui s'occupait de ses problèmes d'apprentissage. Celui-ci dirait aux parents quel travail Tom aurait à faire à la maison : les parents n'aideraient pas Tom, mais ils s'assureraient que le travail soit fait correctement. Tom ne serait pas autorisé à faire quoi que ce soit d'autre tant que ses devoirs ne seraient pas finis et il devrait travailler dans sa chambre et non sur la table de la cuisine. Tom nous détesta – nous, notre programme, ses parents et son professeur – mais il commença à contrecœur à faire son travail. Du moins c'est ce qu'il semblait. Le professeur de maths de Tom avait refusé de participer à notre programme sous prétexte que les enfants devaient «nager ou couler». (Nous voulions lui faire remarquer que Tom n'avait jamais appris à nager et qu'il avait besoin de quelques leçons, mais nous n'en avons pas eu l'occasion.) Juste avant les vacances de printemps, les parents de Tom se sont aperçus qu'il n'avait pratiquement rien fait en maths. Il leur avait dit qu'il faisait son travail à l'école. Ils nous ont consultés et nous avons décidé qu'il rattraperait le travail en retard pendant les vacances.

Les parents de Tom l'ont averti dès le premier jour des vacances qu'il n'irait nulle part et ne ferait rien d'autre tant qu'il n'aurait pas terminé son travail de mathématiques. Tom piqua une crise et, comme ses parents tenaient bon, il devint violent : son père dut le maîtriser pour l'empêcher de blesser quelqu'un pendant que sa mère nous appelait pour nous demander ce qu'elle devait faire. Nous leur avons demandé s'ils se sentaient capables d'en venir à bout et ils nous ont répondu que oui. «Alors, tenez bon.» Finalement, épuisé et défait, Tom se mit au travail. Il y passa plusieurs jours. Ses parents n'acceptaient pas que le travail soit bâclé ou inexact et l'obligeaient à refaire tous les devoirs qui n'atteignaient pas le niveau exigé. Il se plaignait amèrement mais il continua à travailler. Il prétendait qu'il avait déjà fait une partie du travail et que c'était son professeur qui l'avait perdu et accusait ses parents de n'être pas justes en l'obligeant à passer toutes ses vacances à faire du travail scolaire. Mais ceux-ci n'en crurent pas un mot et ne cédèrent pas. Quand, finalement, Tom eut fini son travail, il eut deux jours de vacances. Et, lorsque l'école reprit, il ramena son travail à la stupéfaction de son professeur. Après cela, il fit des mathématiques presque tous les soirs et ses notes s'améliorèrent.

L'année suivante, Tom fut placé dans une classe d'un niveau plus élevé et son temps d'aide à l'apprentissage fut diminué. Ses parents et son professeur particulier continuaient à superviser son travail et ses résultats et durent intervenir à quelques reprises pour le garder sur la bonne voie. Tom commença alors à réussir à l'école. Et, en huitième année, il fut mis dans une classe normale – avec un cours accéléré en maths, qui étaient devenues sa matière favorite. Il voyait encore régulièrement le professeur chargé de l'aide à l'apprentissage, mais n'avait plus besoin de supervision, seulement d'encouragements, pour faire son travail. Il a commencé à jouer au baseball, s'est fait des amis et il s'est même présenté même comme représentant de sa classe. Maintenant tout va bien – avec quelques moments difficiles – et l'année prochaine il entrera au collège.

Très tôt au cours de ses études, Tom s'était convaincu qu'il ne pouvait pas faire son travail. Ses parents et professeurs avaient confirmé ses doutes en l'aidant au lieu d'insister pour qu'il essaie. Tout le monde en vint ainsi à penser que Tom ne pouvait pas travailler sans aide, ce qui lui donna la possibilité d'échapper au travail scolaire jusqu'à ce que le professeur chargé de ses problèmes d'apprentissage siffle la fin de la récréation, au secondaire. Cette croyance se développa naturellement, influençant tous ceux qui avaient affaire à Tom et il apprit à s'en servir pour manipuler les adultes. Sans le vouloir, Tom, ses parents, ses professeurs et tout le personnel spécialisé avaient créé de toutes pièces une fausse réalité qui permettait à Tom de ne pas travailler. Nous considérons maintenant Tom comme un individu angoissé avec des capacités au-dessus de la moyenne et ne présentant aucune difficulté particulière d'apprentissage mais qui a appris très tôt à être dépendant des adultes autour de lui. Il lui a fallu plusieurs années pour remonter la pente mais Tom est aujourd'hui sur la voie de l'indépendance.

L'essence de la manipulation : la distorsion de la réalité

Pour manipuler, il faut se servir de la volonté de l'autre de voir la réalité autrement qu'elle n'est. Pour être manipulé, il faut oublier ce qu'on sait et croire aveuglément dans une fausseté, ou du moins suspendre tout jugement critique. Ce peut être le manipulateur qui convainc sa victime de croire en une fausseté, mais la personne manipulée peut aussi avoir un ensemble de croyances et de préjugés que le manipulateur peut découvrir et utiliser. En voici quelques exemples :

- *La tâche des parents est d'assurer le bonheur des enfants et de les protéger des effets dommageables d'émotions désagréables.* Si vous croyez cela, vous pouvez être manipulé par la colère, la tristesse, les pleurs, les plaintes, les supplications ou toute autre manifestation de déplaisir. Nous pensons, quant à nous, que la tâche des parents est de donner aux enfants ce qu'ils ne peuvent se procurer eux-mêmes – un toit, de la nourriture, de l'attention, de l'intérêt et un amour inconditionnel – et de les guider en s'appuyant sur leurs propres valeurs. Mais c'est à l'enfant lui-même que revient la responsabilité de trouver son bonheur dans ce cadre. Nous ne prétendons certes pas que le bonheur de leurs enfants ne devrait pas préoccuper les parents, mais nous croyons que ces derniers devraient d'abord se demander pourquoi leurs enfants n'arrivent pas à trouver eux-mêmes leur bonheur.

- *La tâche des parents consiste à travailler dur pour offrir à leurs enfants le bien-être matériel et la sécurité financière.* La sécurité est sans aucun doute, dans une certaine mesure, de la responsabilité des parents. Mais lorsqu'elle devient leur seul devoir, lorsque les biens matériels passent avant l'amour et l'attention, les parents s'exposent à être manipulés de manière à satisfaire tous les désirs de leur enfant. Un adolescent déprimé nous a ainsi demandé : «Pourquoi est-ce que je devrais m'embêter à travailler à l'école ou à chercher un emploi alors que j'ai déjà tout ce que je demande? L'autre jour j'ai dit à mes parents que je voulais un clavier : nous sommes sortis aussitôt et nous en avons acheté un à 3 000 dollars.»

- Certains parents mettent le standing social très haut dans leur échelle de valeurs. Leurs enfants apprennent vite le poids que revêt pour eux toute menace de scandale public et l'utilisent pour arriver à leurs fins. Inversement, ils peuvent se rendre compte que le fait de bien se conduire en public est un moyen très efficace de garder l'attention de leurs parents centrée sur eux.

- Si les parents attachent surtout de l'importance aux succès scolaires ou à la réussite dans quelque autre domaine, les enfants apprendront à exceller à l'école, non pas pour eux mais pour obtenir l'attention de leurs parents, ou des récompenses. Une de nos connaissances a étudié le piano pendant toute son enfance. Elle a fait de la musique au collège et allait se lancer dans une carrière d'interprète quand elle se rendit compte qu'elle étudiait la musique pour plaire à sa mère et non à elle-même. Elle en voulut à celle-ci de tout le temps qu'elle y avait passé et abandonna et le piano et la musique. Aujourd'hui elle prend conscience que jouer du piano était un moyen pour elle de s'assurer l'attention continue de sa mère et d'être dans ses bonnes grâces.

Voici un autre exemple : on considère généralement dans notre société que les problèmes psychologiques des adultes proviennent de traumatismes qu'ils ont subis dans leur enfance (une croyance héritée de Freud). Du coup, beaucoup de parents ont peur d'affronter leurs enfants, de poser des limites à leur comportement, parce qu'ils pensent que des désordres importants peuvent en résulter au niveau émotionnel. Les émotions pénibles, telles que la colère et la frustration, sont considérées comme potentiellement traumatisantes et les parents pensent qu'ils doivent les éviter à leurs enfants. Suivre cette logique jusqu'au bout amène à penser que l'essence de l'éducation consiste à rendre les enfants heureux. Les enfants découvrent vite que leurs parents (ou leurs professeurs, ou d'autres adultes) partagent cette opinion et apprennent à obtenir ce qu'ils veulent en manifestant des émotions négatives – ou simplement en menaçant de le faire. Cette méthode fonctionne jusqu'à ce que, à l'adolescence, ils ne puissent plus se prévaloir du statut d'enfants. Sans crier gare on leur demande soudainement d'assumer la responsabilité de leur vie et de leur bonheur et ils s'effondrent.

D'autres croyances ou pratiques parentales empêchent de voir la réalité telle qu'elle est et ont des effets similaires sur les enfants. Les parents pour lesquels le travail est la seule chose qui compte, ceux qui travestissent leur propre réalité à l'aide de stupéfiants, ceux qui adhèrent systématiquement à la dernière explication à la mode en ce qui concerne les problèmes de leur enfant ou qui écoutent toutes les opinions possibles et imaginables au lieu de rester fidèles à leur système de valeurs, tous ces parents s'exposent à ce que leurs enfants tentent de se frayer un chemin dans la vie par la manipulation jusqu'à ce qu'ils atteignent l'âge auquel ça ne marche plus. Nous en sommes souvent témoins et nos prédictions quant aux résultats se révèlent généralement justes. Malheureusement, la faute en est toujours rejetée sur quelqu'un d'autre.

J'ai reçu un appel téléphonique d'une mère qui était en fureur parce que le dentiste pensait que son fils de trois ans et demi, Marc, devrait être anesthésié et attaché pendant qu'il lui prodiguait des soins, compte tenu de son manque de coopération. Elle voulait voir un autre dentiste, pensant qu'il s'y prendrait mieux avec son fils. Or, bien que j'aie développé une bonne relation avec Marc depuis plusieurs années, il m'est toujours très difficile de l'examiner – et je n'ai pas à faire le travail délicat que doit faire un dentiste! – si bien que je suis à peu près certain que personne ne peut réussir à effectuer un quelconque travail dans sa bouche sans avoir recours à l'anesthésie générale ou à un moyen équivalent.

Le problème est que Marc mène sa famille par le bout du nez. Quand elle est honnête, sa mère le reconnaît mais elle espère toujours que les choses vont s'arranger toutes seules : elle n'a jamais eu ni la force ni la volonté de les changer. Dans le cas présent, elle considère que le dentiste est mauvais parce qu'il ne parvient pas à faire entendre raison à son fils et pense qu'il doit en exister de plus capables. Quant à moi je peux prédire ce qui va arriver à Marc à l'école : ses difficultés seront évidemment de la faute du professeur. Et il est probable que les choses iront de mal en pis pour le malheureux enfant jusqu'à ce que ses parents aient le courage de changer leurs méthodes d'éducation.

Les enfants qui ont appris à manipuler leur entourage apprennent à voir la réalité transformée et embellie. La réalité telle qu'ils la perçoivent justifie tous leurs stratagèmes et elle change selon les circonstances. La confusion, les discussions sans fin, la colère, le fait de rejeter la faute sur l'autre ou de tenter de le culpabiliser sont autant de signes de cette situation. En venir à bout exige une volonté inébranlable et le courage de ne pas éviter l'affrontement. Avec nos patients, nous savons qu'il y a du progrès lorsqu'ils commencent à émettre des jugements basés sur la réalité.

La distorsion de la réalité peut prendre de nombreuses formes. Margie (voir le premier chapitre) transforme la réalité en tentant de modifier son apparence physique. Marc croit qu'il contrôle le monde et combat vigoureusement toute tentative de mettre en doute cette croyance. Les distorsions qu'on trouve chez les enfants manipulateurs sont de toutes sortes : depuis l'idée fixe de Margie jusqu'à des conceptions complètement opportunistes. En voici encore quelques exemples.

Ben est un enfant adopté. Ses parents voulaient un enfant, mais ne pouvaient pas en avoir. Ils ont tout de suite adoré Ben. C'était un enfant sensible et craintif. Il réagissait mal aux changements et sa mère renforça cette attitude en tentant de faire en sorte que sa vie se déroule tranquillement et sans heurts. Le père n'était pas d'accord avec cette approche, mais Ben apprit très tôt à courir dans les bras de sa mère quand il n'aimait pas ce que le monde, et particulièrement son père, avait à lui offrir. Quand Ben eut deux ans il fut victime d'une grave maladie dont il finit toutefois par se remettre. Pendant son hospitalisation, sa mère était à son chevet jour et nuit tandis que son père continuait à travailler et prenait soin de la maison. La mère de Ben crut qu'il allait mourir et devint encore plus protectrice par la suite.

Le mariage des parents de Ben n'était pas très solide au départ, mais tous ces événements ont créé entre eux une faille qui ne cessa de se creuser au fur et à mesure que Ben grandissait. Ils finirent par se séparer et divorcer. Au début, Ben passait la moitié du temps avec chacun de ses parents, mais chaque fois que son père lui demandait de faire quelque chose qui ne lui plaisait pas, il se mettait en colère et appelait sa mère au téléphone qui venait aussitôt le chercher et le consoler. Comme le temps passait, Ben commença à dire qu'il détestait son père et passa de moins en moins de temps avec lui. Comme son père était l'entraîneur de son équipe de soccer, il commença à dire qu'il ne voulait plus jouer. Son père essaya d'arranger les choses en l'emmenant voir un match de la Coupe du monde, mais au retour ils se retrouvèrent dans la même situation que précédemment. Un jour, Ben refusa de participer à un match. Son père lui dit qu'il avait un engagement vis-à-vis de l'équipe et qu'il devait y aller, mais Ben appela sa mère pour qu'elle vienne le chercher. Ce fut le coup de grâce : Ben abandonna le soccer.

Finalement, une dispute éclata entre Ben et son père à propos du nettoyage de la cour, le père de Ben perdit patience et le tapa légèrement sur le bras. Ben appela sa mère une fois de plus pour qu'elle vienne le chercher. La mère et son fils accusèrent alors le père de mauvais traitements et Ben ne le vit plus. Ben devint alors dépressif, se tenant à l'écart des autres enfants comme de toute activité et laissa entendre qu'il voulait se suicider. Les thérapeutes qui essayèrent de l'aider avaient la même attitude protectrice que la mère de Ben et ne firent que renforcer le cocon dans lequel il s'était réfugié. Ben est aujourd'hui un adolescent déprimé, isolé, étranger à son père, pris au piège de ses tentatives pour contrôler le monde et incapable de se sortir de cette situation.

Ben ne déteste pas vraiment son père mais il a peur du sentiment qu'il a avec celui-ci de perdre son contrôle sur le monde, c'est-à-dire, en fait, sur les autres, principalement sur sa mère. Un contrôle à vrai dire bien faible, fragile, mal adapté et sans aucune utilité face au monde réel. Ses histoires sonnent comme des exemples de mauvais traitements, mais en réalité il s'agit de conflits qui ont lieu dans la plupart des familles quand les enfants grandissent. Ben aimait jouer au soccer mais il ne pouvait supporter de partager les valeurs de son père, aussi peu que ce soit, c'est pourquoi il a abandonné. Et personne n'a jamais été capable de lui apprendre à composer avec la réalité. Chaque fois que l'on essayait, il appelait sa mère, lui racontait une histoire de mauvais traitements et d'angoisse et elle l'aidait à y échapper. Ben a devant lui une dure pente à remonter même si les gens arrêtent de conforter sa propre version de la réalité.

Combien de fois n'avons-nous pas entendu les parents d'un petit enfant dire : «Je ne peux pas attendre qu'il soit assez vieux pour discuter»? Kristin est une adolescente de treize ans, jolie et boudeuse. Ses parents sont des gens qui savent s'exprimer et qui ont toujours essayé de l'éduquer en faisant appel à sa raison. Kristin a appris à contrer tous les arguments en recourant à ses propres talents pour la discussion et y réussit la plupart du temps. Arrivée à l'adolescence, elle est devenue de plus en plus maussade et irritable, la vie n'allait pas comme elle le voulait. À l'école, ses amis et ses professeurs refusaient de se plier à ses caprices quels que soient les efforts qu'elle faisait pour les convaincre de la justesse de sa position. Son cercle d'amis se transforma et il ne lui resta bientôt plus que les enfants qui agissaient comme elle.

Les parents et leur fille vinrent nous voir parce qu'ils étaient dans une impasse : Kristin voulait avoir l'autorisation d'aller traîner avec ses amis dans un quartier qui était devenu le lieu de rendez-vous de tous les jeunes mal dans leur peau de la ville, mais ses parents ne voulaient pas «entendre raison». Au cours de notre première rencontre, Kristin et ses parents passèrent plus d'une heure à discuter de ces restrictions dans un climat tendu et tumultueux. Lorsque nous avons rencontré Kristin seuls à seule, elle nous a déclaré qu'elle avait l'intention d'aller vivre avec son petit ami dès qu'elle aurait seize ans. Nous lui avons demandé de quoi ils vivraient et elle nous a répondu qu'elle pensait que ses parents subviendraient à ses besoins.

Kristin avait toujours réussi à faire aller le monde comme elle le désirait. Elle avait toujours trouvé le moyen de contourner les «non». Confrontée pour la première fois à une ferme opposition de ses parents à propos de ses sorties, sa réaction fut de se fabriquer une autre réalité en développant l'idée qu'elle pourrait quitter la maison familiale et que ses parents paieraient la note. Nous avons tenté de convaincre ses parents de mettre un terme à ces affrontements verbaux sans fin et d'utiliser une autre approche, que nous décrirons un peu plus loin dans ce livre. Mais ils étaient tellement attachés à ce mode de fonctionnement – qu'ils pratiquaient depuis treize ans! – que ce fut impossible. Ils cessèrent finalement de nous voir, mais nous pensons que les choses vont empirer et que nous risquons fort de les revoir à ce moment-là.

Toutes ces personnes, parents et enfants confondus, ont tendance à prendre leurs désirs pour la réalité, et se trouvent finalement piégés parce qu'ils ne voient plus la réalité elle-même. Nous pourrions en donner un nombre incalculable d'autres exemples : pour manipuler, le manipulateur doit «trafiquer» la réalité et bien que certains en soient parfaitement conscients, la plupart ne le sont pas vraiment. Quand on les prend à partie, ils défendent leur perception avec virulence et peuvent devenir agressifs et même haineux.

Pour que cette distorsion de la réalité puisse s'imposer, il faut que les personnes manipulées acceptent l'illusion et y participent. Il fallait, par exemple, que la mère de Ben croie qu'il pouvait être blessé par les émotions découlant du conflit avec son père, que les parents et professeurs de Tom croient qu'il avait un véritable problème d'apprentissage et que les parents de Margie croient qu'une petite fille parfaite qui n'avait jamais essayé de satisfaire ses propres besoins était en quelque sorte une enfant idéale. Dans tous les cas, les adultes ont été incapables de prendre la distance nécessaire pour apprécier sainement la situation. Leurs craintes et leur insécurité ont déformé leur perception de la réalité, les paralysant et les rendant incapables d'aider leurs enfants à devenir indépendants. Dans un prochain chapitre «Comment devenir imperméable à la manipulation», nous discuterons de ce problème.

Résultats

Comme la manipulation est basée sur l'évitement, le manipulateur se sent soulagé lorsque sa manœuvre réussit. À défaut d'autre chose, il a réussi à échapper à quelque chose qui l'effrayait. Il peut aussi ressentir d'autres émotions, comme le bonheur ou le plaisir, mais elles sont généralement de courte durée. Satisfaction et sentiments de réussite ou de compétence sont étrangers au manipulateur. Si sa manœuvre a échoué, il sera aux prises avec l'anxiété, la colère et le désir de vengeance. Il rejettera le blâme sur sa victime et pourra en venir à la détester. Il manifestera violemment son déplaisir et recommencera à la première occasion.

Comme les manipulateurs se servent des autres pour contrôler les événements auxquels ils se trouvent confrontés, ils évitent toutes les circonstances où leur pouvoir serait contesté. Ils fuient les situations dans lesquelles ils devraient se plier à la volonté ou aux règles des autres. Malheureusement c'est précisément dans de telles conditions qu'ils pourraient acquérir une certaine maîtrise de soi, et la confiance qui va avec, au lieu de vouloir contrôler leur entourage. C'est ce que font les gens bien-portants dont la maîtrise de soi augmente aussi la confiance et qui se concentrent sur leur propre comportement plutôt que sur celui des autres, apprenant ainsi qu'ils peuvent survivre aux situations difficiles, qu'ils sont compétents et qu'ils peuvent se débrouiller dans les limites imposées par la vie elle-même.

Du point de vue d'un observateur extérieur, il peut n'y avoir aucun avantage évident à une manipulation. Souvent, les manipulations aboutissent à une impasse et on peut se demander pourquoi le comportement persiste. Mais un grand nombre de manipulations ne sont qu'un exercice de contrôle : le résultat pour le manipulateur peut n'être que le maintien du *statu quo* et du sentiment de sécurité que lui procure la maîtrise sur le monde. Les manipulateurs ne trouvent pas le changement excitant, mais plutôt effrayant, et ils font tout pour l'éviter.

Les interactions manipulatrices n'ont souvent d'autre but que de maintenir le contrôle sur les autres. Peu de manipulations sont synonymes de progrès en vue d'un objectif à long terme, si bien que les manipulateurs ont généralement du mal à soutenir un effort continu. Du point de vue de l'observateur il s'agit là d'un échec, mais le manipulateur, lui, est soulagé et considère donc qu'il a réussi. À long terme, le manipulateur échoue lamentablement parce que le monde n'est pas, en réalité, sous son contrôle.

Plutôt que d'être gouverné de façon cohérente par des valeurs élevées, c'est-à-dire d'être intègre, le comportement des manipulateurs est purement opportuniste. Quand le manipulateur prend l'avantage, le résultat n'est jamais équitable et les deux protagonistes ne peuvent en sortir gagnants. L'entourage ressentira alors de l'amertume et la relation va en souffrir. L'amitié et l'engagement dans une entreprise commune deviendront impossibles et le manipulateur en viendra souvent à se tourner vers de nouvelles relations, rejetant sur les autres tous les problèmes rencontrés.

Les manipulateurs ont rarement le sentiment d'être compétents et ont peu d'estime pour leur valeur personnelle. Ils peuvent se réjouir lorsque les choses vont bien, mais l'évaluation de leur propre valeur dépend de l'appréciation des autres. De nombreux manipulateurs se considèrent comme le centre de l'univers. Quand cela se révèle faux, leur ressentiment, leur colère et leur désespoir sont dévastateurs.

Finalement, lorsque l'approche manipulatrice ne donne plus les résultats escomptés, d'autres symptômes apparaissent : alcoolisme, drogue, troubles de l'alimentation, dépression, suicide, promiscuité, marginalité, comportement social inapproprié et antisocial, angoisse envahissante et irresponsabilité. Heureusement, ces problèmes peuvent être traités et le manipulateur à alors le sentiment d'une véritable résurrection. Lorsqu'on examine ces traitements, par exemple le programme en douze étapes des Alcooliques Anonymes, on constate qu'ils visent à aider le participant à conquérir la maîtrise de soi tout en se gardant de contrôler les autres, c'est-à-dire à adopter un comportement non manipulateur.

Conclusion

Voici une définition utile de la manipulation :

La manipulation est un comportement qui, par le biais de la malhonnêteté, de la menace ou de la tromperie, permet au manipulateur d'éviter ou de remettre à plus tard des situations inconfortables ou désagréables. La manipulation peut servir des fins subsidiaires, mais son existence ne dépend pas de ces bénéfices additionnels.

Nous avons observé que la manipulation semble suivre les règles suivantes :

1. La manipulation est un comportement d'évitement complexe qui peut avoir certains résultats positifs, mais a toujours pour but d'éviter quelque chose : changement, travail, confrontation ou perte de contrôle.

2. Les manipulations sont à double sens : le stratagème du manipulateur ne peut réussir sans un comportement d'évitement complémentaire de la part de la personne manipulée elle-même. Pour réussir, le manipulateur doit découvrir et utiliser cette faiblesse.

3. Si une manipulation échoue, le manipulateur adoptera généralement une attitude plus grossière et plus coercitive.

4. Les gens qui utilisent la manipulation pour s'adapter à la vie voient souvent le monde «tout blanc ou tout noir». Les autres sont bons et gentils (c'est-à-dire susceptibles d'entrer dans le jeu du manipulateur) ou mauvais, incapables et stupides (impossibles à manipuler). Les manipulateurs ont peu de respect pour la profondeur, la sincérité ou l'intégrité. Lorsqu'ils décrivent d'autres personnes ou situations, leur discours est émaillé de

jugements à l'emporte-pièce comme : «C'est le meilleur», «Quel idiot!» ou «L'anglais est le pire.»

5. La plupart des manipulations ne sont pas consciemment planifiées et exécutées, mais correspondent plutôt à un schème d'adaptation comportementale acquis. Un manipulateur reconnaît rarement la malhonnêteté inhérente à son comportement et plus celui-ci a été acquis tôt dans la vie, moins le manipulateur en a conscience.

6. Des environnements d'apprentissage plus complexes produisent des comportements manipulateurs plus alambiqués. Les manipulateurs intelligents et éduqués sont plus difficiles à découvrir et à traiter que les autres à cause de leur subtilité et du raffinement de leur comportement social.

7. Les différents styles de manipulation sont largement déterminés par le tempérament inné du manipulateur et de la personne manipulée.

Pour récapituler :

1. Faites une liste des interactions à caractère manipulateur que vous pouvez observer entre vous-même et les autres ou entre votre conjoint et les autres, plus spécialement avec vos enfants. Il importe de ne pas jeter de blâme et de ne pas juger : notez simplement vos observations, objectivement, et demandez à votre conjoint de faire de même. Si vous êtes seul(e), demandez à un ou une amie de le faire.

2. Essayez d'identifier l'objectif caché qui permet à la manipulation de se produire : qu'est-ce que les deux parties essaient d'éviter? Qu'essayez-vous vous-même d'éviter?

3. Inscrivez les différentes manières possibles de faire face à la situation honnêtement, quelles que soient les difficultés

qu'elles présentent ou les craintes qui peuvent y être rattachées.

4. Analysez maintenant clairement les problèmes auxquels vous redoutez d'avoir à faire face avec ces méthodes de rechange. Font-ils le poids face à la destruction à long terme de l'estime de soi?

5. Essayez quelques-unes de ces méthodes, mais attendez-vous à avoir du travail!

Chapitre 3

Un facteur déterminant :
le tempérament

Tout parent qui a plus d'un enfant peut faire une description des différences qui existent entre eux. Celle-ci inclura d'abord des caractéristiques physiques : couleur et texture des cheveux, couleur des yeux, taille et forme du corps. Mais les parents mentionneront aussi les caractéristiques de la personnalité de chaque enfant. Celles-ci seront décrites plus volontiers en termes comparatifs qu'en termes absolus, parce que les caractéristiques de la personnalité et du tempérament sont difficiles à définir de façon absolue.

Les scientifiques qui s'intéressent au développement de l'homme et de l'enfant ont longuement débattu des rôles respectifs de la nature et de la culture ; sommes-nous ce que nous sommes à cause de nos caractéristiques innées ou à cause de l'influence de l'environnement? Comme dans un grand nombre de débats théoriques, les conclusions ont beaucoup varié car les données que nous possédons en ce qui concerne le développement humain sont fort incomplètes. Et on a souvent eu tendance à poser la question en termes de tout ou rien : ou bien nous sommes génétiquement programmés ou bien c'est l'environnement qui nous détermine. Or, aucune de ces positions ne rend compte adéquatement de la réalité. Récemment, un grand nombre d'études sur des jumeaux ont jeté un peu de lumière sur cette question. Ces études tentaient de quantifier la contribution génétique (souvent exprimée en pourcentage) en regard du résultat. Il semble clair que les jumeaux homozygotes (ou «identiques») montrent de grandes similitudes physiques et comportementales et que leurs centres d'intérêt, leurs choix de carrière et même le choix de leurs conjoints sont souvent très similaires, même s'il existe des différences individuelles. Globalement, il apparaît que ni les gènes ni l'environnement ne peuvent à eux seuls expliquer notre développement.

Chaque être humain naît avec un certain nombre d'attributs génétiquement déterminés. Chacun de nous démarre dans la vie avec une collection unique de tendances innées, d'aptitudes et de talents naturels, de traits de comportement et de façons de faire, mais le rôle que jouent dans notre vie ces facteurs innés dépend largement de la manière dont nous sommes élevés et éduqués. Ce que nous devenons est le résultat de cette interaction singulière et non d'un seul facteur, qu'il soit génétique ou environnemental. De plus, si notre environnement nous affecte, nous l'affectons également. La vie est un processus interactif dans lequel la nature et la culture sont toutes deux importantes : ce n'est pas *ou* l'un *ou* l'autre. Chacun d'entre nous est le produit singulier d'une interaction extraordinairement complexe entre les deux.

L'étude des caractéristiques innées du tempérament ne peut être, au mieux, que rudimentaire. Il n'existe, en effet, pas de liste d'attributs universellement acceptée ni de théorie établie concernant leur transmission. Nous avons cependant identifié certains traits qui nous sont apparus utiles du point de vue clinique pour comprendre les personnes auxquelles nous avons affaire. Ces caractéristiques semblent avoir une valeur de prédiction : quand nous les rencontrons, nous pouvons en tirer des conclusions en ce qui concerne le comportement futur de la personne avec une précision surprenante. À titre de démonstration, nous vous proposons de faire un petit exercice : situez- vous, vous, votre conjoint (ou le père ou la mère biologique de chacun de vos enfants) et vos enfants, sur chacune des échelles de tempérament suivantes. Essayez d'être aussi réaliste que possible, en ne tenant aucun compte du fait qu'un comportement vous paraisse souhaitable et en ne mentionnant que les comportements naturels, pas ceux que vous avez appris. Nous sommes en effet capables de notifier notre comportement, comme en témoignent les énoncés suivants : «J'ai tendance à réagir immédiatement en fonction de mes sentiments, mais j'ai appris à contrôler mes impulsions» ou «Je n'aime pas rester assis tranquillement tout le long d'une longue réunion, mais j'ai appris à le supporter». Demandez à votre conjoint ou à quelqu'un qui vous connaît bien, vous et votre famille, de commenter vos réponses.

EXERCICE SUR LES TEMPÉRAMENTS FAMILIAUX

1   2   3   4   5   6   7

I. Activité

Tranquille, calme,
capable de rester
assis pendant
de longues.
périodes de temps.

Agité, a des
fourmis dans
les jambes,
actif, ne peut
rester en place.

Mère .... __ __ __ __ __ __ __
Père .... __ __ __ __ __ __ __
1er enfant ...... __ __ __ __ __ __ __
2e enfant .... __ __ __ __ __ __ __
3e enfant .... __ __ __ __ __ __ __

II. Prise de décision

Pondéré, pèse
chaque pensée,
sentiment,
désir ou idée :
indécis, pondéré,
patient.

Ressent le besoin
de traduire en
acte désir ou idée :
décidé, impulsif,
impatient,
toujours pressé.

Mère .... __ __ __ __ __ __ __
Père .... __ __ __ __ __ __ __
1er enfant ...... __ __ __ __ __ __ __
2e enfant .... __ __ __ __ __ __ __
3e enfant .... __ __ __ __ __ __ __

III. Attention et concentration

N'est pas	*Toujours*
dérangé	*conscient de*
par l'environnement	*l'environnement*
lorsqu'il (elle)	*lorsqu'il (elle)*
fait quelque	*fait quelque chose*
chose ou n'en	*et facilement*
est pas conscient.	*perturbé*
	par celui-ci.

Mère .... ___ ___ ___ ___ ___ ___ ___

Père .... ___ ___ ___ ___ ___ ___ ___

1er enfant ...... ___ ___ ___ ___ ___ ___ ___

2e enfant .... ___ ___ ___ ___ ___ ___ ___

3e enfant .... ___ ___ ___ ___ ___ ___ ___

IV. Orientation spatiale

Indique la direction	*Indique une*
de manière précise,	*direction*
utilise des points	*générale, trouve*
de repère pour	*son chemin sans*
s'orienter, se	*se servir de*
perd facilement.	*points de repère,*
	jamais perdu.

Mère ___ ___ ___ ___ ___ ___ ___

Père ___ ___ ___ ___ ___ ___ ___

1er enfant ___ ___ ___ ___ ___ ___ ___

2e enfant ___ ___ ___ ___ ___ ___ ___

3e enfant ___ ___ ___ ___ ___ ___ ___

V. Anxiété

Suit le courant : facile à vivre; n'est pas gêné par le changement ou l'imprévisibilité.

Veut contrôler : ne supporte pas l'imprévisibilité, la désorganisation ou le changement, aime l'ordre.

Mère .... __ __ __ __ __ __ __
Père .... __ __ __ __ __ __ __
1er enfant ...... __ __ __ __ __ __ __
2e enfant .... __ __ __ __ __ __ __
3e enfant .... __ __ __ __ __ __ __

VI. Musicalité

Talent pour la musique : apprend facilement à chanter ou à jouer d'un instrument.

Apprécie la musique, mais trouve difficile d'en faire.

Mère .... __ __ __ __ __ __ __
Père .... __ __ __ __ __ __ __
1er enfant ...... __ __ __ __ __ __ __
2e enfant .... __ __ __ __ __ __ __
3e enfant .... __ __ __ __ __ __ __

VII. Régularité

*Horloge interne
fiable : a tendance
à s'éveiller,
manger, aller
se coucher
et travailler
à heures fixes.*

*Les horaires
varient chaque
jour; cycles de
sommeil
imprévisibles,
variations dans
la productivité
au travail et
l'appétit.*

Mère .... __ __ __ __ __ __ __
Père .... __ __ __ __ __ __ __
1er enfant ...... __ __ __ __ __ __ __
2e enfant .... __ __ __ __ __ __ __
3e enfant .... __ __ __ __ __ __ __

VIII. Attitude sociale

*Aime la solitude,
tranquille, évite
ou tolère seulement
les groupes et
activités sociales.*

*Aime les fêtes,
évolue au sein
d'un groupe de
personnes,
trouve la
solitude pénible.*

Mère .... __ __ __ __ __ __ __
Père .... __ __ __ __ __ __ __
1er enfant ...... __ __ __ __ __ __ __
2e enfant .... __ __ __ __ __ __ __
3e enfant .... __ __ __ __ __ __ __

Maintenant, examinez vos résultats. Il y a de grandes chances que vous vous aperceviez que les traits présents chez un enfant le sont aussi chez un des deux parents. Nous pensons que tous ces traits de caractère sont héréditaires, même s'ils peuvent être modifiés par l'environnement. Mais il s'agit seulement d'un exemple des multiples traits de caractère dont on peut hériter et nous ne sommes pas certains qu'ils ne dérivent pas d'autres caractéristiques plus fondamentales : nos connaissances dans ce domaine sont encore embryonnaires. Nous pouvons toutefois affirmer qu'en sachant comment une personne se situe sur ces échelles, on peut prédire de façon adéquate son comportement dans un cadre clinique, que chacun de ces traits de caractère peut être observé chez le jeune enfant et qu'ils semblent persister par la suite.

Lorsque l'enfant grandit, il apprend à combiner un certain nombre de ces traits héréditaires, mettant l'accent sur certains au détriment des autres et comprenant que des situations différentes exigent des dosages différents. Tous les enfants constatent qu'ils sont à l'aise dans certaines situations, comme dans de vieux vêtements confortables, mais que dans d'autres ils se sentent comme s'ils étaient obligés de porter des vêtements mal ajustés ou trop raides. Cette impression de confort dépend en grande partie de préférences génétiquement déterminées – de caractéristiques innées – même si la pratique et l'expérience peuvent rendre la situation plus facile.

L'examen des caractéristiques du tempérament peut être utile pour prédire les relations entre les gens. Par exemple, deux personnes qui ont un score élevé sur l'échelle de prise de décision (II) prendront généralement beaucoup de plaisir ensemble mais, en cas de conflit, leur différend risque de dégénérer rapidement en affrontement. La combinaison d'un score élevé et d'un autre plus faible sur cette échelle rendra les affrontements plus rares : pendant que la personne prompte à agir réagira, l'autre prendra le temps de réfléchir et le combat cessera de lui-même. Deux personnes qui ont un score élevé sur l'échelle relative à l'anxiété (V) risquent de lutter pour le contrôle en permanence, tandis que si leurs scores sont opposés, la personne qui a le chiffre le plus élevé pourra prendre les choses en main avec d'assez bons résultats (bien qu'elle puisse se sentir malheureuse du fait que l'autre ne partage pas ses inquiétudes). Une personne qui obtient des scores élevés aux échelles II et V sera sujette à des sautes d'humeur, tandis qu'une personne qui obtient des chiffres faibles aura tendance à se refermer sur elle-même et à ruminer interminablement ses problèmes sans prendre de décision. Il sera plus facile avec cette dernière, mais elle aura du mal à se mettre en mouvement : ce ne sera pas un leader.

Les personnes qui obtiennent des scores élevés sur les échelles I (agitées), II (promptes à agir) et III (sensibles à l'environnement) ont toutes les caractéristiques correspondant à un déficit d'attention doublé d'hyperactivité. En fait, il ne s'agit probablement pas d'un «désordre», si l'on entend par là que quelque chose ne fonctionne pas dans le cerveau de la personne en question, mais plutôt d'un ensemble de traits de caractère qui font qu'il est très difficile à de telles personnes de rester assises tranquillement sur une chaise, de prêter attention au professeur ou de remplir la feuille d'exercice qui est devant elles. Placez ces personnes dans une situation différente – vendre quelque chose, chasser dans les bois ou prendre des décisions en situation d'urgence – et vous vous apercevrez qu'elles réagissent parfaitement bien.

Vous avez peut-être remarqué qu'il existe une étroite relation entre les échelles III (attention et concentration) et IV (orientation spatiale). Les personnes qui sont continuellement attentives à leur environnement enregistrent de façon séquentielle tout ce qui se passe lorsqu'elles se déplacent, l'intègrent dans le modèle du monde qu'elles transportent dans leur tête et s'orientent en s'y conformant. Ce modèle fonctionne comme un tout : les points de repère spécifiques – noms de rues, immeubles remarquables, etc. – sont moins importants que le fait que chaque séquence s'intègre dans la structure d'ensemble. À l'inverse, les gens qui sont capables de se concentrer identifient des points de repère précis et vont de l'un à l'autre. Ces personnes ne construisent pas de modèle spatial d'ensemble dans leur esprit et sont plutôt portées à utiliser des cartes. En l'absence de points de repère précis, elles ont du mal à s'orienter dans l'espace.

Implications pour les parents

Étant donné que chaque enfant possède un mélange unique de traits de caractère, l'éducation doit prendre ceux-ci en considération. Par exemple, certains enfants ont besoin de peu d'interventions pour respecter les limites qui leurs sont imposées, tandis que d'autres remettent en cause chaque règle, provoquant ainsi l'épuisement et l'exaspération de leurs parents. Certains enfants adorent classer leurs affaires et les garder en ordre et bien rangées, tandis qu'on peut en suivre d'autres à la trace, tant ils laissent leurs choses traîner derrière eux. Certains bébés aiment rester assis et observer; d'autres commencent à explorer très tôt leur univers; ils rampent déjà avant six mois et ne s'arrêtent jamais par la suite. Certains bébés s'ennuient vite et recherchent constamment de nouvelles expériences; d'autres se satisfont de jouer avec le même objet des heures durant.

Beaucoup de parents, dans un louable souci d'être justes, essaient d'agir de la même manière avec tous leurs enfants, mais les différences entre ceux-ci contrarient sans cesse ce noble effort. Les parents se sentent souvent gênés de faire des comparaisons entre leurs enfants et ne se rendent pas compte que celles-ci sont essentielles pour identifier, comprendre et mettre en valeur le caractère unique de chacun d'entre eux. Nous rencontrons souvent des parents découragés et frustrés par un enfant difficile parce qu'ils n'ont eu aucune peine à imposer des limites à leurs autres enfants et ne comprennent pas pourquoi cela ne marche pas avec celui-ci. Nous entendons aussi parfois des parents faire des commentaires malveillants sur les difficultés que rencontrent d'autres parents avec un de leurs enfants, ne comprenant pas le rôle considérable que peut jouer le caractère dans ce domaine.

Bien que notre approche doive être individualisée, les règles et les attentes concernant le comportement des enfants ne seront pas pour autant taillées sur mesure pour chacun. Si nous modifions nos attentes pour tenir compte de la nature ou de la supposée fragilité d'un enfant, nous donnons prise à la manipulation. Mais les parents apprendront quel type d'approche fonctionne le mieux avec chacun de leurs enfants : faire preuve d'endurance et de persistance; utiliser l'humour et la patience; les diriger d'une main ferme ou se contenter de rappeler la règle de temps à autre.

Les règles et les décisions des parents doivent être fondées sur leurs croyances et leurs valeurs. La plupart des règles que nous rencontrons dans la vie sont ou arbitraires ou fondées sur l'habitude, ou bien dérivent des principes éthiques qui forment la base de notre culture. Elles ne reposent pas sur des raisonnements infaillibles à partir de vérités ou de probabilités statistiques dûment établies et il n'est pas toujours facile de les justifier. Les enfants qui possèdent des aptitudes verbales (sans doute également un trait de caractère inné) s'en donnent à cœur joie lorsqu'on essaie de leur apprendre à se comporter en leur expliquant le raisonnement censé justifier une règle. Ils apprennent en fait à contourner la règle par le raisonnement, expliquant ainsi toute transgression. Nous ne voulons pas dire que les parents doivent agir en dictateurs, de façon arbitraire et capricieuse avec leurs enfants, mais simplement qu'il est inutile de tenter de justifier une décision arbitraire. Si une règle découle de votre système de valeurs; dites-le plutôt que de tenter de la justifier par la raison. Si elle est le produit d'un raisonnement, expliquez celui-ci, mais préparez-vous à une discussion. Et rappelez-vous que, contrairement à la croyance populaire, il se pourrait bien que la seule chose qu'un enfant apprenne quand nous nous efforçons de raisonner avec lui à propos des règles que nous établissons soit d'utiliser le raisonnement pour contourner la règle. Nous le constatons chaque jour avec des enfants qui se trouvent en situation d'échec et qui sont malheureux et mal adaptés parce que le monde n'obéit pas à leurs raisons.

Les caractéristiques du tempérament de chacun des deux parents et de l'enfant, prises ensemble ou séparément, influencent considérablement le fait qu'un enfant apprenne ou non à manipuler. Par exemple, un enfant anxieux peut essayer de parer à l'anxiété en contrôlant son environnement à travers ses parents, et ce; dès son plus jeune âge. Si ses parents, à cause de leur tempérament propre, inclinent à coopérer, l'enfant va vite le découvrir et ne ménagera pas ses efforts pour trouver une manière d'arriver à ses fins. Avant même sa première année d'école, il aura peaufiné cette aptitude à contrôler son environnement. (Et en entrant dans le monde scolaire, il tentera de faire la même chose avec ses professeurs et avec ses camarades. Mais il risque d'obtenir moins de succès dans ce nouveau contexte.)

Le style de manipulation adopté par un enfant dépend pour une grande part de son tempérament. Par exemple, les enfants de type verbal qui ont des parents du même type risquent de s'engager dans une négociation continuelle, une bataille de raisonnements sans fin. Les parents devraient alors se souvenir du temps où ils disaient : «Je languis qu'il puisse parler pour pouvoir discuter raisonnablement avec lui.» Ils voudraient maintenant pouvoir lui attacher la langue! Finalement, exaspérés, ces parents deviennent autocratiques et dogmatiques, voire sarcastiques ou violents, quand leurs enfants ne voient pas les choses comme eux.

Les enfants prompts à agir peuvent apprendre à utiliser la colère et la violence avec les autres jusqu'à ce que ceux-ci capitulent. Alors que la plupart des enfants ont quelques accès de colère au cours de leur deuxième année, ces enfants coléreux font plusieurs crises par jour. Si celles-ci réussissent ou si la menace d'une crise leur permet d'obtenir ce qu'ils veulent, les crises de colère risquent de devenir une manière de vivre et une méthode de choix pour arriver à leurs fins. Les effets à long terme de ce type de manipulation sont inquiétants. Lorsque l'enfant a un an, nous suggérons généralement aux parents de tout simplement s'éloigner de celui-ci lorsqu'il pique une crise. Quant aux enfants plus âgés, ils peuvent être calmement et rapidement confinés dans leur chambre jusqu'à ce que la crise soit passée. Accueillez-les gentiment quand ils en sortent après l'avoir surmontée. Il est essentiel que les enfants qui sont sujets à des crises de colère apprennent à se sortir eux-mêmes des situations qui provoquent ces crises. Les autres manières de réagir ne donnent pas de bons résultats à long terme et les enfants qui utilisent la colère et la violence pour arriver à leurs fins avec leurs parents le feront avec d'autres – une manière d'agir tout à fait inefficace dans le monde extérieur.

Un enfant pensif peut se replier tristement sur lui-même jusqu'à ce que les autres accèdent à ses désirs. Il sait que ce genre de bouderie tend à diriger sur lui l'attention des adultes et il peut s'en servir lorsqu'il est anxieux. Je me souviens de Mary, une petite fille de quatre ans, tranquille et charmante, qui avait été gâtée par sa mère et sa grand-mère depuis sa naissance. La famille vivait dans un quartier de grosses maisons avec peu d'autres enfants et Mary avait donc eu peu de contacts avec des enfants. Sa mère l'a inscrite à la prématernelle, mais au bout d'une semaine les professeurs ont commencé à s'inquiéter car, malgré leurs efforts, Mary restait repliée sur elle-même et refusait de jouer avec les autres enfants. Que ses professeurs aient recours à la douceur ou à l'autorité, Mary se retrouvait bientôt à l'écart, triste et isolée. On nous a alors consultés. Mary était une enfant charmante et ce charme domina notre première entrevue. Mais nous nous sommes rendu compte tout de suite qu'elle était habituée à être au centre de l'attention des adultes et qu'elle aimait ça. Nous avons alors suggéré l'intervention suivante : que les professeurs de Mary la laissent s'asseoir à l'écart et ignorent son attitude. Nous les avons encouragés à être patients, et à attendre que Mary entre elle-même en contact avec les autres enfants. Alors seulement ils pourraient commencer à faire attention à elle, petit à petit. Si elle se tournait vers ses professeurs pour requérir leur attention, ils devaient rapidement détourner son intérêt vers les autres enfants. En trois jours, Mary jouait gaiment avec ses camarades et ne cherchait plus à attirer l'attention des adultes.

Ce même trait de caractère produit des manipulateurs tristes, facilement apitoyés sur eux-mêmes et qui contrôlent l'attention et les faveurs des adultes en faisant étalage de leur malheur. Les adultes qui pensent qu'ils sont responsables des émotions de leurs enfants sont des cibles rêvées pour ce genre de manipulation. Malheureusement, si la tristesse disparaît quand les adultes interviennent, elle revient bientôt et la même situation se reproduit indéfiniment. Il faut le répéter : les sentiments des enfants, comme ceux des adultes, leur appartiennent, et c'est à eux d'en assumer la responsabilité. Nous pouvons leur offrir un certain réconfort, les consoler ou les aider lorsque c'est nécessaire, mais nous ne leur rendons pas service en tentant de régler leurs problèmes à leur place. Les enfants se préparent à affronter les grands problèmes de la vie en apprenant à résoudre leurs petites difficultés d'enfants, et nous ne devons pas interférer dans ce processus. Donnez-leur la balle (la responsabilité) et encouragez-les. Réconfortez-les lorsqu'ils échouent et félicitez-les lorsqu'ils réussissent.

L'enfant anxieux, soigné et bien organisé recueillera tous les lauriers et apprendra à tout faire à la perfection. C'est là le rêve de tous les parents et ceux-ci feront tout ce qui est en leur pouvoir pour le préserver. Cet enfant risque alors d'apprendre à utiliser sa perfection pour modeler le monde à sa manière par l'intermédiaire de ses parents. En grandissant il risque de se sentir découragé lorsque la situation ou l'activité ne se prête pas à ses exigences de perfectionnisme. Son désarroi peut rapidement se changer en colère contre ses parents qui ne peuvent plus lui procurer ce qu'il veut. Il peut aussi s'efforcer d'éviter toute activité qu'il n'est pas sûr de réussir parfaitement, se cantonner dans un secteur d'activités où il peut exercer un contrôle total et en devenir obsessionnel. Si ce secteur est celui du poids corporel, on verra alors apparaître des symptômes liés à l'alimentation comme l'anorexie nerveuse. S'il s'agit du travail scolaire, l'enfant va être obsédé par ses résultats au point de délaisser toute autre activité – sportive ou sociale. Quand ce contrôle rigide ne fonctionne plus, abattement et dépression s'ensuivent le plus souvent. Nous avons ainsi eu affaire à un jeune garçon qui avait passé des mois à construire un parfait modèle réduit d'avion téléguidé. Pendant toute la durée de la construction il avait vécu en ermite, s'isolant vis-à-vis de sa famille et de ses amis. Ses résultats scolaires en avaient aussi souffert. Le produit de tous ces efforts était une machine extraordinaire. Un beau jour d'hiver, il l'emmena sur la glace du lac Minnetonka pour son premier décollage. Il le mit en marche et l'avion s'envola. Malheureusement il vola si bien et si vite qu'il échappa au contrôle de la télécommande radio, finit par se trouver à court de carburant et s'écrasa sur la glace en un atterrissage spectaculaire. L'engin fut totalement détruit. N'ayant rien vers quoi se retourner, l'enfant se replia plus encore sur lui-même et devint dépressif et même suicidaire. Il ne possédait pas les ressources nécessaires pour survivre à cette perte et cette fragilité inquiétait grandement ses parents et ses proches. Quant à nous, nous étions plutôt inquiets du fait qu'il ait tout abandonné pour mener à bien son projet. Nous savions que nous ne pourrions l'aider que si nous parvenions à nous attaquer à son perfectionnisme, une attitude qu'il avait acquise très jeune et qui était un mode de manipulation. Il resterait fragile tant qu'il ne serait pas capable de prendre la vie comme elle est, demandant (à lui-même comme aux autres) non la perfection mais seulement de faire de son mieux.

Le tempérament des parents peut aussi poser problème. Un parent anxieux, prompt à réagir, peut facilement se laisser entraîner à des crises de colère, paralysant ainsi toute action efficace. En revanche, un parent pensif ne répondra généralement pas aux crises et même si l'enfant est coléreux, il n'apprendra pas à utiliser sa colère pour prendre le contrôle. Mais ce même indivi-du peut se sentir coupable et obtempérer aux désirs de l'enfant si celui-ci manifeste de la tristesse et se replie sur lui-même. Par ailleurs, un parent concentré et insensible à l'environnement peut ne pas remarquer un comportement qui aurait dû l'être tandis qu'un parent excessivement attentif relèvera tous les comporte-ments inappropriés. Enfin, un parent anxieux voudra que tout marche à la perfection et sera vulnérable à la manipulation de la part d'un enfant perfectionniste. Comme nous le voyons, il y a autant de modes de manipulation qu'il existe de types de tempérament et de combinaisons entre ceux-ci.

Chacun de nous naît avec un grand nombre de traits de caractère qui ne changeront jamais. Nous pouvons toutefois apprendre à nous en accommoder et à vivre avec ces différentes caractéristiques en mettant l'accent sur celles qui sont à notre avantage et en bridant celles qui posent problème. Nous pouvons apprendre à analyser les situations et à agir en fonction de cette analyse. Par exemple, les gens anxieux peuvent apprendre à limiter leurs exigences de perfection aux domaines dont ils décident d'assumer la responsabilité au lieu de les laisser envahir tous les domaines qui ont un impact sur leur vie. Ils peuvent apprendre à faire de leur mieux là où ça compte, mais sans laisser leur perfectionnisme déborder sur les autres en tentant de les contrôler. Les hommes d'affaires ou les professionnels qui réussissent présentent souvent ce type de caractère. Notre objectif est d'aider les enfants à faire de même, à apprendre à s'accommoder le mieux possible de leurs propres traits de caractère et à vivre dans le monde tel qu'il est – plutôt que de se créer un monde artificiel, conforme à leurs besoins. Nous voudrions aider les enfants à acquérir la maîtrise d'eux-mêmes plutôt que celle des autres, de manière à ce qu'ils soient capables de fonctionner indépendamment et d'affronter les différentes situations qui se présenteront dans leur vie.

Les traits de caractère ne sont pas les seules variables qui déterminent le style de manipulation, mais ce sont certainement les plus importantes. Nous pensons que vous comprendrez mieux comment la manipulation se développe et comment elle fonctionne après avoir déterminé à la fois votre propre tempérament, celui de votre conjoint et celui de vos enfants.

Pour récapituler...

1. Revenez en arrière et révisez l'exercice placé au début de ce chapitre. Examinez soigneusement le tempérament des parents et celui de l'enfant.

2. Observez les types de manipulations qui se produisent dans votre famille et examinez si vous pouvez expliquer ce qui se passe à partir du caractère des personnes mises en jeu.

3. Regardez si vous pouvez déterminer ce que vous pourriez faire pour modifier votre comportement et ainsi mettre un terme à la manipulation. Par exemple, si vous êtes pensif et concentré, vous pouvez vous apercevoir que votre enfant fait un tas de choses qu'il ne devrait pas faire

quand vous n'y faites pas attention. Il pourrait être nécessaire que vous fassiez un effort pour être attentif à son comportement de manière à pouvoir intervenir lorsque c'est nécessaire.

Chapitre 4

Des enfants en bonne santé : le point de vue du pédiatre

En décidant de la portée et de l'orientation de ce livre, nous avons jugé que le point de vue d'un pédiatre, si utile pour nous, pourrait l'être également pour le lecteur. De par leur profession, les pédiatres ont l'occasion de suivre de près toutes sortes d'enfants de la petite enfance à l'âge adulte, une chance qu'ils ne partagent avec aucun autre professionnel, pas même les experts dans le développement des enfants (lorsqu'ils ne sont pas médecins). Si on leur donne le temps et le soutien nécessaires et s'ils sont animés d'un intérêt profond, les pédiatres peuvent aider à déterminer ce qui entre en jeu dans l'éducation d'enfants sains, bien adaptés et vigoureux. L'un des deux auteurs de ce livre est un pédiatre qui pratique depuis assez longtemps pour avoir vu grandir une génération entière et même pour avoir vu le cycle recommencer, ayant pour patients les enfants de ses anciens patients. L'information de ce chapitre provient aussi de l'observation d'enfants qui sont devenus des adultes sans problèmes et de leurs familles, plutôt que sur les vues de professionnels dont le champ de vision est limité aux enfants à problèmes dans une gamme d'âge restreinte. Nous pensons que pour comprendre pourquoi une approche donnée en éducation réussit ou non, il est indispensable de disposer d'un champ de connaissances étendu sur le développement d'enfants bien adaptés.

Au cours des années où il a exercé comme pédiatre, le docteur Swihart a été ahuri, et découragé, par le nombre de modes qui ont traversé le domaine de l'éducation. Il a vu des parents bien intentionnés travailler à suivre du mieux qu'ils pouvaient la mode du moment, lisant tout ce qui leur tombait entre les mains, essayant une méthode après l'autre et sachant de moins en moins quoi faire au fur et à mesure de leurs recherches. Après toutes ces années il est apparu que la plupart de ces modes étaient basées sur une ou deux notions théoriques concernant l'éducation ou le développement des enfants, ou sur les résultats de recherches scientifiques d'une portée limitée, plutôt que sur l'observation empirique et attentive des familles qui réussissaient. Le meilleur conseil que nous puissions donner aux parents est celui-ci : soyez sceptiques vis-à-vis de ce que vous lisez ou entendez et, pour juger du mérite des affirmations de quelqu'un concernant l'éducation, utilisez ce que vous savez des familles où les choses vont bien. Les parents qui réussissent sont souvent la meilleure source d'information car ils sont réellement passés par ce que vous vivez maintenant, et y ont survécu pour vous le raconter! Ce chapitre devrait vous aider à préparer le terrain et vous indiquer ce à quoi vous devriez surtout prêter attention.

Voici d'abord quelques remarques sur certaines théories populaires concernant l'éducation. La plupart de celles-ci comportent des hypothèses, rarement explicites, qui sont inopérantes et dont certaines peuvent empêcher les parents de faire le nécessaire pour permettre à leurs enfants de s'adapter tout en devenant indépendants, de se fixer leurs propres objectifs, de découvrir leurs vraies valeurs et d'avoir de l'estime pour eux-mêmes. Quant aux sources de ces hypothèses, c'est un amalgame de croyances populaires et de théories développées par différents spécialistes, actuels ou d'autrefois. Or, ces assomptions, quoique généralement cachées, forment la trame de tout ce qui est dit ou écrit concernant l'éducation et influencent profondément la manière dont nous considérons les enfants. En voici quelques-unes dont nous pensons que les parents devraient se méfier.

1. Il est facile de faire du tort à un enfant du point de vue psychologique.

2. Les traumatismes subis par la psyché au cours du développement de l'enfant sont la principale cause des problèmes ultérieurs d'adaptation.

3. Les traumatismes sont d'ordre émotionnel; certaines émotions peuvent donc être dangereuses pour la psyché au cours du développement du futur adulte.

4. Un comportement indésirable est le produit d'une émotion négative.

5. Comme les émotions négatives peuvent être traumatisantes, les bons parents doivent mettre tout en œuvre pour les prévenir et travailler à assurer le bonheur des enfants en leur évitant toutes les difficultés qu'ils ont eux-mêmes rencontrées dans leur enfance.

6. Comme société, nous devons également protéger les enfants de tout traumatisme et de toute difficulté sous peine de compromettre leur développement.

7. L'estime de soi est également atteinte par les émotions négatives. Comme celles-ci résultent généralement de critiques ou du refus d'accéder aux désirs d'un enfant, dire non à celui-ci, le laisser affronter des difficultés, ressentir de la frustration, de la colère, du désappointement ou de la tristesse, ou encore le laisser échouer comporte des risques pour l'estime qu'il a de lui-même.

8. On peut donner à un enfant de l'estime pour lui-même (en étant positif).

9. Les gens qui ont une saine estime d'eux-mêmes le montrent en étant heureux tout le temps (ou presque) : l'anxiété, la frustration et la tristesse sont des signes d'une piètre estime de soi.

10. Les enfants sont tous fondamentalement les mêmes; les différences que nous percevons sont essentiellement dues à l'environnement (c'est-à-dire à l'éducation) plutôt qu'à des traits de caractère génétiquement déterminés.

11. Notre comportement est contrôlé de façon cognitive : nous décidons et contrôlons consciemment tout ce que nous faisons.

Nous ne contesterons pas pour l'instant le fait que certaines expériences traumatisantes puissent avoir des effets négatifs et qu'une situation particulièrement lamentable et sans espoir puisse alimenter l'idée que tout obstacle est insurmontable et tout effort inutile. Mais les «traumatismes» émotionnels ne sont pas à l'origine des problèmes de la plupart des enfants que nous rencontrons, pas plus que de ceux des adultes. Le traumatisme sert de bouc émissaire aux gens qui cherchent des réponses faciles et refusent d'assumer la responsabilité de leurs problèmes en en rejetant le blâme sur quelqu'un ou quelque chose d'autre : «Ce n'est pas ma faute, j'ai été maltraité quand j'étais enfant.» Une telle attitude n'a aucun sens. Bien au contraire, devenir une victime, acquérir le statut de victime, ne fait que contribuer à perpétuer les problèmes.

Il est vrai que l'approche inverse – éviter toute difficulté et tout effort – ne marche pas mieux. En fait, la réponse se situe quelque part entre les deux : autoriser les enfants à faire l'expérience des difficultés du monde réel tout en leur offrant le soutien, l'acceptation, l'amour et les conseils dont ils ont besoin. Dans ces conditions, les enfants pourront développer leur estime d'eux-mêmes et apprendre à chercher par eux-mêmes leur bonheur.

On trouve de bons arguments en faveur de cette approche en examinant d'autres cultures, ou même notre propre société à des époques différentes. Ou encore, en écoutant les récits de personnes âgées concernant les difficultés qu'elles ont dû surmonter dans leur jeunesse et l'éducation sévère qu'elles ont reçue. Ces personnes n'éprouvent pourtant aucun ressentiment pour ce qu'elles ont eu à vivre.

Des enfants qui vont bien

L'un des auteurs de ce livre aime à raconter l'histoire suivante : j'ai un coiffeur philosophe. Bill coupe les cheveux dans une minuscule boutique donnant sur la rue. Il y a une seule chaise et l'endroit est envahi de toutes sortes de livres et de revues. Je ne connais pas d'autre coiffeur chez qui on trouve des piles du magazine *The Economist* à côté de traités de philosophie et de collections de revues sur les bateaux. Pour neuf dollars, j'ai droit à une coupe de cheveux et à trente minutes de remarques perspicaces et d'idées pénétrantes. Les sports sont le seul sujet qui y échappe.

Il y a plusieurs années, un jour que j'étais en train de me faire couper les cheveux, une jeune femme attirante et enthousiaste a fait irruption dans la boutique et a demandé à Bill à quelle heure il aurait fini. Quand il lui eut répondu, elle rétorqua : «D'accord, on se voit vers six heures.»

J'ai demandé à Bill qui c'était. «Oh! répondit-il, je ne vous ai jamais présenté ma fille?» Je lui ai répondu que non et lui ai fait remarquer que c'était là un manque flagrant de civilité. Comme nous plaisantions, je vis par la fenêtre la jeune fille monter dans une pimpante voiture rouge et démarrer. «Jolie voiture d'enfant!» dis-je à Bill. «Ne me regardez pas comme ça, répliqua-t-il, c'est elle qui l'a achetée.»

J'étais intrigué et ai demandé à Bill de m'en dire un peu plus. Avec une visible fierté et un certain amusement, il m'a alors parlé de sa fille : «Elle a eu toutes sortes de petits emplois depuis qu'elle a quatorze ans : réceptionniste, serveuse, etc. Aujourd'hui, elle travaille au collège comme assistante de recherche. Elle a obtenu son premier emploi en prétendant qu'elle avait seize ans. Quand elle est entrée au collège, elle a été acceptée dans le programme à option et a commencé à suivre des cours à l'université. En quittant le collège, elle avait déjà réussi assez de cours à l'université pour entrer directement en troisième année. Elle fait maintenant une maîtrise en relations internationales et elle n'a que dix-neuf ans! Elle vient juste de nous annoncer qu'elle va aller faire une année d'études en France l'année prochaine. Elle savait que sa mère et moi n'accepterions pas facilement cette idée si bien qu'elle a mis au point tous les détails avant de nous en parler. Elle s'est même trouvé un endroit où habiter et un travail! Nous ne pouvions pas refuser.»

Je n'avais jamais entendu une histoire pareille et j'étais de plus en plus intéressé. J'ai demandé à Bill s'il pensait que quelque chose dans la manière dont ils avaient élevé leur fille avait pu l'aider à devenir à ce point indépendante et autonome. Après avoir réfléchi un moment, Bill a répondu : «Quand elle avait à peu près cinq ans, nous avons décidé que nous ne pourrions pas la protéger du monde. Nous pouvions l'aimer, la soutenir, mais il fallait qu'elle apprenne à se débrouiller par elle-même. Nous ne pouvions le faire à sa place. Elle a saisi la balle au vol et voilà!»

Peut-être qu'au fond c'est là toute l'histoire. Visiblement, à l'âge de cinq ans, elle était déjà prête à entrer dans le monde et à y réussir. Elle avait aussi des talents intellectuels et du caractère. Mais ses parents lui ont permis d'essayer : ils ne se sont pas mis en travers de son chemin et ont soutenu ses efforts. Plus important encore, ils n'ont pas tenté, sous prétexte de la protéger, de l'empêcher de faire ses propres expériences.

La fille de Bill est un exemple éblouissant de personne saine et bien adaptée. Son avenir est prometteur parce qu'elle a tout ce qu'il lui faut pour affronter le monde et faire son chemin dans la vie.

Comment sont les enfants qui vont bien?

Il n'est pas difficile d'observer des enfants qui vont bien. Mais avant de décrire comment ils sont, nous voudrions d'abord dire comment ils *ne sont pas*.

- Ce ne sont pas des enfants «parfaits». Ils contestent les limites et testent les règles. Ils défient l'autorité à l'occasion. Ils ne tiennent pas toujours leur chambre bien rangée, ne ramassent pas toujours derrière eux et ne témoignent pas toujours aux autres toute la considération qu'ils devraient.

- Ils ne font pas nécessairement ce que nous pensons qu'ils devraient faire. Leurs buts, leurs intérêts et leurs normes personnelles peuvent être assez différents de ceux que leur imposent les adultes qui les entourent, ce qui peut occasionner quelques frictions.

- Ils ne sont pas toujours heureux. Ils n'aiment pas plus échouer que les autres. Ils font l'expérience de la colère, de la frustration, du désappointement et de la tristesse.

- Ils ne racontent pas tout à leurs parents. Ils n'expriment pas forcément tous leurs sentiments.

- Ce ne sont pas des élèves parfaits bien qu'ils soient généralement plutôt bons.

- Ils ne suivent pas toujours les règles. Ils peuvent faire des choses dont ils savent qu'elles sont interdites et les réprimandes ne leur font pas toujours beaucoup d'effet.

Les dix-sept traits suivants sont caractéristiques des enfants qui vont bien. Ils ne sont pas universellement présents chez ceux-ci (il est peu probable que vous rencontriez jamais un enfant qui présente toutes ces caractéristiques) mais ils constituent une sorte de «liste d'épicerie» des différents traits auxquels vous devriez être attentif chez vos propres enfants. Voici donc comment sont les enfants qui vont bien.

- Ils veulent prendre soin d'eux-mêmes. Ils résistent aux efforts des autres pour faire à leur place les choses qu'ils se sentent capables de faire. De ce fait, ils apprennent comment résoudre les problèmes auxquels ils ont à faire face, prenant ainsi conscience de leur propre compétence.

- Ils ont conscience de leur identité propre. Ils savent qui ils sont, ce qu'ils veulent et ce qu'ils aiment, quels sont leurs aptitudes et leurs centres d'intérêt. Avec le désir de prendre soin d'eux-mêmes ils développent aussi leur sens des responsabilités.

- Ils ont du ressort. S'ils échouent, ils se relèvent et recommencent. Ils ont appris que tenir bon face aux échecs est la clé du succès. Ils n'ont pas besoin d'expliquer leur échec ni de rejeter la responsabilité ou la faute sur quelqu'un d'autre. Ils savent tirer profit de leurs erreurs et acceptent d'en faire. Les enfants qui vont bien apprennent qu'ils ne peuvent changer qu'eux-mêmes, pas les autres. Et quand des problèmes surviennent, c'est leur propre comportement qu'ils examinent.

- Ils sont «proactifs» : ils ne veulent pas se laisser porter par les événements, se contentant de réagir aux accidents de parcours. Ils sont capables d'entreprendre les actions nécessaires pour atteindre leurs objectifs, ils n'attendent pas que les autres le fassent pour eux et ne craignent pas les risques qui y sont inhérents. Nous sommes toujours désemparés, malgré des années d'expérience, face à la réaction de jeunes adolescents qui, lorsqu'on leur demande ce qu'ils veulent faire plus tard, répondent : «Je ne sais pas.» Pas de perspectives, pas de rêves, pas d'intérêts, pas de passions – rien. Les enfants qui vont bien ont généralement une idée de leur avenir – ou un rêve – et certains ont même la conviction de savoir ce qu'ils vont faire, et ce, même dès le plus jeune âge.

- Ils sont sûrs d'eux. Ils ont appris à s'affirmer sans devenir agressifs. Quand ils se heurtent à un refus, ils sont généralement capables de l'accepter. Ils poursuivent leurs objectifs en acceptant la responsabilité de travailler pour cela.

- Ils savent prendre du plaisir. Ils aiment jouer; ils aiment apprendre les règles et améliorer leur jeu. Ils ne craignent pas la compétition. Au contraire, ils l'apprécient : elle les motive et ils sont en mesure de supporter l'échec. S'il faut enfreindre une règle pour prendre du plaisir, ils en acceptent les conséquences.

- Ils font face aux défis. Ils ont suffisamment confiance en leurs compétences pour essayer des choses nouvelles. Ils savent que tout nouveau défi comporte un risque et cela ne les empêche pas d'essayer. Mais, comme toute activité nouvelle s'apprend par essais et erreurs, ils peuvent être amenés à ressentir beaucoup de frustration et on peut les voir plus souvent en colère, tristes ou désappointés que leurs camarades pour la simple raison qu'ils prennent plus de risques.

- Ils ont besoin de discipline. Ils sont souvent pleins de vie et n'hésitent pas à tester les règles et les limites de chaque situation. Ils sont loin d'avoir un comportement parfait, mais ils peuvent accepter règles et limites lorsqu'elles sont clairement établies. Ils ont besoin d'être guidés par des adultes forts et sûrs d'eux-mêmes – ils donnent des maux de tête aux autres!

- Ils connaissent leurs propres limites. Bien qu'ils soient capables de relations intimes, ils respectent la vie privée des autres. Ils gardent leurs projets pour eux et n'aiment pas qu'on essaie de forcer leurs barrières, surtout lorsqu'il s'agit d'un adulte. Ils ne racontent pas tout à leurs parents et gardent leur réserve. Nous sommes toujours inquiets lorsque les parents d'un jeune adolescent ou d'un préado-lescent nous dit : «Nous sommes tellement proches! Nous parlons de tout.» Depuis le temps que nous l'entendons nous savons qu'une telle déclaration est le signe de sérieux problèmes. En abolissant les frontières et en mélangeant les rôles, ces parents ont abdiqué leur responsabilité de parents au profit d'une vague relation de camaraderie.

Dans ces conditions l'enfant risque d'avoir de réelles difficultés à assurer son indépendance.

- Ils partent du principe que les autres sont responsables d'eux-mêmes. Étant donné qu'ils assument la responsabilité de leur propre vie – bonheurs, échecs ou succès – ils comprennent mal que les autres n'en fassent pas autant. Ils ne jouent pas au travailleur social et n'essaient pas de prendre en charge les problèmes des autres, même s'ils peuvent leur offrir sympathie et réconfort lorsqu'ils ont des difficultés. Parfois, ils peuvent sembler distants, peu engagés et même égocentriques mais, s'ils semblent ne pas s'intéresser aux autres, c'est seulement parce qu'ils refusent les relations de dépendance et ne veulent pas leur servir de gardiens.

- Ils sont maîtres d'eux-mêmes. Ils s'efforcent de jouer le jeu correctement et de bien se débrouiller; or, ils ont découvert qu'ils y réussissaient mieux lorsqu'ils gardaient le contrôle d'eux-mêmes. Quand les choses vont mal, on ne risque pas de les voir piquer une crise dans l'espoir d'obliger les autres à assumer leurs responsabilités à leur place. Plutôt que d'essayer de contrôler le monde, ils contrôlent leur propre comportement dans le monde.

- Ils sont généralement honnêtes avec eux-mêmes. Ils n'essaient pas d'interpréter la réalité à leur convenance, mais en prennent l'exacte mesure et essaient de s'en accommoder de leur mieux.

- Ils ne sont pas faciles à manipuler. Quand ça leur arrive, ils tirent les leçons de leur expérience. Ils ne sont pas incurablement naïfs : ils peuvent accepter la réalité sans la peindre en rose.

- Ils sont optimistes et ont le sens de l'humour. Ils ont confiance dans leurs capacités, ce qui les rend optimistes. Ils perçoivent le côté humoristique de la condition humaine et peuvent rire d'eux-mêmes aussi bien que des autres à l'occasion. Ils sont capables d'accepter un échec avec humour plutôt qu'avec colère.

- Ils peuvent ne pas mettre beaucoup d'acharnement à faire ce qu'on veut qu'ils fassent. Ils ne réussissent pas forcément très bien quand il s'agit de faire plaisir aux autres – parents, professeurs, entraîneurs ou amis. Ils tirent leur motivation de leurs propres objectifs et non de ceux des autres. Lorsqu'ils ne respectent pas leurs propres standards de réussite, ils peuvent être très déçus, ce qui est bien normal.

- Ils peuvent être des leaders sans contrôler les autres. Ils savent accepter les compromis, travailler avec les autres, coopérer avec une équipe ou un groupe. Ils n'ont pas besoin d'être toujours le chef, les choses ne doivent pas nécessairement être faites à leur manière. Ce sont de bons camarades.

- Ils se conforment à leurs valeurs. Enfants, ils apprennent à respecter les valeurs de leur famille; plus tard ils développent leurs propres règles morales et leur propre éthique. Ils sont capables de vivre en accord avec un système de valeurs en dépit des tentations et des difficultés qui peuvent surgir. Ils sont intègres.

De quoi a besoin un enfant pour aller bien?

Comme on peut s'y attendre, les familles de ces enfants partagent certaines caractéristiques qui offrent à ceux-ci un environnement favorable. Dans le dernier chapitre de ce livre, nous vous indiquerons comment faire en sorte que ces différentes caractéristiques se retrouvent dans votre famille. Pour l'instant, nous allons simplement vous indiquer ce que nous ont appris de longues années passées à observer des familles dont les enfants vont bien et sont bien adaptés.

Une éducation fondée sur des valeurs

Nous commencerons par *la* caractéristique la plus importante, celle qui permet à toutes les autres de se développer. Toutes ces familles sont fidèles à certaines valeurs. On entend toutes sortes de choses sur les valeurs des familles ces temps-ci, notamment de la bouche des politiciens, comme s'il existait un ensemble standard de valeurs familiales auxquelles tout le monde devrait adhérer. En fait, dans notre société «multiculturelle», ces valeurs diffèrent considérablement d'une famille à l'autre – sans parler des différences avec d'autres cultures. Or, ce sont vos valeurs réelles qui comptent et non celles qu'un quelconque politicien voudrait définir pour vous. Et si vos propres valeurs diffèrent des valeurs qu'on considère généralement comme devant être celles de l'Américain moyen, c'est votre droit le plus strict.

Les valeurs d'une famille sont la pièce la plus importante dans le vaste casse-tête que représente l'éducation. Elles seules peuvent l'orienter et lui donner une cohérence à long terme en donnant à ce que font les parents un caractère cumulatif et un sens pour leurs enfants. Les enfants non manipulateurs et bien adaptés proviennent de familles dans lesquelles prévaut un tel système de valeurs. Rien d'autre – ni la raison, ni la négociation, ni les compromis, ni la sensibilité, ni l'amour – ne peut faire en sorte que les leçons d'aujourd'hui renforcent et complètent celles d'hier.

Les parents de ces familles ont des valeurs bien détermi-nées et celles-ci les guident dans leurs actions : ils sont intègres. Il existe un accord général entre les parents sur ce qu'ils croient et ils apprennent à leurs enfants à respecter ces croyances. Aucune considération d'opportunité, d'utilité, de sentiments ou de désirs ne doit supplanter ces valeurs et aucun membre de la famille, les parents moins que quiconque, n'a d'excuses pour ne pas les suivre.

Les croyances et les valeurs ne changent guère à travers le temps. Elles constituent l'étalon auquel doivent se mesurer les règles et les actions. Elles assurent à l'éducation une cohérence à long terme, de sorte que ce que les enfants apprennent aujourd'hui soit conforme à ce qu'ils ont appris l'année dernière ou la semaine dernière et s'y ajoute. Un modèle cohérent se dessine ainsi à travers le temps, favorisant la croissance d'enfants indépendants et possédant eux-mêmes un système de valeurs personnel bien établi. Aucune autre méthode d'éducation ne peut suppléer à celle-ci, mais plusieurs peuvent en revanche interférer avec elle.

Il y a une trentaine d'années une équipe de chercheurs de l'université de Berkeley, en Californie, a entrepris une étude sur un groupe de familles ayant de jeunes enfants. Ils ont étudié le style d'éducation de chaque famille en détail et en ont établi les caractéristiques. Les enfants ont été suivis jusqu'à ce jour et on a évalué leur comportement à l'adolescence et à l'âge adulte.

Pour cette étude, les approches éducatives étaient caracté-risées de la façon suivante : *passive* (parents très permissifs; évite-ment à tout prix de tout conflit et de toute occasion de tristesse); *antiautoritaire* (les parents conduisent la danse; leurs règles et décisions arbitraires sont absolues et déterminées par l'oppor-tunité, les émotions ou la commodité); et *autoritaire* (les parents prennent clairement la direction des choses mais les règles et les décisions sont guidées par des considérations plus élevées : le système de valeurs de la famille). Vous pouvez prédire vous-même le résultat : les enfants élevés dans les familles «autoritaires» ont mieux réussi au cours des années, tant dans leur vie personnelle que dans leur carrière.

Projet familial et objectifs

Comme toute organisation humaine, une famille ne fonctionne que si ses membres savent clairement où ils vont. Les familles qui réussissent ont des objectifs dont l'ensemble constitue le projet de la famille. Certains objectifs peuvent être pratiques, à court terme et faciles à atteindre. D'autres, à long terme, peuvent demander des générations pour être atteints. Ces objectifs donnent aux membres de la famille, et surtout aux enfants, une idée de ce qui les attend, de ce vers quoi ils vont. Plus concrètement, ils permettent à tous d'œuvrer dans la même direction quand les choses sont difficiles.

Vous vous demandez peut-être : «Les parents de ces familles se sont-ils tout simplement assis un beau jour pour écrire la liste de leurs objectifs?» «Est-ce que leurs objectifs sont établis par écrit et affichés à la porte d'entrée?» «Qui décide de ces objectifs?» «Peuvent-ils changer ou sont-ils gravés dans la pierre?» En fait, peu de familles fixent leurs objectifs par écrit, mais il en existe. Les objectifs de la famille découlent du projet que les parents ont formé en commun pour leur vie, mais ils ne sont pas statiques ni immuables. Ils évoluent lorsque la famille grandit, que les enfants interviennent davantage et développent des intérêts et des activités propres.

Ce peut être un bon exercice pour vous d'écrire les réponses aux questions suivantes et d'en discuter avec votre conjoint.

1. Qu'est-ce que je veux obtenir pour moi, dans l'année qui vient et dans les dix années suivantes?

2. Qu'est-ce que je veux pour ma famille (dans ces mêmes périodes)?

3. Qu'est-ce que je veux pour mes enfants (toujours pour les mêmes périodes)?

4. Quelle sorte d'adultes voudrais-je que mes enfants deviennent?

5. Si je mourais, quel souvenir voudrais-je que ma famille garde de moi?

6. Quand mes enfants seront adultes, desquelles de mes contributions à leur développement voudrais-je qu'ils se souviennent?

7. Y a-t-il des contradictions dans mes réponses aux questions précédentes? Peuvent-elles être résolues?

Après avoir répondu à ces questions, construisez-vous un ensemble d'objectifs personnels en distinguant entre les objectifs à long et à court terme. Asseyez-vous ensuite avec votre conjoint et comparez vos listes. Sont-elles compatibles? Pouvez-vous concilier les différences? Maintenant, construisez un ensemble d'objectifs familiaux à partir de vos deux listes. Si vos enfants sont assez âgés, organisez une réunion familiale pour recueillir leur opinion et contribuer à leur éducation. Affichez les objectifs de la famille quelque part et répétez tout le processus à chaque anniversaire de votre première tentative. Au fur et à mesure que vos enfants grandissent, ils voudront intervenir de plus en plus. Mais rappelez-vous : ce sont les objectifs communs à la famille, pas des objectifs individuels – et vous êtes les parents.

Ce processus présente de nombreux avantages, pour vous comme pour vos enfants. Ils permettent aux parents de voir ce qui est vraiment important et donne aux enfants l'occasion de se rendre compte qu'il existe une perspective à long terme et que les choses ne sont pas faites au hasard. Il permet aux parents de mesurer les progrès effectués en direction des différents objectifs et de modifier ceux-ci pour s'adapter à la situation.

Ce n'est pas un processus dans lequel il faut s'engager à la légère. Il demande beaucoup de travail et prend du temps. La première tentative peut être superficielle mais la persévérance finira par payer.

Se soucier des enfants, plutôt que d'en prendre soin

Des parents efficaces se soucieront de leurs enfants mais ils n'en prendront pas soin. La différence est subtile mais très importante. Se soucier de son enfant signifie l'aimer et se préoccuper de ce qui lui arrive. C'est prendre le temps et faire l'effort d'établir et d'énoncer les valeurs et les objectifs de la famille avec clarté et y conformer sa vie même lorsque ce n'est ni facile ni commode. Parfois, cela signifie aussi avoir la force de ne pas intervenir quand l'enfant est aux prises avec un problème. Se soucier de son enfant signifie le soutenir dans les moments difficiles plutôt que d'aplanir la route devant lui.

Prendre soin d'un enfant est tout à fait, quoique subtilement, différent. C'est faire pour l'enfant ce qu'il est capable de faire lui-même. C'est modifier les règles pour son confort immédiat, essayer de ménager ses émotions et interférer dans sa vie pour lui éviter d'avoir à affronter le monde. Prendre soin d'un enfant en ce sens le mène inévitablement à la dépendance et lui donne une piètre estime de lui-même.

Fixer des limites

Dans les familles des enfants qui vont bien, les frontières entre les individus sont bien établies. Chaque membre de la famille sait clairement quel est le rôle de chacun et quelles sont ses responsabilités. Les parents sont des parents et non des amis, des camarades, des complices ou des esclaves. Ils ont leur propre vie, leurs propres centres d'intérêt et leurs propres activités à mener à bien – tout en permettant aux enfants de poursuivre les leurs. Même si ceux-ci en sont des membres très importants, ces familles ne sont pas centrées sur les enfants. Les parents ont de l'intégrité : ils sont des modèles en même temps que ceux qui fixent des limites stables et cohérentes. Ils aiment beaucoup leurs enfants, mais par l'établissement de frontières bien définies, ils les encouragent à résoudre leurs problèmes de manière indépendante.

Le leadership

Tous les animaux sociaux ont certaines caractéristiques en commun. Une des plus remarquables est l'existence d'une hiérarchie. Nous ne connaissons aucun exemple de groupe social stable dans lequel on ne trouve pas de hiérarchie. Les scientifiques qui étudient le comportement des animaux – de l'abeille à l'éléphant – acceptent cette observation comme allant de soi et se concentrent généralement sur la manière dont la hiérarchie se présente dans un groupe donné. Le rituel que les animaux supérieurs utilisent pour établir leur dominance est souvent fort élaboré et il comporte aussi des risques, mais la survie du groupe social repose sur celui-ci. Lorsque l'animal dominant perd la capacité de maintenir son leadership, il s'ensuit un bouleversement social qui ne prend fin que lorsqu'un nouvel ordre émerge et que le groupe peut recommencer à fonctionner sans heurts. On trouvera dans le livre d'Elizabeth Marshall Thomas, *The Hidden Life of Dogs* (La vie secrète des chiens), un compte rendu fascinant de ce processus au sein de l'espèce canine, qu'elle a observé pendant des années.

L'étude de l'histoire de l'humanité révèle exactement le même processus. Pour survivre et se développer, les sociétés humaines ont, semble-t-il, besoin de leadership et de hiérarchie. Les différents types de hiérarchies et les processus par lesquels elles se maintiennent et se renouvellent sont excessivement complexes et ont fourni du grain à moudre à des milliers d'historiens, de chercheurs en sciences politiques, de sociologues, d'anthropologues et de philosophes. Tout comportement social humain, de la discussion politique mondaine jusqu'à la plus cruelle des guerres a pour enjeu l'établissement et le maintien de la hiérarchie. Des hiérarchies existent à tous les niveaux, dans le gouvernement comme dans les bandes de quartiers. Les organisations sociales dont les hiérarchies sont bouleversées et qui manquent de leaders vont au-devant d'une série prévisible d'événements, conduisant finalement au rétablissement de l'ordre social. L'espèce humaine ne diffère des animaux que par la complexité et la créativité des processus mis en œuvre, non par le résultat ou la nécessité du processus. Et un groupe social quel qu'il soit ne peut continuer à fonctionner que dans la mesure où le processus est couronné de succès.

Les familles humaines ne font pas exception à cette règle. La stabilité d'une famille repose sur une hiérarchie clairement établie. Les parents qui ne peuvent organiser ou maintenir une position dominante ne peuvent jouer adéquatement le rôle de parents, mais apparaissent plutôt comme des camarades de leurs enfants qui tenteraient de les contrôler, le résultat en étant des conflits interminables et destructeurs. Dans les familles qui fonctionnent correctement, le leadership est entre les mains des

121

parents. Ceux-ci comprennent la nécessité d'un leadership et ont à cœur de mettre rapidement un terme, en leur faveur, à toute contestation de leur autorité. Ils n'agissent pas en tyrans de façon arbitraire ou capricieuse mais plutôt comme des monarques bienveillants : ils écoutent volontiers et autorisent une grande liberté d'action mais s'en tiennent aux principes sur lesquels la famille est fondée. Les familles bien menées ne sont pas vraiment des démocraties : on ne peut y voter contre le président quand on n'aime pas ce qu'il fait.

Le leadership peut être de type matriarcal, patriarcal ou, comme c'est aujourd'hui courant, partagé de diverses façons. Les parents se soutiennent l'un l'autre et résolvent leurs différends hors de portée des oreilles des enfants. Une mère de quatre merveilleux jeunes adultes m'a dit un jour : «Quand je savais que Peter (le père) serait en retard pour dîner, ce qui arrivait souvent, je faisais ce que je pouvais pour faire patienter les enfants jusqu'à ce qu'il rentre. Il était important pour moi que nous soyons tous réunis pour le dîner.» Le père jouait un rôle essentiel dans cette famille. Chacun l'admirait et appréciait sa présence, et tous attendaient patiemment qu'il rentre pour dîner. Or, il ne s'agissait pas là d'une famille de type patriarcal, mais d'une famille où les deux parents partageaient le leadership, se soutenant fermement l'un l'autre dans leurs rôles respectifs.

Les parents dont la vie est empoisonnée de querelles incessantes quant au leadership doivent prendre conscience de ce qu'ils sont en train de faire. Partager le leadership est toujours difficile, mais ça en vaut la peine. Parmi les moyens qui permettent de le faire dans l'harmonie au sein d'une famille figurent les suivants : déterminer clairement les domaines de responsabilités; permettre à chaque parent d'avoir régulièrement du temps à lui (par exemple, une soirée à l'extérieur par semaine); fixer par écrit les objectifs et les valeurs; déterminer clairement la frontière entre les parents et les enfants. Les parents qui s'occupent d'abord d'eux-mêmes et ensuite de leur mariage trouveront plus facile et plus satisfaisant d'éduquer leurs enfants que ceux qui mettent les enfants en tête de leurs priorités. Les enfants doivent certes faire partie des priorités, mais si un de leurs parents est malheureux et insatisfait ou si le mariage se rompt ils en souffriront à coup sûr. Évidemment, tout cela suppose que les parents soient capables de dépasser leurs exigences et leurs besoins personnels, et le désirent, et que le mariage lui-même ne soit pas fondé sur la manipulation mais sur l'amour et le respect.

Honorer les différences

Ces familles acceptent les différences entre les individus et s'en réjouissent. Elles ne s'attardent pas sur les aspects négatifs du caractère ou du comportement de leurs enfants, mais s'intéressent plutôt aux côtés positifs. Les parents sont émerveillés de ce qu'ils ont produit et leur optimisme est contagieux. L'importance accordée aux différents aspects de l'éducation diffère d'un enfant à l'autre, compte tenu de leur nature et de leur caractère. Il n'y a pas d'enfants *mauvais*, mais seulement des enfants *différents*. Ces parents n'ont pas peur de faire des comparaisons entre leurs enfants, mais tous leurs jugements s'inscrivent dans un contexte d'acceptation sans conditions et de profonde compréhension de la diversité humaine.

Des parents non manipulateurs

Les parents de ces familles n'essaient pas de manipuler leurs enfants pour qu'ils se comportent correctement. Ils ont peu de doutes quant à leur système de valeurs et de croyances, et ils fixent les règles et prennent leurs décisions en fonction de celui-ci. On attend des enfants qu'ils obéissent aux règles, que cela leur plaise ou non. Les parents quant à eux savent qu'ils doivent inculquer ces règles et que les limites doivent être constamment et clairement définies. Ils évitent d'user d'incitatifs, de récompenses, de raisonnements, de rationalisations ou de punitions et préfèrent donner des indications précises et corriger immédiatement les comportements incorrects. Ils ne passent pas leur temps à raisonner ou cajoler leurs enfants pour qu'ils agissent de la manière souhaitée. En fait, ils passent peu de temps à discuter de comportement. À partir du moment où les règles sont fondées sur des croyances et des valeurs, elles deviennent naturelles et légitimes. Elles sont non négociables et les parents ne perdent pas leur temps à en expliquer le pourquoi, mais s'attachent plutôt à s'assurer que les enfants les suivent.

On n'essaie pas non plus d'inventer des conséquences pour chaque comportement incorrect. Lorsqu'un tel comportement advient, on attend tout simplement des enfants qu'ils se comportent conformément aux valeurs familiales (qu'ils s'excusent, nettoient leur chambre ou rendent ce qu'ils ont emprunté sans permission). Ce faisant, les parents ne s'attendent pas forcément à ce que les enfants «retiennent la leçon» mais insistent plutôt sur le comportement correct.

L'identité familiale

Ces familles ont une identité qui repose sur l'histoire de la famille, ses objectifs et ses croyances. Ceux-ci sont illustrés et célébrés à travers les traditions et les récits familiaux. Les enfants sont fiers d'appartenir à leur famille. À l'extérieur, ils se considèrent comme des représentants de celle-ci et se comportent en conséquence. Les parents de ces familles ont travaillé dur pour créer cette identité, qui suppose beaucoup de réflexion et d'efforts.

Quand nous étions enfants, avant que la télévision domine la vie des gens, il n'y avait rien d'aussi agréable que de se réunir pour raconter des histoires, surtout lorsque celles-ci se rapportaient à la jeunesse de nos parents. Nous nous rappelons avoir entendu nos parents en raconter et nous réclamions souvent notre histoire favorite. Rien n'aurait pu nous en apprendre plus sur ce qu'étaient nos parents et ce à quoi ils accordaient de la valeur que ces histoires. Celles-ci finissent par faire partie du folklore familial et il arrive même qu'on en rie, mais elles incarnent d'une façon irremplaçable la singularité de chaque héritage familial.

On raconte moins d'histoires aujourd'hui, mais elles restent l'une des meilleures manières de transmettre à nos enfants le sens de leur identité, le fait d'appartenir à une entité signifiante.

Prenez des vacances de télé et racontez des histoires à vos enfants : ils vont adorer ça et ils y gagneront le sens de la famille.

Les traditions familiales ont la même fonction. Les familles religieuses ont généralement des traditions pour les jours de repos, mais on peut en inventer d'autres. La Saint-Valentin, la fête des Mères et la fête des Pères, le premier jour des grandes vacances et la fête nationale sont aussi des traditions. Certaines familles prient avant le repas et celui-ci devient alors une cérémonie, une célébration de chaque membre de la famille. Prenez la peine de créer de telles traditions. Elles ont plus d'impact et de signification que nous le croyons parfois.

Les liens entre enfants

Lorsque les frontières entre parents et enfants sont bien définies, les liens entre les enfants tendent à se renforcer. Les parents ne se mêlent pas des querelles entre frères et sœurs. Même s'ils posent des limites claires à ce qu'il est autorisé de faire pour résoudre le conflit, ils n'arbitrent pas les disputes et ne participent pas à leur résolution. «Arrangez-vous entre vous» est leur refrain favori. Ils ne protègent pas les enfants les uns des autres et considèrent que les différends entre enfants ne concernent pas les parents.

Une des familles que nous connaissons organisait ce qu'ils appelaient «le panier des travaux du samedi». Le samedi matin, les enfants se partageaient les travaux ménagers eux-mêmes, hors de portée des oreilles de leurs parents. Ils pouvaient discuter et se disputer autant qu'ils voulaient : c'est eux qui prenaient les décisions quant à savoir qui ferait tel ou tel travail. Mais tous les travaux devaient être faits avant qu'ils aient le droit d'aller s'amuser, l'intérêt étant que tous les enfants apprenaient ainsi à se débrouiller par eux-mêmes. Une autre mère nous a dit : «Nos enfants ne dorment pas beaucoup dans leur lit l'été. Ils dorment tous ensemble dans la salle de séjour parce qu'ils aiment passer la soirée ensemble.» La fille cadette de cette famille a raconté par la suite au docteur Swihart que son plus grand regret lorsqu'elle a quitté la maison a été de quitter ses deux frères plus jeunes – pas ses parents ni ses amis! Quand les parents sont trop investis et que les frontières entre les enfants et eux ne sont pas nettes, les enfants rivalisent en permanence pour attirer leur attention, ce qui détruit les liens qu'ils auraient pu avoir entre eux.

Jeux et activités familiales

Il y a du vrai dans l'adage qui veut que les familles qui s'amusent ensemble restent unies. Les vacances familiales, notamment celles qui sont consacrées à des activités récréatives comme le camping, le ski, le bateau, le tourisme ou la pêche, ont un profond impact sur le sens de l'identité familiale.

Les activités de routine comme les repas, le ménage et les événements partagés sont des point focaux d'interaction. Ces moments ont la priorité et sont rarement sacrifiés à d'autres occupations. Ils prennent ainsi un goût de tradition et de célébration, à la fois de la famille dans son ensemble et de chacun de ses membres.

Certaines familles aiment camper et explorer l'univers qui les entoure; d'autres préfèrent pratiquer un sport ou assister à des événements sportifs auxquels participe un des membres de la famille. Ici, au Minnesota, certaines familles vont à la pêche ensemble, font du canoë en rivière, des courses de bateaux ou du ski nautique, ou se promènent tout simplement sur la plage. Pour certaines familles d'agriculteurs ou de dirigeants d'entreprise, le travail lui-même peut être une activité collective. En fait, les caractéristiques de l'activité n'ont guère d'importance, l'important est qu'elle soit partagée.

Les vacances familiales, plus qu'aucune autre activité, donnent un sens au fait d'être ensemble et on s'en raconte tous les détails avec émotion pendant des années. Le docteur Swihart a récemment rencontré une jeune patiente de dix-sept ans au magasin d'alimentation. Ils ont commencé à parler du Montana et il lui a raconté l'histoire d'une horrible randonnée au cours de laquelle toute sa famille était tombée malade. Elle demanda si la famille faisait souvent de la randonnée. «Aussi souvent que possible.» Le visage de la jeune fille devint alors pensif. «Notre famille ne fait jamais rien de ce genre», dit-elle. Et il fut frappé par son regret de n'avoir jamais rien fait d'aventureux avec sa famille.

Entretien et travail ménager

Dans ces familles, chacun des enfants a des responsabilités bien déterminées en ce qui concerne l'entretien et le travail ménager, depuis son jeune âge jusqu'à ce qu'il quitte la maison. La vieille règle s'applique : «Fais ce que tu as à faire avant de faire ce que tu veux faire.» Il y a peu de bonnes raisons d'esquiver ses responsabilités, mais il y en a de nombreuses de prévoir ces travaux et de les accomplir le plus vite possible, de manière à pouvoir faire ce qu'on désire ensuite.

Des techniques d'éducation efficaces

Les techniques d'éducation varient d'une famille à l'autre, mais certaines caractéristiques se retrouvent chez toutes : on n'utilise ni incitations ni récompenses; on ne marchande pas; on ne menace pas; la négociation ne s'applique qu'à ce qui est réellement négociable; on considère que les punitions sont inutiles et on ne s'en sert pas comme ultime moyen pour obtenir que l'enfant se comporte correctement. Les limites sont indiquées rapidement, tranquillement et simplement, sans avertissement et sans menace. Une fois qu'une limite est posée, on n'insiste pas, mais on la répète aussi souvent que nécessaire. Une fois qu'il a renoncé à son comportement incorrect, l'enfant est aussitôt accueilli dans le groupe sans remarque additionnelle. Les échanges sur les règles et les limites sont généralement à sens unique, les parents indiquant aux enfants la règle qui a été transgressée et leur communiquant leurs attentes en ce qui concerne leur comportement à venir. L'enfant n'est pas invité à commenter ni à expliquer son comportement. L'intervention des parents est brève, ce qui lui donne d'autant plus d'impact.

Nous rencontrons régulièrement dans notre pratique deux approches de l'éducation. La première est celle «de la carotte et du bâton». Elle part du principe que, pour en arriver à ce qu'on veut avec les enfants, il faut user d'incitatifs et de récompenses pour les bonnes actions et de punitions pour les mauvaises. C'est ce qu'on appelle aussi une éducation «positive». Cette approche est fondamentalement manipulatrice. Elle détruit le potentiel d'indépendance de l'enfant. Incitatifs et récompenses n'influent sur le comportement qu'aussi longtemps qu'ils sont en place. Quant aux punitions, leur effet est imprévisible et elles sont rarement souhaitables. Malheureusement, c'est là l'approche la plus fréquente aujourd'hui.

L'autre approche consiste à guider et à fixer des limites. C'est celle qu'on rencontre le plus souvent dans les familles où les enfants vont bien. Elle consiste à donner aux enfants les outils qui leur sont nécessaires pour s'adapter au monde réel et à les guider conformément au système de valeurs familial. Elle produit des enfants indépendants, qui ont confiance en eux-mêmes. Elle est directe, non manipulatrice et non dogmatique. Elle part du principe que les enfants doivent être entraînés à agir correctement, qu'ils auront besoin d'apports continus de la part des parents pour faire face aux nouveaux défis qui se présenteront au fur et à mesure qu'ils grandissent et qu'ils résisteront périodiquement aux limites qui leur sont imposées. Dans ce modèle, les parents ne sont pas chargés de rendre leurs enfants heureux ou de les motiver à se comporter correctement. C'est à l'enfant d'expérimenter par lui-même différents comportements à l'intérieur des limites imposées par les parents. Cette méthode est décrite en détail un peu plus loin et résumée dans l'annexe C.

Conclusion

Si certains enfants vont bien, ce n'est pas par hasard. Ils proviennent de familles dans lesquelles l'optimisme prévaut et qui croient en eux. Vous pouvez, vous aussi, avoir une famille de ce type. Pour cela, il vous faut examiner attentivement les éléments et les processus qui entrent dans la composition d'une famille optimiste. Commencez par un «énoncé de mission» (du genre de ceux que préconise Stephen Covey dans *The 7 Habits of Highly Effective*

People pour vous-même, puis pour votre famille, en y intégrant les caractéristiques décrites dans ce chapitre ainsi que d'autres, qui vous sont particulières. Puis mettez cet énoncé en application, vous serez étonné du résultat!

Chapitre 5

Développement de l'indépendance et de la dépendance

Eric Olsen est un enfant de trois ans aux cheveux blonds et aux yeux bleus, actif et heureux. Mais il est aussi dominant, bruyant et exigeant. Un jour sa mère, Alison, âgée de trente-quatre ans, l'emmena faire des courses au supermarché voisin. Eric est le plus jeune de trois enfants et Alison connaît la musique : elle est déjà passée par là. Pendant que sa mère prenait des ingrédients pour faire des gâteaux, Eric, qui se trouvait dans le chariot, réussit à attraper un sac de M&M, sa friandise favorite.

«Achète-moi des M&M», exigea-t-il.

«Nous n'avons pas besoin de M&M», répliqua Alison

«J'en veux!»

«Non, Eric, pas de M&M.»

Tandis qu'Eric hurlait à pleins poumons «Je veux des M&M! Je veux des M&M!», Alison comprit qu'il n'y avait que deux solutions : céder et acheter les M&M pour calmer Eric ou refuser. Mais, dans ce cas, il faudrait trouver un moyen de laisser à Eric le temps d'accepter sa frustration. Alison est consciente de la nécessité de donner aux enfants une alimentation saine et de limiter les sucreries, mais surtout elle savait que si elle cédait, Eric apprendrait qu'en hurlant et en piquant une crise il pouvait obtenir tout ce qu'il voulait.

Elle se rendit compte aussi que le prochain voyage à l'épicerie risquait d'être émaillé de : «Achète moi! Achète moi!» La crise sur les M&M risquait d'être le prélude à d'autres demandes, de Starbusts, de Fritos, etc.

Alison laissa alors son chariot dans l'allée, attrapa son fils, qui hurlait et se débattait, et sortit du magasin. Elle assit Eric sur le trottoir et attendit patiemment sans se préoccuper des coups d'œil que lui jetaient les gens en sortant du supermarché – certains indignés, d'autres avec un sourire de compréhension.

La tentative d'Eric de forcer sa mère à faire ce qu'il voulait dura environ une minute. Quand il fut calmé et se fut tenu tranquille pendant environ vingt secondes, Alison lui demanda : «Es-tu prêt à retourner dans le magasin maintenant?» Encore un peu chagriné, Eric répondit «oui» et ils retournèrent sur leurs pas, retrouvèrent le chariot et terminèrent leurs courses. Trois allées plus loin, la maman d'Eric lui demanda : «Eric, quelles céréales veux-tu? Tu as le choix.» Eric prit ses céréales favorites sans discuter et les tint serrées contre lui jusqu'à la caisse.

Eric ne s'était jamais comporté de cette façon dans une épicerie, mais cette expérience lui a appris plusieurs choses : d'abord que piquer une crise au supermarché ne lui permettra pas d'obtenir ce qu'il veut; ensuite, comment se calmer quand il est furieux que les choses n'aillent pas comme il l'a décidé. (La répétition de ce genre d'expérience au cours de son enfance lui permettra d'acquérir une bonne maîtrise de lui-même.) Mais surtout – et c'est le plus important – en surmontant son désappointement de ne pas avoir pu maîtriser la situation, Eric a commencé à apprendre comment s'adapter aux limites imposées par ses parents.

Souvent les parents cèdent à l'enfant pour éviter le harcèlement, les négociations et les manifestations de toutes sortes dont ils savent qu'elles vont se produire s'ils refusent. Mais si un enfant de trois ans réussit à faire faire aux autres ses quatre volontés, ses crises risquent par la suite de faire place à des méthodes de manipulation plus subtiles auxquelles personne n'échappera. Les parents, les professeurs, les entraîneurs et les amis, tous vont se retrouver placés dans des situations compromettantes par ce petit tyran. Et en grandissant, ses difficultés dépassant le cadre familial et scolaire pour se déplacer sur le terrain social, il risque de se trouver confronté à de graves problèmes et d'avoir des démêlés avec la justice.

À travers notre expérience clinique, nous avons pu remarquer que, parmi les parents que nous rencontrions, ceux qui se sentaient le plus désemparés étaient ceux qui avaient de la difficulté à poser des limites au comportement de leurs enfants et que ces mêmes parents avaient aussi du mal à permettre à leurs enfants d'acquérir et de conserver l'estime d'eux-mêmes. Avec les observations déjà rapportées dans le chapitre 4, cela nous a amenés à notre prémisse de base, née de longues années passées à aider les parents à élever plus adéquatement leurs enfants : les enfants doivent apprendre et on doit les initier à s'adapter au monde environnant. Développer chez un enfant les aptitudes dont il a besoin pour cela est la tâche essentielle des parents. Même si nous aimons nos enfants et en prenons soin de notre mieux, nous ne leur rendons pas un bon service en passant notre temps à scruter leur environnement pour le modifier de manière à les protéger des difficultés et des malheurs de la vie réelle. S'occuper de l'enfant de cette façon le prépare à avoir une faible estime de lui-même et à rester incurablement dépendant. La vie réelle comporte une pléiade de règles et de circonstances qu'il est préférable de bien connaître si on veut s'en sortir. Plus les enfants seront habiles à naviguer au milieu de celles-ci, mieux ça vaudra pour eux : tel est le message que nous devons communiquer à nos enfants dans tout ce que nous faisons.

Il ne suffit pas, pour qu'un enfant devienne un adulte plein de ressources, solide et indépendant, de le nourrir, de le vêtir et de lui donner de l'amour. Il lui faut de plus – et surtout – être guidé de façon ferme par ses parents, ce qui demande à ceux-ci beaucoup d'énergie et d'attention. Il aurait été beaucoup plus facile – et certainement moins embarrassant – pour Alison d'accéder aux exigences d'Eric, mais en ne le faisant pas elle lui a appris comment se comporter dans un endroit public, une de ces leçons qui aideront son fils à naviguer dans le vaste monde.

L'immense majorité des parents que nous rencontrons tentent de faire de leur mieux malgré les difficultés qui les ont amenés à venir nous voir. Il est clair qu'ils veulent que leurs enfants deviennent des adultes indépendants, honnêtes et pleins de ressources et qu'ils réussissent. Mais ils ne savent pas toujours quels moyens utiliser pour atteindre ce but. Autrefois, élever des enfants était plus facile. Les décisions se prenaient plus aisément : les valeurs étaient partagées et comprises par l'ensemble de la communauté et les transgressions étaient traitées rapidement et sans hésiter. Mais depuis quarante ou cinquante ans le tableau est devenu infiniment plus confus : les parents sont engloutis sous un flot d'opinions, de valeurs et de méthodes contradictoires. Et, régulièrement, ils voient autour d'eux les résultats d'éducations ratées, ce qui les rend encore insécures.

Deux styles d'adaptation à la vie

Pour la clarté de la démonstration, nous allons opposer dans ce qui suit deux attitudes fondamentalement différentes par rapport à la vie : l'attitude dépendante et l'attitude indépendante – comme si les choses étaient blanches ou noires. Dans la réalité, on trouve, en fait, toutes les teintes de gris : les personnes les plus indépendantes peuvent à l'occasion se comporter d'une manière dépendante, et vice versa.

Le style d'adaptation dépendant (ou indirect) consiste à compter sur les autres pour organiser sa vie à sa place. L'individu dépendant apprend à contrôler les autres pour les amener à faire les choses qu'il ne veut pas faire lui-même. Nous en voyons des exemples – subtils ou évidents – chaque jour : un enfant tyrannique qui, comme Eric, essaie d'intimider un de ses parents, en le menaçant ou en piquant une crise pour qu'il lui achète une friandise; une famille qui passe son temps à essayer d'éviter qu'une mère explosive ne se mette en colère; un séducteur qui utilise son charme pour amener des femmes à subvenir à ses besoins; un enfant qui réussit à ne pas travailler malgré ses mauvais résultats scolaires parce que les adultes qui l'entourent sont effrayés à l'idée de lui en demander plus.

Les personnes dépendantes ont tendance à :

- manipuler les autres pour répondre à leurs désirs immédiats;

- éviter les difficultés ou les tâches désagréables ;

- se décharger sur d'autres de la responsabilité de leurs mésaventures;

- expliquer et justifier leurs échecs;

- ne se sentir bien que lorsqu'elles contrôlent les autres;

- oublier leurs valeurs quand cela les arrange;

- se débrouiller pour modifier les règles à leur convenance selon les circonstances;

- contrôler la situation plutôt que de participer ou d'assumer le rôle de leader;

- interpréter la réalité de façon tendancieuse.

Le style d'adaptation indépendant est celui des gens qui acceptent la responsabilité de leur vie et évitent d'utiliser les autres pour essayer de transformer le monde conformément à leurs besoins.

Les personnes indépendantes on tendance à :

- respecter un ensemble de normes éthiques;

- respecter les règles et les valeurs de leurs parents, de leurs écoles, de leurs équipes et même celles, informelles, qui régissent leurs relations avec leurs camarades;

- assumer la responsabilité de leurs actions;

- comprendre rapidement les règles en vigueur dans une situation donnée et s'y conformer;

- accepter les règles qui prévalent dans telle circonstance sans tenter de les modifier ou de les réinterpréter à leur convenance;

- être capable d'assumer le leadership aussi bien que de collaborer.

Les enfants indépendants ne sont pas parfaits; ils testent les limites et les règles. Mais ils apprennent vite à se conformer aux règles qu'ils découvrent et, par conséquent, sont capables de se comporter adéquatement dans un grand nombre de situations. Ils ne blâment pas les autres quand quelque chose ne va pas et, s'ils enfreignent une règle, ils en acceptent les conséquences. Les individus les plus indépendants sont ceux qui reconnaissent leurs erreurs avec dignité. Ces individus sont fiables : on peut leur faire confiance, ils font ce qu'ils disent. Ils ne sont pas égocentriques ou arrogants mais sont capables de penser par eux-mêmes et de faire preuve d'assurance. Ils ne se laissent pas contrôler par les autres et sont donc mieux à même de collaborer avec eux.

Ces qualités sont celles que, en tant que parents, nous souhaitons que nos enfants possèdent. Mais quel est le rapport avec la manipulation?

L'indépendance : définition

À première vue, la définition de l'indépendance semble recéler un paradoxe. Pour beaucoup de gens, être indépendant signifie être libre de faire tout ce qu'on veut, n'importe où, n'importe quand, dans n'importe quel contexte. Mais à y regarder de plus près, on découvre que c'est exactement l'inverse. L'indépendance est la capacité d'établir et de poursuivre ses objectifs personnels sans demander l'aide des autres et de se comporter adéquatement à l'intérieur des règles qui régissent une situation donnée. Ce n'est donc pas la liberté complète d'action et de pensée : sa mise en œuvre suppose un contexte particulier, lui-même gouverné par des règles. L'indépendance est aussi la condition nécessaire de l'interdépendance.

Les plus indépendants d'entre nous sont ceux qui ont appris à fonctionner avec le plus d'habileté au sein du système de règles qui régit notre vie. En voici une illustration : si un enfant décide de jouer au soccer, il doit d'abord respecter les règles, sans quoi il ne sera pas autorisé à jouer. Mais s'il joue en respectant les règles, il aura une chance de maîtriser les subtilités du jeu (c'est-à-dire encore les règles, mais sur un autre plan). Le joueur de soccer le plus indépendant est ainsi le plus habile. Un joueur doué de qualités athlétiques, mais qui passe son temps à enfreindre les règles et à discuter avec l'entraîneur et avec l'arbitre, ne jouera pas beaucoup et ne pourra donc manifester – et encore moins améliorer – ses aptitudes. Bien que la vie soit infiniment plus complexe que le jeu de soccer, cette métaphore s'y applique parfaitement. Les plus indépendants sont les plus habiles au «jeu» de la vie. Ils ne perdent pas leur temps à tenter de changer ou de contourner les règles et n'essaient pas d'utiliser quelqu'un d'autre pour le faire à leur place. Ils acceptent les règles et participent aux activités qu'ils ont choisies en utilisant toutes leurs capacités pour réussir à l'intérieur de celles-ci.

Je m'empresse d'ajouter que cela ne signifie pas qu'une personne indépendante ne puisse refuser de participer à certains «jeux». Elle peut décider de rompre avec un modèle de comportement généralement accepté ou de refuser certaines situations. Mais, lorsque c'est le cas, elle le fait en toute conscience de sa responsabilité et des conséquences de sa décision.

Le portrait que nous venons de brosser est celui d'un adulte qui joue aux «jeux» de la vie avec une habileté exceptionnelle, qui choisit consciemment et soigneusement quel jeu jouer et qui, lorsqu'il contrevient aux règles, le fait en toute connaissance de cause et en accepte les conséquences. Il s'agit de quelqu'un qui accepte de bonne grâce la responsabilité de ses décisions et refuse de blâmer les autres pour ses propres erreurs; quelqu'un qui n'attend pas des autres qu'ils lui fassent une vie agréable mais qui s'en occupe soi-même; quelqu'un qui prend en main sa vie, ses émotions, son passé, son présent et son avenir.

Comment les enfants peuvent devenir des adultes indépendants

Aucune théorie du développement des enfants ne peut tout couvrir. Aucune ne peut prétendre décrire à elle seule la suite d'événements conduisant de l'enfance à l'âge adulte. Mais nous voudrions rapidement proposer un schéma du développement que nous avons trouvé utile pour comprendre comment les enfants peuvent devenir des adultes autonomes et confiants en leurs capacités.

L'apprentissage

L'essentiel du comportement humain s'acquiert par la pratique et l'expérience. Bien qu'on puisse consciemment décider d'acquérir un nouveau comportement et en guider et évaluer l'apprentissage, on ne l'acquiert réellement que par la pratique. Le développement consiste à modifier, améliorer et adapter les comportements déjà appris et à en ajouter de nouveaux. Nous engrangeons les comportements que nous apprenons de manière à pouvoir y faire appel automatiquement lorsque c'est nécessaire. Rappelez-vous, par exemple, quand vous avez appris à faire de la bicyclette : vous regardiez les autres et on vous donnait des indications, mais pour apprendre réellement vous avez dû vous lancer, tomber et recommencer jusqu'à ce que vous ayez acquis les mouvements de base par la pratique. Cela n'avait pas grand-chose à voir avec une analyse consciente de l'art de faire de la bicyclette, et quand vous avez su en faire, c'est devenu parfaitement automatique. Les conseils et l'analyse peuvent être utiles dans les premiers stades de l'acquisition d'un comportement, mais seule la pratique permet de le maîtriser parfaitement. Même dans les disciplines intellectuelles, comme l'algèbre ou la musique, l'apprentissage et le perfectionnement supposent un grand nombre d'essais, suivis d'une évaluation et de subtiles modifications, puis de nouveaux essais jusqu'à l'obtention d'un résultat satisfaisant. Et le plus étonnant est que, lorsque nous savons faire quelque chose, le simple fait d'y penser consciemment nous rend maladroit et inefficace. Les meilleurs joueurs de saxophone ou les plus habiles skieurs vous diront que lorsqu'ils réalisent des performances, ils se trouvent dans un état d'esprit particulier qui exclut toute pensée consciente, la personne étant absorbée tout entière dans l'activité en question. S'ils se déconcentrent, deviennent conscients de leur performance et tentent de contrôler leur comportement, l'athlète ou l'orateur font aussitôt des erreurs.

Le processus de développement

Comment un enfant devient-il un adulte indépendant et capable de s'adapter? Le processus peut être divisé en trois étapes qui correspondent grossièrement aux trois stades suivants : petite enfance (jusqu'à l'entrée à l'école primaire), enfance et adolescence. Voici ce qui se passe.

A. Petite enfance

Jusque vers l'âge de cinq ou six ans, l'enfant apprend les bases de la vie en société. Il apprend les rudiments de la communication et acquiert les aptitudes physiques nécessaires pour évoluer dans le monde. Il apprend à jouer et à être espiègle, à penser et à raisonner. C'est au cours de ses premières années que l'enfant découvre les plus importantes des règles qui gouvernent le monde.

Par exemple, le bébé découvre au cours de ses premières semaines de vie que certains des sons qu'il émet en présence d'une autre personne déclenchent régulièrement une réponse donnée. Après avoir pratiqué ce type rudimentaire d'interaction pendant quelque temps, il découvre que certains sons produits par une autre personne indiquent son désir de participer à un échange. À ce stade, le parent peut engager un échange préverbal avec l'enfant : l'interaction verbale est née. Par la suite, un processus compliqué permettra d'attacher des significations à des groupes de sons – ce que nous appelons les mots. La manière dont fonctionne le monde des bébés dépend en partie de ces interactions verbales, et pour s'y adapter, le bébé devra apprendre, par essais et erreurs, les règles qui gouvernent la communication entre les personnes. Cet apprentissage n'a rien à voir avec la linguistique, il est entièrement le produit de l'interaction et relève de règles non écrites que la plupart des personnes d'une culture particulière apprennent inconsciemment dès le plus jeune âge.

Au cours de cette période, l'enfant apprend aussi les règles sans pitié de son environnement physique, c'est-à-dire les lois de la gravité et celles qui régissent sa propre mobilité (ramper, se tenir debout, marcher, courir ou faire de la bicyclette) comme celle des objets qui l'entourent (la balle qu'on lance ou l'objet qu'on fait tomber). Dans tous ces cas, l'enfant assimile les règles et les conserve dans sa mémoire comportementale pour pouvoir en faire usage instantanément dès que le besoin s'en fait sentir. Chaque réussite sert de point d'appui pour une étape subséquente d'apprentissage et chaque étape est nécessaire pour la suivante. Les règles ne sont ni apprises ni exprimées de façon cognitive (consciemment et analytiquement) – même un adulte n'y réussirait qu'au prix de recherches considérables. Elles sont apprises de manière infracognitive (inconsciemment et sans analyse*) et incorporées au répertoire comportemental de l'enfant.

Ces étapes d'apprentissage ne pourraient se dérouler dans le vide ou dans un monde imprévisible; elles dépendent de la pratique et supposent un monde cohérent. Par exemple, un enfant seul avec un parent sourd n'apprendra pas à communiquer verbalement. Dans certaines cultures, les enfants restent attachés

---

* C'est-à-dire que, même si l'apprentissage est conscient, il ne repose pas sur un corps de pensées et d'analyses conscientes sans quoi nous n'aurions pas le temps de faire quoi que ce soit. [N.d.A.]

sur une planche jusque vers l'âge d'un an*, sans avoir la possibilité de ramper, de se dresser ou de se promener, mais dès qu'on les libère ils parcourent rapidement toutes les étapes conduisant à la marche bipède. Certains enfants acquièrent facilement certains comportement tandis que d'autres ont plus de difficultés. Le développement de la parole peut aussi être très différent, soit en raison de différences innées, soit à cause des réponses différentes qu'il rencontre. Par exemple, comme nous avons pu l'observer, les interactions entre jeunes enfants ayant un caractère moins verbal que celles avec les parents, les enfants qui ont des frères ou sœurs légèrement plus âgés apprennent à parler plus tard qu'eux, simplement parce qu'ils passent plus de temps à jouer avec d'autres enfants que ceux-ci n'ont pu le faire. Il arrive même qu'un enfant ayant un frère ou une sœur plus âgé en vienne à parler une sorte de patois que seul celui-ci comprend et pour lequel il doit servir d'interprète. À l'inverse, un enfant qui passe la majeure partie de son temps à interagir verbalement avec un adulte apprend généralement très vite à communiquer de cette manière.

Les enfants apprennent très vite, par l'expérimentation, comment fonctionne leur environnement social. Ils en découvrent les règles exactement comme celles de leur environnement physique. Ils apprennent ainsi ce qui est permis et ce qui est interdit et ils peuvent comprendre très tôt qu'ils sont eux-mêmes responsables de leur bonheur, ou croire, au contraire, que c'est aux autres d'assurer celui-ci. Ils peuvent apprendre à accepter un «non» ou à manœuvrer de manière à le transformer en «oui». Ils peuvent comprendre que c'est à eux de résoudre la plupart des problèmes qu'ils rencontrent ou apprendre à qui faire appel pour les résoudre à leur place et comment s'y prendre. Pour nous, il s'agit là de l'aspect du développement qui est le plus intéressant

---

* L'auteur fait probablement allusion ici à la coutume indienne qui consistait à attacher les enfants sur une planche que l'on pouvait soit porter dans le dos, soit suspendre hors de portée des prédateurs. [N.d.T.]

car il joue un rôle important pour déterminer le style d'adaptation au monde qu'adoptera l'enfant.

Deux formes d'adaptation apparaissent au cours de cette première période. Laquelle se développera dépend de la manière dont fonctionne l'environnement social et familial. Les aptitudes physiques se développent en réponse aux lois inflexibles et absolues de la nature, mais les familles sont plus flexibles et peuvent opérer selon au moins deux modes différents qui sont déterminés par les croyances fondamentales qu'y ont les adultes sur les gens.

COMPORTEMENT DÉPENDANT

Quand nous voyons des enfants développer une forme dépendante d'adaptation, c'est souvent parce que les gens (parents, autres adultes, frères et sœurs) qui l'entourent se comportent comme si l'enfant avait besoin d'être protégé de toute pression, traumatisme, erreur ou cause de tristesse – généralement parce qu'ils croient que les émotions qui leur sont associées risquent de causer des dommages irréparables. Ils agissent donc de façon à éliminer à la source ces émotions négatives. (Il arrive aussi parfois que les parents aient si peu d'intérêt pour leurs enfants, ou aient tellement d'autres préoccupations que les seules manifestations d'émotion qui attirent leur attention soient celles qui sont bruyantes ou déplaisantes.) Les règles et les limites posées par ces parents découlent de leurs convictions et de leurs préoccupations. Ils pensent que les enfants devraient toujours être heureux et font tout ce qu'ils peuvent pour atteindre ce but, ressentant comme un échec le fait que leur enfant puisse être triste ou malheureux. L'état émotionnel de l'enfant relève alors de leur responsabilité et non de celle de l'enfant. Imaginez le genre de système de limites et de règles que cela peut produire lorsque chaque décision doit être taillée sur mesure en fonction du moment!

Comme l'enfant ne peut comprendre les préoccupations de ses parents ni donner un sens à l'ensemble de règles auxquelles il est soumis, il s'adapte en faisant la seule chose possible : exercer un contrôle sur les personnes qui sont supposées établir les règles. Il parvient ainsi à rendre la situation plus prévisible et donc moins anxiogène. Son mode de contrôle sera déterminé par son caractère et celui de ses parents. Il peut apprendre à utiliser les pleurnicheries ou les crises de colère avec sa mère et la flagornerie avec son père. À la maternelle, il peut parvenir à contrôler les actions de son professeur en se montrant simplement triste, passif et renfermé. Quel que soit son style, l'enfant est devenu dépendant de ses complices adultes pour adapter le monde à ses désirs.

Avant l'âge de six ans, l'enfant dépendant s'est habitué à contrôler ceux qui l'entourent, et dans la seconde étape il élargira ce comportement à l'école et à l'ensemble de la communauté environnante. Ces manipulations ne relèvent pas plus d'un processus cognitif conscient que le lancer d'une balle – c'est seulement le mode de réponse de l'enfant au monde qui l'entoure. Quand quelqu'un refuse de coopérer avec ce comportement acquis, l'enfant devient anxieux, se met en colère et tente par tous les moyens possibles de forcer l'autre à changer d'attitude. Le moment où nous intervenons pour changer ce mode de fonctionnement constitue un point critique dans la thérapie : les enfants dépendants n'apprendront à se faire confiance que si les adultes qu'ils manipulent ordinairement sont capables de supporter la tempête déclenchée par leur refus soudain de coopérer.

COMPORTEMENT INDÉPENDANT

Les enfants indépendants sont élevés par des parents qui ont confiance dans les capacités innées de leurs enfants et sont certains que leurs enfants vont survivre. Ils n'ont donc pas peur d'établir des règles claires et permanentes et de poser des limites cohérentes en fonction de ces règles. Ils ne croient pas avoir à protéger l'enfant contre ses émotions mais considèrent au contraire que celles-ci lui appartiennent, qu'elles sont sa propriété exclusive. Ils ne se sentent pas tenus de remédier à la tristesse de leur enfant ou de soulager sa colère devant une limite, une décision ou une règle, mais se contentent de lui apporter un réconfort respectueux de ses sentiments. Si un enfant est contrarié à propos de quelque chose, ils considèrent qu'il s'agit pour lui d'une expérience et non d'une menace pour sa psyché. Il en résulte que l'enfant apprend à ne pas se laisser abattre par un problème et à avoir confiance en soi. Il peut survivre au désappointement et s'adapter, exactement comme l'enfant qui apprend à marcher en trébuchant. Il abordera l'école avec assez de résolution et de confiance en soi pour comprendre comment les choses fonctionnent et survivre et persister en dépit des difficultés : l'expérience acquise au cours de ses cinq premières années lui a appris comment se débrouiller et comment être heureux en poursuivant ses propres objectifs. Un enfant de six ans indépendant est sur la bonne voie pour devenir une adulte indépendant et autonome.

B. L'âge scolaire

Au cours de leurs années d'école, les enfants perfectionnent les comportements qu'ils ont acquis durant leurs premières années et en appliquent les leçons à de nouvelles situations.

COMPORTEMENT DÉPENDANT

L'enfant dépendant apprend à contrôler ses professeurs, ses amis, ses entraîneurs, etc, par les même moyens qu'il a appris à utiliser à la maison. Il peut devenir encore plus habile à être triste ou déprimé, à «oublier» ses responsabilités, à faire du charme, à négocier des compromis ou à forcer les autres à accéder à ses demandes, ou encore il peut s'efforcer de devenir «parfait». Avec l'élargissement de son univers, il risque de rencontrer des situations où ses talents de manipulateur marcheront moins bien et il va alors se renfermer sur lui-même, jugeant que la situation ne lui convient pas. L'enfant dépendant se fera un devoir de tourner les règles et de décevoir les espoirs mis en lui et, malheureusement, de nombreux adultes vont coopérer pour lui éviter d'être malheureux ou désemparé. Il va faire profession d'obtenir que son travail à l'école soit réduit, de ne jouer qu'avec des enfants qui acceptent ses exigences et d'obliger ses parents et amis à acheter ou faire tout ce qu'il désire. Au fur et à mesure qu'il s'enfoncera dans ce type d'attitude, il deviendra complètement incapable de s'adapter aux circonstances, attendant toujours que le monde s'adapte à lui. Son monde en vient alors à ressembler à un château de cartes, reposant entièrement sur la bonne volonté des autres et prêt à s'effondrer à l'étape suivante. Cet enfant a appris à contrôler les autres au lieu de s'adapter.

COMPORTEMENT INDÉPENDANT

L'enfant indépendant, par contre, fait plaisir à voir. Il absorbe comme une éponge les données de toute nouvelle situation. Il apprend rapidement à jouer selon les règles et peut ensuite mettre toute son énergie à acquérir les subtilités du jeu. Les nouvelles situations, les nouveaux jeux l'intriguent : il apprend avec avidité les différentes manières de réussir dans chaque environnement. Sa confiance en lui-même augmente. Il fait des erreurs, enfreint des règles et apprend de ses erreurs. Il n'a pas particulièrement peur d'échouer – il a déjà eu sa part d'échecs, et il a survécu et appris que l'échec fait partie de la vie. Surtout, il a appris à saisir rapidement et avec perspicacité comment fonctionnent les choses dans telle ou telle situation et à s'y adapter. Il a acquis la maîtrise de lui-même.

C. Adolescence

L'adolescence est une étape que redoutent la plupart des parents. Il existe dans notre culture un mythe selon lequel l'adolescence est l'âge de la rébellion, une époque particulièrement difficile. Mais cette légende n'est pas vraie pour tous les enfants, ni même pour la plupart d'entre eux. Et quand l'adolescence est réellement effrayante, il y a, en général, de bonnes raisons à cela.

COMPORTEMENT DÉPENDANT

À l'adolescence, l'enfant dépendant ne parvient plus à faire tenir debout son château de cartes. La vie n'obéit plus à sa volonté et il est démuni de toute capacité d'adaptation. Les conséquences de cet effondrement sont la colère et la rébellion, la dépression et le découragement, le suicide, les troubles de l'alimentation, l'échec scolaire, les problèmes sociaux, la délinquance, l'adhésion servile aux sous-cultures adolescentes, l'absence de respect pour les parents, les professeurs, la propriété et la loi, la drogue, etc. L'enfant à qui on n'a jamais demandé de s'adapter n'en est plus capable : il continue à essayer de faire aller le monde selon ses désirs par n'importe quels moyens. Tant que sa défaite ne sera pas totale, il n'apprendra pas à s'adapter, et ce sera alors pour lui un lent et pénible processus, qui pourra durer des années. Un enfant dépendant qui possède des qualités particulières – une jolie jeune fille ou un athlète accompli – peut réussir à éviter le désastre pour un temps. Mais la crise va certainement survenir un peu plus tard et c'est un sérieux problème. Beaucoup de gens aimeraient trouver une explication simple aux malheurs de l'adolescence et la plus populaire récemment a été de prétendre que nos enfants sont des victimes (comme le sont les enfants victimes de violences ou de négligence). Nous ne nions pas que de tels problème existent. Mais ils ne sont pas à l'origine du comportement manipulateur. Celui-ci provient de l'incapacité des jeunes de s'adapter aux circonstances de leur vie. Pour un adolescent manipulateur, le choc inévitable avec la réalité – à savoir qu'il ne peut pas contrôler le monde autour de lui – peut être dévastateur. Or, il s'agit là, à notre avis, d'un problème aussi grave que celui de la violence ou de la négligence. Et pour le résoudre, nous devons commencer par respecter nos enfants et ne pas leur coller l'étiquette de victime.

COMPORTEMENT INDÉPENDANT

L'adolescent indépendant a confiance dans sa capacité de survivre. Il continue à travailler et à réussir, il méprise la drogue et respecte ses parents, la propriété et la loi. Il a des objectifs et les poursuit avec constance. Il sait qu'il est capable de s'adapter à la plupart des situations. Il trouve la vie intéressante et il est heureux d'être en vie. Pour lui, tout est possible et il choisit en fonction de son identité et de ses objectifs.

Au cours de cette période il abandonne progressivement la ligne de conduite basée sur les règles et les valeurs de ses parents pour s'en forger une à lui. Il développe, à l'aide de l'expérience qu'il a acquise, son propre code d'éthique. Au début de la vingtaine, il se distingue par ses objectifs bien définis et sa capacité de s'adapter et d'être efficace. Son estime de soi est grande, il a son propre système de valeurs et se montre intègre par rapport à celles-ci. Il devient un adulte compétent et sûr de lui.

Limites et indépendance

Nous observons journellement des exemples des deux séquences de comportements que nous venons de décrire. Les enfants suivent l'une ou l'autre selon que leurs parents leur ont ou non imposé des limites précises et cohérentes. Les enfants dont les parents n'ont jamais établi de limites ni de frontières solides n'ont pas besoin d'apprendre à s'adapter au monde. Ils ne peuvent apprendre qu'à contrôler les autres. Leur vision du monde et leur expérience de celui-ci sont indirectes et faussées. Ils s'engagent alors sur une route qui les conduit immanquablement à la haine de soi, à la colère, à la déception chronique et au découragement. Les enfants qui ont bénéficié de limites fermement établies dans leurs jeunes années acquerront la capacité de s'adapter indépendamment et de réagir aux difficultés. Ils seront préparés à faire face au monde de manière efficace. Guider fermement un enfant dans son jeune âge est la meilleure façon de le préparer à se guider lui-même par la suite, mais pour cela il faut lui imposer des limites précises.

Limites, discipline et punitions

Imposer des limites ne signifie pas punir. Nous voyons quotidiennement des parents qui tentent de remédier à l'incapacité d'un enfant de respecter des règles en le punissant ou en le menaçant. Quand nous apprenons à ces parents à utiliser une approche différente, à établir d'abord des limites au comportement de l'enfant, ils nous reviennent ensuite ahuris et ravis. Cessez dès maintenant de penser qu'une punition «va lui apprendre» et «qu'il y pensera deux fois avant de refaire ça». Oubliez l'idée selon laquelle pour imposer des limites vous devez punir le comportement incorrect. Abandonnez l'idée que si vous trouvez la punition adéquate, tout va bien aller. Ça ne marche pas! Et si vous êtes impatient d'en connaître un peu plus sur les méthodes qui marchent, les trois derniers chapitres de ce livre y sont consacrés.

Les gens indépendants ont la capacité de développer et de maintenir leur propre estime d'eux-mêmes. L'indépendance se développe chez les enfants lorsqu'ils apprennent à s'adapter aux lois des différentes situations et à vivre avec. Notre contribution à leur adaptation consiste à définir clairement les règles de la maison, de façon cohérente et non punitive, de sorte qu'ils acquièrent les capacités nécessaires pour s'adapter au monde réel.

Nous aimons utiliser la métaphore suivante pour illustrer l'éducation des enfants : la vie ressemble à une série de terrains de jeu. Les parents choisissent certains de ces terrains, y transportent leurs enfants et leur laissent la possibilité d'explorer le terrain et ses activités. Ils leur apprennent les règles de base en posant des limites et en insistant sur la pratique des aptitudes nécessaires. À partir de là l'enfant est libre d'apprendre à bien jouer et de perfectionner ses aptitudes par essais et erreurs. Quand l'enfant se dirige vers les ronces, au bord du terrain de jeu, ses parents interviennent pour le ramener au centre de l'action. Si l'enfant choisit de ne pas jouer et veut aller sur un autre terrain, ils ont à décider s'ils doivent accepter. Quand l'enfant échoue dans une de ses entreprises, les parents peuvent le réconforter en disant : «Je sais que tu peux le faire, continue d'essayer.» Les parents ne doivent pas intervenir et changer les règles du jeu pour les adapter à l'enfant. Quand l'enfant réussit finalement, les parents peuvent le féliciter, se réjouir avec lui et lui témoigner de l'admiration, mais rappelez-vous que c'est *son* succès.

Les enfants doivent trouver leur propre voie sur les terrains de la vie; si nous interférons, nous limitons leurs possibilités d'apprentissage, leurs responsabilités et, ultimement, leur liberté de devenir indépendants.

Chapitre 6

Comment devenir imperméable à la manipulation

D ans le chapitre précédent, nous avons insisté sur la relation entre la manipulation et la dépendance. Nous avons montré comment un comportement manipulateur était incompatible avec l'indépendance et l'estime de soi. Inversement, les comportements qui contribuent au développement de l'indépendance et de l'estime de soi sont intrinsèquement non manipulateurs.

Maintenant, nous voudrions vous aider à devenir imperméable à la manipulation. Ceci suppose que vous appreniez à reconnaître à la fois les comportements manipulateurs que votre enfant utilise pour contrôler la situation par votre intermédiaire et vos «points aveugles», qui lui permettent d'agir de la sorte. Par «points aveugles» nous entendons ces pensées, ces préjugés, ces sentiments et ces croyances que vous tenez cachés, mais que votre enfant réussit à découvrir et utilise pour vous manipuler. Tant que vous ne parviendrez pas à identifier et à transformer vos «points aveugles», vous ne pourrez être imperméable à la manipulation.

Tout en lisant, pensez aux situations de ce type que vous avez pu vivre avec votre enfant. Réfléchissez à ce que vous avez fait, ressenti, pensé et cru à cette occasion. Pour vous guider à travers les observations que vous devez faire sur votre enfant, nous avons préparé un tableau que vous trouverez à la page suivante. Quand vous aurez terminé et enregistré toutes ces observations, vous pourrez identifier les comportements manipulateurs précis de votre enfant, ainsi que vos propres points aveugles.

Ces renseignements en mains, vous pourrez alors commencer à procéder aux ajustements nécessaires pour prévenir les manipulations, ce puissant moyen d'évitement qui peut transformer la joie d'être parent en cauchemar.

TABLEAU D'OBSERVATION DES INTERACTIONS MANIPULATRICES

La situation	Ce qu'a fait mon enfant	Ma réponse	Ce que je tentais d'éviter (pensées, sentiments, croyances)
J'ai demandé à Daniel, six ans, de sortir le bac à recyclage.	Il tentait de gagner du temps en marchant lentement.	Je lui ai dit plusieurs fois d'accélérer mais il ne l'a pas fait. Alors je l'ai aidé.	Je risquais d'être en retard.
Maggie, élève de troisième année, devait me lire dix pages de son livre de lecture.	Elle trébuchait sur les mots; elle s'est énervée; les larmes lui sont montées aux yeux.	Je l'ai aidée, lui ai donné des indices, ai décomposé les mots et l'ai beaucoup félicitée.	Elle me crevait le cœur. Je craignais qu'elle ne se sente frustrée et ne veuille plus jamais apprendre à lire.
Je faisais des courses avec Jonathan, six ans. Il voulait un jouet et je lui ai dit non. Nous n'avions pas assez d'argent.	Il a commencé à faire une crise. Il s'est jeté sur le sol en criant «je veux l'avoir!».	J'ai fait un marché avec lui. Je lui achèterais un jouet moins cher que celui-là à condition qu'il se comporte correctement.	Il a fait des crises terribles dans ce magasin. Que vont penser les gens? Et puis, je peux bien le récompenser pour sa bonne conduite!

TABLEAU D'OBSERVATION DES
INTERACTIONS MANIPULATRICES (suite)

La situation	Ce qu'a fait mon enfant	Ma réponse	Ce que je tentais d'éviter (pensées, sentiments, croyances)
Annette, quatre ans, ne voulait pas aller se coucher. Elle a peur du noir.	Elle est sortie de son lit, pleurant et tremblant. Elle me suppliait de me coucher avec elle.	Je me suis allongée à côté d'elle sur le lit jusqu'à ce qu'elle soit endormie.	Je ne supportais pas ses pleurs. Je me sentais tellement malheureuse pour elle. Comment aurais-je pu la forcer à rester seule dans son lit alors qu'elle avait tellement peur? Son père était en train de se mettre en colère à cause du bruit.
Phillip, treize ans, élève brillant, se plaignait que le devoir qu'il avait à faire était ennuyeux.	Il prétendait qu'il connaissait tout ça et n'avait pas besoin de faire ce travail.	J'ai regardé son devoir et vérifié ses connaissances. Il connaissait réellement la matière. Je lui ai dit qu'il n'était pas obligé de faire son devoir et que j'appellerais le professeur pour lui expliquer.	Si j'insiste, la discussion n'en finit plus. En l'obligeant à faire du travail ennuyeux, je craignais aussi de le dégoûter de l'école.

La réaction de vos enfants aux situations problématiques

Regardez le tableau. Les deux premières colonnes ont pour titre «La situation» et «Ce qu'a fait mon enfant». En utilisant ce modèle, inscrivez d'abord les situations qui posent des problèmes récurrents. Quand un problème survient, observez votre enfant et inscrivez ce qu'il fait. Préoccupez-vous tout particulièrement des situations décrites ci-dessous.

La désobéissance

La question de la désobéissance se pose chaque fois qu'on demande à un enfant de faire quelque chose, qu'il s'agisse de sortir les ordures, de mettre son assiette dans l'évier ou de venir dîner. Tout comportement autre que celui qui est demandé doit être considéré comme désobéissance et mérite d'être inscrit sur la liste. Par exemple, votre enfant peut discuter, demander un délai ou ignorer complètement votre demande. Vous pouvez aussi demander à votre enfant *d'arrêter* de faire quelque chose comme de se bagarrer, de tourmenter ses frères et sœurs ou de jouer avec la télécommande. Si votre enfant n'accède pas à votre requête, il est désobéissant. Si un enfant ne peut accepter qu'on lui réponde «non» et essaie de faire en sorte que le «non» se transforme en «oui» en discutant, en pleurant, en piquant une crise ou simplement en ignorant ostensiblement votre décision, il est désobéissant. La plupart des comportements de ce genre sont manipulateurs.

La persévérance

La persévérance consiste à ne pas abandonner une tâche avant d'en être venu à bout. La question se pose lorsqu'un enfant a préalablement accepté de faire quelque chose. Par exemple, supposons que vous ayez demandé à votre enfant de ranger sa chambre. Il semble accepter et va dans sa chambre, mais une fois là il ne va pas plus loin que les legos éparpillés dans la pièce : le travail de nettoyage devient un jeu de construction, les vêtements sales étant purement et simplement ignorés, fourrés dans un tiroir ou cachés sous le lit. Lorsqu'un enfant manque de persévérance, il y en a généralement de nombreux exemples : le travail ménager n'est jamais terminé, l'habillage pour l'école exige des remarques et des rappels répétés et lui faire pelleter la neige devant la maison vous demande plus d'énergie que de le faire vous-même.

Respecter les règlements de la maison

Les enfants peuvent enfreindre les règlements de la maison de deux façons différentes : en ne faisant pas ce qui est demandé ou en faisant quelque chose qui est interdit. Par exemple, ils peuvent omettre de tirer la chasse d'eau après avoir utilisé les toilettes, ne pas faire leur part du travail ménager, mentir pour se disculper, utiliser le téléphone alors que c'est interdit, faire du bruit pendant que quelqu'un dort, taper sur les meubles ou rester trop longtemps sous la douche.

Situations émotives

Les émotions fréquemment exprimées par votre enfant – anxiété, crainte, appréhension, tristesse, désespoir, colère ou culpabilité – devraient vous mettre la puce à l'oreille. Elles sont souvent manipulatrices. Le fait d'avoir observé ou d'anticiper une manifestation d'émotion chez votre enfant peut vous amener à vous préoccuper excessivement des émotions susceptibles de provoquer chez votre enfant certaines situations. Par exemple, si vous savez que votre enfant risque d'être anxieux ou craintif face à une situation nouvelle, vous pouvez essayer de le préparer d'avance par des encouragements ou des promesses de récompense en échange de sa coopération plutôt que de simplement le soutenir pendant l'expérience, en ayant confiance dans ses possibilités. Plutôt que d'y aller carrément, les enfants «bien élevés» et les petits séducteurs ont souvent recours à des moyens détournés pour en arriver à leurs fins. Ils préfèrent «embobiner» les gens que les agresser, évitant ainsi tout risque d'échec ou de désapprobation.

La tristesse, la frustration et la colère fonctionnent de la même manière et provoquent de vives réactions de la part des adultes qui ont de la difficulté à laisser un enfant expérimenter ces émotions. La culpabilité de l'adulte le dispose à se faire manipuler et l'enfant obtient ainsi ce qu'il veut.

La liste suivante passe en revue des comportements que les enfants utilisent couramment en réponse aux situations problématiques, pour éviter d'obéir ou remettre à plus tard ce qu'ils ont à faire. On remarquera que, même si un comportement est placé en face d'une situation donnée, il peut également servir dans d'autres. Par exemple, le fait de discuter est placé dans les comportements de désobéissance, mais un enfant peut aussi discuter pour éviter une situation anxiogène ou dans d'autres situations.

COMPORTEMENTS UTILISÉS POUR ÉVITER QUELQUE CHOSE

Comportements de désobéissance

Pleurer ou pleurnicher.

Piquer une crise.

Discuter.

Ignorer la demande.

Refuser d'obéir.

En faire à sa tête.

Remettre à plus tard.

Refuser d'arrêter.

User de séduction.

User de violence physique.

Ne pas prendre «non» pour dit.

Comportements d'exigence

«Fais-le tout de suite!»

Harceler après un refus.

Pleurnicher, pleurer et piquer des crises.

Menacer.

EXEMPLES ET SITUATIONS D'ORDRE GÉNÉRAL

Valeur familiale	Réponse de l'enfant
Faire de son mieux.	Renonce facilement.
Respecter les autres.	Fait des remarques irrespectueuses.
Être honnête.	Vole ou ment.

Règle familiale	Réponse de l'enfant
Ne pas utiliser le téléphone après 21 h.	Appelle un ami après 22 h.
Tirer la chasse d'eau.	Ne tire pas la chasse d'eau.

Comportements occasionnels

Commence le travail ménager, puis abandonne pour regarder la télévision.

Se laisse distraire par d'autres activités.

Renonce à faire des choses qu'il est parfaitement capable de faire.

Comportements d'agression

Se bat, mord ou donne des coups de pied.

Utilise la menace physique.

Comportements d'anxiété, de crainte ou d'appréhension

Se renferme face à une situation anxiogène.

Supplie : «Ne me laisse pas seul!»

Se plaint de douleurs physiques.

Fait des excuses.

Crie de façon hystérique.

Manifeste de la panique ou de la timidité.

A des tremblements.

Fuit les stimuli dont il a peur.

Utilise la séduction (se tortille en marchant, par exemple).

Cherche sans cesse à se faire rassurer : («Crois-tu que je vais y arriver?»).

Comportement parfait.

Manifestations de tristesse

Ne sourit pas.

Broie du noir.

Fait la tête.

Pleure.

Est apathique ou fatigué.

Passivité agressive

Accepte de coopérer, mais n'en fait ensuite qu'à sa tête.

Se montre charmeur ou excessivement affectueux.

«J'ai oublié...»

Culpabilité

Demande aux autres de le décharger de ses sentiments de culpabilité.

Blâme les autres pour ses erreurs.

Vos comportements d'évitement

Ce résumé des moyens utilisés par votre enfant pour éviter les situations qui lui déplaisent va vous permettre de voir ce que vous faites, vous, pour permettre à votre enfant de vous manipuler. Il y a, en gros, trois catégories de comportements de ce type :

1. L'action des parents facilite une réduction de l'anxiété ou des désagréments provoqués par la situation. Par exemple, après que l'enfant s'est plaint de la masse de travail nécessaire pour nettoyer sa chambre, ses parents l'aident ou diminuent leur niveau d'exigence.

2. L'action des parents permet à l'enfant de remettre à plus tard ce qui lui déplaît. Par exemple, après avoir déjà manqué trois jours d'école, John promet à sa mère qu'il ira à l'école demain sans faute si elle l'autorise à manquer encore aujourd'hui et sa mère lui permet de rester à la maison.

3. L'action des parents élimine purement et simplement la situation problématique. Par exemple, plutôt que de provoquer un conflit en demandant à l'enfant de faire son travail, les parents le font pour lui.

Finalement, écrivez ce que vous essayez d'éviter dans chaque situation. Il est probable qu'à l'origine de toutes les réponses de votre part qui ont permis à votre enfant de vous manipuler, il y avait quelque chose que vous tentiez d'éviter. En observant les interactions entre vous et votre enfant, demandez-vous : «Est-ce que je fais ça simplement pour éviter une situation désagréable? Laquelle?» En identifiant les craintes, la détresse et la culpabilité qui vous conduisent à laisser l'enfant vous manipuler, vous pourrez commencer à identifier vos «points aveugles».

Vos «points aveugles»

Il s'agit des faiblesses cachées – pensées, sentiments ou croyances – qui permettent à votre enfant de vous manipuler. Ce sont comme des boutons sur lesquels il peut presser à volonté. Quand un enfant tente d'éviter quelque chose, les parents peuvent avoir une réaction émotionnelle accompagnée d'un flot de pensées et de croyances qui, tout ensemble, peuvent servir à justifier tant le comportement de l'enfant que leur propre réponse. Dès que l'émotion est ressentie, le processus de rationalisation, de justification et d'aveuglement volontaire se déclenche. Certains points aveugles sont le résultat d'un système de croyances qui a sa source dans des expériences vécues : événements datant de notre propre enfance, choses apprises avec nos parents, éducation, choses vues ou entendues dans les média, expériences vécues avec l'enfant lui-même. Quelle que soit leur origine, ces croyances peuvent être exploitées par l'enfant, et ce, d'autant plus efficacement qu'elles s'accompagnent d'une réaction émotionnelle.

On demande, par exemple, à Albert, neuf ans, de sortir les poubelles. Il proteste vivement en prétendant que c'est lui qui fait tout le travail dans la maison et que son frère n'a rien à faire. Sa mère, Theresa, se dit : «Il est vraiment fatigué et grognon ce soir», et lui propose de le faire à sa place. Sa réaction émotionnelle devant la colère de son fils la conduit ainsi à trouver une justification à son comportement.

D'autres fois, les sentiments, les pensées et les croyances des parents peuvent être utilisées par ces derniers pour justifier consciemment des actions qui permettent à l'enfant de les manipuler. Sarah, trois ans, a été mise au lit. On lui a lu une histoire, fait un câlin et un baiser et on l'a bordée. Dix minutes plus tard, elle est levée et se plaint qu'il y a des fourmis géantes dans sa chambre. La mère de Sarah, un peu ennuyée par sa frayeur, pense : «Je ferais mieux d'aller m'allonger avec elle. Sinon elle va rester debout toute la nuit, et je suis épuisée. Je ne suis pas capable de supporter ça, ce soir.» Et elle se couche à côté de Sarah jusqu'à ce que celle-ci soit endormie. En justifiant ainsi sa réaction, la mère de Sarah donne à celle-ci la possibilité de la manipuler. Avec un peu d'expérience, les enfants développent une perception très fine de ce qu'il faut faire pour manipuler leurs parents.

«Points aveugles» les plus courants

Voici une liste de neuf sentiments ou croyances dont nous ont souvent fait part des parents et qui ont été exploités par leurs enfants pour les manipuler. Nous ne prétendons pas connaître votre expérience particulière et la liste que nous proposons n'est pas exhaustive, mais nous espérons qu'elle vous aidera à identifier les caractéristiques qui vous rendent vulnérables avec vos propres enfants. Chaque «point aveugle» est suivi de suggestions pour remédier à la situation.

1. LA PEUR DE PERDRE L'AFFECTION DE L'ENFANT

Certains parents justifient le fait de se laisser manipuler par leur enfant par la crainte de perdre leur affection. Cette peur devient un puissant levier dans les mains de l'enfant qui comprend vite qu'à la moindre crainte à ce sujet ses parents s'empresseront de diminuer sa tâche, justifiant aussi bien leur réaction que le comportement de l'enfant par des réflexions comme : «Si je ne fais pas ce qu'il me demande, il ne m'aimera plus», «Quel mal y a-t-il à faire ce qu'il veut?», «Il a l'air si malheureux, je ne peux pas supporter ça!», «Après tout les règles sont faites pour être brisées : mieux vaut briser une règle que briser un cœur!» ou «Ça n'a aucun sens de gâcher notre relation pour un truc aussi stupide». Tout ça pour éviter le risque imaginaire de perdre l'affection de l'enfant!

Les parents divorcés ou séparés sont particulièrement vulnérables à ce genre de crainte, surtout les parents occasionnels. Ceux-ci peuvent aisément devenir des parents «Disneyland», prêts à faire n'importe quoi pour faire plaisir à leurs enfants et répugnant à leur imposer des règles ou à risquer des conflits pendant le peu de temps qu'ils passent avec eux.

La crainte de perdre l'affection de son enfant est généralement non fondée. Tous les parents, à l'occasion, peuvent déplaire à leurs enfants, aussi bien éduqués soient-ils, et leurs décisions ne peuvent être toujours bien accueillies. Mais si vous acceptez que la manipulation envahisse votre vie, vous finirez par perdre le respect de votre enfant, et même son affection. Efforcez-vous d'abord de gagner le respect de votre enfant, l'amour suivra, et non l'inverse. Certes, on ne peut garantir que l'élimination des comportements de manipulation conduira votre enfant à vous aimer, mais l'expérience prouve qu'il y a de bonnes chances pour cela.

Une jeune femme à laquelle nous avons eu affaire, du nom de Mélanie, avait eu une adolescence épouvantable : drogue, alcool, aventures sexuelles, problèmes avec la loi. Sa mère, seule et divorcée, avait adopté une approche «dure» en dépit de sa crainte de perdre sa fille pour toujours et des risques réels que cette attitude comportait pour la santé physique de Mélanie. Pendant sept ans, elle a refusé de lui laisser franchir la porte si elle était sous l'effet d'une drogue quelconque. Son amour pour Mélanie n'était pas en question, mais elle refusait d'être complice de son comportement d'autodestruction. Elle forma un groupe de soutien autour d'elle et ne céda jamais à la tentation d'essayer de se faire aimer par sa fille. Elle savait que celle-ci n'était pas capable d'aimer les autres, mais seulement de les utiliser. Mélanie a fini par revenir chez elle et, trois années plus tard, elle est maintenant une des meilleures étudiantes d'un collège prestigieux. Comme elle nous l'a elle-même déclaré, elle savait que sa mère serait toujours là, mais que les règles ne changeraient pas quoi qu'il arrive. «Je sais que la cause de mes problèmes est liée au divorce de mes parents, au fait que mon père ne se souciait pas de moi et à la manière dont j'ai été élevée. Mais ce qui m'a permis de m'en sortir, c'est la façon dont ma mère a tenu bon année après année.» Et sans cesse nous entendons le même refrain de la part de jeunes adultes qui ont été des enfants et des adolescents manipulateurs et doivent maintenant faire face aux conséquences : «Je voudrais que mes parents m'aient obligé à suivre les règles lorsque j'étais jeune. Je n'en serais pas là aujourd'hui!»

Quelle que soit la crainte des parents séparés ou divorcés de perdre l'amour de leur enfant, ils doivent savoir qu'à long terme ce sont les parents qui imposent des limites à leurs enfants qui réussissent à établir avec eux une relation stable d'affection. Il ne fait aucun doute qu'un ex-conjoint hostile peut dresser de nombreux obstacles entre vous et l'enfant, mais ceux-ci ne sont rien à côté de ceux que vous pouvez vous-même créer si vous vous laissez manipuler. Si vous perdez le respect de votre enfant, jamais l'amour ne pourra s'épanouir. Il y a une ligne à ne pas franchir : traitez votre enfant avec respect et avec amour mais ne le laissez pas vous manipuler. Apprenez-lui à respecter votre force et votre caractère et laissez l'amour se développer de lui-même.

2. Mauvais moments et mauvais endroits

Les enfants ont mille et une façons de mettre leurs parents mal à l'aise quand ils s'y attendent le moins. Ils se comportent de façon désagréable en public, quand vous êtes au téléphone, que vous tentez de parler avec quelqu'un ou quand vous êtes pressé. Le plus mauvais moments pour vous est le meilleur pour une tentative de manipulation. Il vous est sûrement arrivé d'être embarrassé à un moment ou à un autre par le comportement de votre enfant en public et vous avez probablement élaboré toutes sortes de stratégies pour éviter que ça ne se reproduise, qu'il s'agisse de lui donner ce qu'il veut ou de négocier pour finalement dire «oui» alors que vous auriez dû dire «non». Les enfants apprennent très tôt que le temps les sert losqu'ils négocient avec leurs parents. Vous vous êtes peut-être déjà trouvé dans ce genre de situation : votre fille de dix-huit ans est en train de regarder tranquillement un dessin animé alors qu'elle devrait être en train de s'habiller pour l'école. Vous lui dites alors de se dépêcher, faites son lit à sa place et la menacez des pires conséquences si elle ne se décide pas. Vous pensez peut-être : «Que puis-je faire d'autre? Ce n'est pas maintenant que je vais lui apprendre à faire les choses correctement.» Ou peut-être que votre stratégie consiste à offrir des récompenses pour encourager votre enfant à se comporter comme il faut et que vous vous promenez en permanence avec un sac de friandises...

Daniel et sa famille sont un bon exemple de ce type de problème. Daniel venait d'avoir six ans et il était parfaitement capable de s'habiller, ce qu'il avait d'ailleurs fait pendant quelque temps. Un matin son père arriva dans sa chambre et le trouva en train de jouer au lieu de s'habiller. «Daniel, dit-il, tu dois t'habiller et il faut que tu aies fini lorsque je sors de la douche.» Daniel fut prêt avant même que son père soit sous la douche. Il était complètement habillé, à l'exception de ses chaussures qui n'étaient pas lacées. Au cours des deux semaines suivantes, la même scène se répéta et Daniel commença à traîner un peu plus chaque jour. Au bout d'un mois, plusieurs visites dans sa chambre étaient devenues de règle. Le père de Daniel se justifiait en se disant : «J'ai deux enfants qui doivent être habillés et prêts à temps. J'ai des rendez-vous et je ne peux pas être en retard» ou «Ce T-shirt a une encolure trop étroite, et il a du mal à l'enfiler». Mais Daniel lambinait de plus en plus et il fallait des rappels à l'ordre de plus en plus nombreux et de plus en plus forts pour obtenir qu'il s'habille. Finalement, un matin, lorsque son père entra dans la chambre, il s'aperçut qu'en vingt-cinq minutes Daniel n'avait réussi qu'à enlever son pyjama et à enfiler une jambe de son caleçon! Il était allongé tranquillement, à moitié nu et examinait les ressorts de son lit... Le père de Daniel se rendit compte alors qu'il ne pouvait pas plus longtemps justifier le comportement de Daniel – et le sien – et qu'il allait devoir faire ce qu'il avait, en fait, toujours pensé qu'il fallait faire. Cela lui demanda un peu d'organisation : tout le monde dut se lever plus tôt, mais après une application répétée de la méthode «Arrêt-pause-réorientation» (expliquée en détail au chapitre 7) et l'abandon de toute espèce de justification, Daniel apprit rapidement à devenir efficace et ponctuel.

Les parents qui se trouvent piégés par le caractère inconvenant d'une situation rendent les choses plus problématiques encore en changeant leurs manières de faire habituelles. Souffrir d'une gêne passagère au supermarché, dire à quelqu'un qu'on le rappellera plus tard ou arriver en retard au travail sont en fait d'excellents investissements, qui peuvent rapporter des dividendes considérables au cours des années.

Si vous avez ce genre de problème, il est toujours possible de les résoudre avec un peu d'organisation. Si votre enfant a tendance à lambiner, commencez quinze minutes plus tôt. Si vous avez des problèmes en public, essayez d'aller au magasin quelquefois à des moments où le temps ne vous presse pas à titre d'essai. Programmez un faux appel téléphonique, et chaque fois que votre enfant vous interrompt, reposez l'appareil téléphonique et appliquez la méthode décrite au chapitre 7. Si vous adoptez dès le départ une bonne ligne de conduite avec votre enfant, vous économiserez un nombre incalculable d'heures à l'avenir.

3. Sentiments déclenchés par les émotions des enfants chez les parents

Les pleurs d'un enfant, ses mouvements de panique ou ses crises de colère rendent ses parents malheureux et vulnérables à la manipulation. On rationalise facilement dans ce cas : «Je faisais la même chose quand j'étais jeune», «Je me souviens comment je me sentais mal quand mes parents m'ont fait prendre des leçons de natation, je ne veux pas faire ça à mon fils» ou «Je ne peux pas demander à mon enfant de supporter ça, c'est trop horrible». La peur, la culpabilité, l'anxiété ou le remords peuvent conduire les parents à modifier les règles et à se faire manipuler. Leurs rationalisations peuvent ressembler à ceci : «Sortir les poubelles n'est pas assez important pour justifier une bataille pareille. Quel effet cela peut-il avoir sur lui lorsque j'insiste et que je provoque sa colère? D'ailleurs, il n'est pas bon pour sa sœur de le voir dans un tel état.» Quand l'enfant fait face à une situation qu'il redoute, les parents peuvent avoir le sentiment qu'ils l'ont abandonné ou qu'ils ne lui procurent pas suffisamment de sécurité. Ils peuvent craindre que cette perte de sécurité momentanée ne menace son estime de soi. Dans ce cas, ils peuvent devenir le *moyen* utilisé par l'enfant pour faire face à la situation plutôt qu'un *appui* pour celui-ci.

Si vous vous sentez triste, anxieux, irrité ou coupable face aux réactions de votre enfant, demandez-vous : si je ne m'occupe pas de ce problème maintenant, si je donne un sursis à mon enfant, quel en sera l'effet à long terme? En général, les choses vont aller de plus en plus mal. Il vaut mieux régler les problèmes sur-le-champ car, sans cela, ils risquent d'empirer et de devenir insolubles. Mais rappelez-vous que lorsqu'on met fin à un comportement manipulateur, il faut s'attendre à une explosion d'émotions négatives et que cela est rarement facile. Mais plus tôt vous commencerez, moins ce sera difficile. Si vous vous sentez coupable lorsque votre enfant est malheureux et que vous renoncez à corriger son comportement, il trouvera toutes sortes de moyens pour faire en sorte que vous vous sentiez coupable. Ne sacrifiez pas ce que vous savez être bon pour l'enfant à un instant de bonheur ou de tranquillité.

4. LA PEUR DE SE LAISSER DOMINER PAR LA COLÈRE

Les parents ont parfois peur de perdre le contrôle d'eux-mêmes, de se laisser dominer par la colère et de faire du mal à leur enfant, ce qui les conduit à être velléitaire et à ne pas affronter le problème, souvent sans même en avoir conscience. Le père de Robert a un tempérament explosif qu'il a du mal à contrôler. Il lui est arrivé d'être battu par son père et il a peur de faire de même avec son fils. Robert a également un caractère assez vif et ses camarades se sont vite aperçus qu'il était facile de le mettre en colère. Après le troisième coup de fil de l'école à propos du comportement agressif de Robert, son père a commencé à critiquer le manque de surveillance : « Je ferais pareil si j'étais sans arrêt provoqué par les autres, pas vous?» Il était effrayé à l'idée d'un affrontement avec son fils et incapable de lui apprendre à contenir sa colère autrement. Nous lui avons alors appris à écarter l'enfant calmement quand celui-ci se mettait en colère et, finalement, Robert a appris à le faire de lui-même. Et une fois qu'il eut appris à agir de cette façon avec les autres enfants, c'en fut fini de ses problèmes d'agressivité.

Si vous pensez que vous risquez de perdre le contrôle et de faire du mal à votre enfant, demandez de l'aide à quelqu'un, qu'il s'agisse d'un psychologue, d'un psychiatre, d'un prêtre, d'un pasteur ou simplement d'un ami. Agissez dès maintenant. Apprenez à contrôler votre colère et à vous y prendre autrement avec vos enfants : c'est le seul moyen d'éviter la violence. De plus, réagir par la colère à un comportement de manipulation marche seulement à court terme car cela n'apprend rien à l'enfant. Et surtout, ce type de réaction met en marche un véritable cercle vicieux : le niveau de colère mis en œuvre doit nécessairement augmenter d'une fois à l'autre, conduisant presque inévitablement à des actes de violence. Si vous ne pouvez contrôler votre colère, retirez-vous jusqu'à ce que vous soyez calmé. Apprenez à agir tranquillement *avant* d'être en colère car plus longtemps vous tolérerez un comportement qui vous déplaît, plus vous serez en colère.

5. LE MANQUE DE CONFIANCE EN SOI

À cause de leur anxiété, des parents qui n'ont pas confiance dans leurs capacités sont une proie de choix pour un enfant manipulateur. Ce genre de parents pense qu'ils doivent toujours faire «ce qu'il faut», sans quoi leurs enfants seront «marqués» pour toujours. Leur anxiété les paralyse et ils préfèrent ne pas répondre au comportement manipulateur de leur enfant, de crainte de mal s'y prendre.

Si vous manquez de confiance en vous, vous serez peut-être rassuré de savoir qu'élever un enfant n'est facile pour personne. Les auteurs de ce livre peuvent en témoigner, en tant que professionnels comme en tant que parents : à nous deux, nous totalisons plus de quarante années de travail auprès des parents et nous sommes nous-mêmes parents depuis trente-cinq années au total. Non seulement élever des enfants n'est pas facile en général mais élever certains enfants constitue un véritable défi, même pour les parents les plus expérimentés et les plus confiants. Il n'y a pas de manière unique de s'acquitter de cette tâche, mais il y a quelques principes à respecter (voir les chapitres 7 et 8). Si vous faites ce que vous pensez juste de façon constante, sans vous laisser ni harceler, ni culpabiliser, ni entraîner dans des discussions au point d'y renoncer et si vous êtes capable de soutenir l'enfant quand il s'efforce de résoudre ses problèmes, votre confiance en vous grandira. Il n'est pas nécessaire d'être parfait : une petite erreur ne marquera pas votre enfant à vie. Par contre, si vous le laissez vous manipuler des années durant parce que vous manquez de confiance en vous, cela pourrait bien influencer son comportement de manière définitive.

6. Parents surchargés

Les parents qui sont débordés de travail et dont l'emploi du temps est surchargé peuvent avoir du mal à venir à bout d'un comportement manipulateur. Nous entendons, par exemple, les réflexions suivantes : «J'aime mieux faire la vaisselle que de m'embarquer dans une bagarre», «Je n'ai tout simplement pas le temps de passer la nuit à m'occuper d'elle» ou «Ça va plus vite de le faire moi-même». Ces parents surestiment l'effort et le temps requis pour corriger un comportement et sous-estiment leurs propres capacités. Les parents qui sont stressés par leurs conditions de vie ou par des problèmes financiers ou familiaux peuvent renoncer en disant : «Je n'y arrive pas», «J'ai besoin de temps pour moi», «Je suis trop fatigué» ou «Je suis trop énervé».

Certains parents peuvent aussi avoir des problèmes cliniques, comme la dépression, par exemple. Si vous vous reconnaissez dans ces descriptions, vous avez peu de chances de progresser dans vos relations avec votre enfant si vous ne vous occupez pas d'abord de vos propres problèmes et n'établissez pas clairement des priorités.

7. CROYANCES PARENTALES

Quand les comportements d'évitement d'un enfant s'insèrent dans le système de croyances de ses parents, la manipulation fleurit. Si, par exemple, vous croyez qu'il est de votre devoir d'assurer le bonheur de votre enfant, il sera triste, renfermé ou coléreux. Certains parents pensent qu'ils doivent donner à leurs enfants plus qu'ils n'ont eux-mêmes reçu quand ils étaient jeunes. Mais les parents qui se sont ainsi promis d'agir différemment de leurs propres parents risquent de se faire manipuler... Par exemple, un père qui se rappelle avec amertume l'attitude distante de son propre père tendra à compenser, pensant : «Contrairement à mon père, je vais passer beaucoup de temps avec mes enfants.» Ce père pourrait alors devenir le meilleur compagnon de jeu de son enfant, une situation peu souhaitable pour ce dernier, qui doit plutôt apprendre à négocier avec des camarades de son âge. Nous voyons beaucoup d'enfants avoir des problèmes à l'école parce qu'ils sont devenus dépendants par rapport aux adultes et ne savent pas se comporter avec leurs camarades.

Les parents peuvent aussi être piégés par le fait de considérer un comportement donné comme correspondant à une «étape». Au cours de leur seconde année, les enfants sont autorisés à mal agir parce que celle-ci a la réputation d'être une année «terrible»; on les autorise à mettre la maison sens dessous dessus au cours de leurs disputes avec leurs frères et sœurs parce que tout le monde sait que cette rivalité est naturelle; on n'impose pas de limites à un petit enfant parce qu'il ne peut les comprendre. Ainsi, ces enfants n'apprendront pas à se comporter de manière adaptée parce que leurs parents se sont dispensés de mettre fin à leurs comportements inadéquats. Si votre enfant traverse des étapes difficiles, c'est l'occasion de lui apprendre comment se comporter correctement. Tout ne va pas s'arranger du simple fait qu'il grandit et franchit une «étape». Les parents et enseignants croient souvent qu'apprendre doit être agréable, que si l'enfant n'aime pas ça il ne continuera pas. Mais apprendre est souvent difficile, c'est souvent un dur travail. La découverte est excitante et l'utilisation de ses compétences pour explorer un sujet peut être amusante mais l'acquisition des techniques de base l'est rarement : le déchiffrage de l'écriture, l'apprentissage des bases du calcul et la mémorisation des faits sont des tâches ingrates. Mais la vie est pleine de tâches ingrates que nous devons accepter! La croyance selon laquelle apprendre doit être agréable a en fait paralysé notre système éducatif et peut handicaper sérieusement vos efforts d'éducation.

Réexaminez vos croyances. Si vous voulez rendre vos enfants heureux, pensez à ceci : le bonheur n'est pas quelque chose que vous devez donner à vos enfants, c'est *leur* affaire. Tout ce que vous pouvez faire comme parent, c'est d'aider votre enfant à acquérir les compétences nécessaires pour s'adapter au monde dans lequel il vit. Il sera ainsi équipé pour trouver son propre bonheur.

Réexaminez les expériences difficiles de votre propre enfance : Quel était le problème? Y étiez-vous mal préparé? Vos parents étaient-ils finalement si énervés qu'ils perdaient tout contrôle? Votre éducation était-elle trop rigide, arbitraire ou dictatoriale? Ou s'agissait-il réellement d'un manque d'attention et d'amour? Les premières explications sont les plus plausibles. Certes, on doit apprendre de ses expériences, mais il n'est pas sain de prendre aveuglément le contre-pied de l'éducation qu'on a soi-même reçue.

Serions-nous en train de développer tout d'un coup un argument *contre* le contrôle de la manipulation par les parents? Pas du tout. Nous suggérons seulement que certaines méthodes peuvent être pires que le mal auquel elles sont censées remédier. Il n'est pas nécessaire, pour mettre fin à un comportement d'évitement, d'agir avec rudesse ou de manière arbitraire et dictatoriale. En fait, nous suggérons l'inverse : il faut agir de façon calme et sans faire de chantage émotif. Les règles doivent être cohérentes dans le temps et appliquées de manière égale à tous les membres de la famille.

Les parents qui se sentent coupables parce qu'ils veulent donner à leurs enfants plus que ce qu'eux-mêmes possèdent devraient s'asseoir et examiner ce qu'ils ont réellement et comment ils l'ont obtenu, notamment ce qui leur procure un sentiment d'accomplissement et de réussite. La plupart du temps, vous êtes arrivé là où vous en êtes à force de travail, de persévérance et grâce à la certitude que vous *pouviez* y arriver. Les manques que vous avez ressentis dans votre enfance peuvent vous avoir donné l'impulsion nécessaire pour acquérir les compétences qui vous ont permis d'obtenir ce que vous avez aujourd'hui. Ce sont les problèmes rencontrés alors qui vous ont appris à mobiliser toute votre astuce et à mettre tous vos efforts pour surmonter l'adversité.

Si vous vous êtes laissé convaincre qu'un comportement est normal à une étape donnée ou que l'enfant doit avoir une parfaite compréhension verbale des règles qu'on lui impose, vous devriez peut-être examiner ces croyances de plus près. S'il est vrai que les enfants semblent passer à travers différentes étapes au cours de leur développement, il est faux qu'ils puissent surmonter d'eux-mêmes leurs comportements manipulateurs, c'est même l'inverse. Les comportements ne disparaissent pas simplement avec le temps et avec l'évolution du cerveau, ils changent parce que l'enfant apprend ce qui est acceptable ou non, qu'il en vient à s'adapter aux limites imposées par ses parents. C'est le fait d'avoir à s'ajuster aux règles qui lui enseigne progressivement le comportement adéquat. Pour cela, les enfants n'ont pas besoin de posséder une parfaite compréhension du langage, car l'apprentissage des règles n'est pas seulement verbal : la plupart des choses que nous faisons journellement sont de l'ordre de l'habitude et ne font pas appel à notre compréhension. Inversement, savoir ce qu'il faut faire ne signifie pas qu'on *va* le faire. Le «petit monstre» de deux ans peut devenir un «petit ange» à trois ans en apprenant à se conformer aux attentes de ses parents, même sans support verbal. Et les frères et sœurs qui résolvent leurs conflits calmement et sans agressivité l'ont appris par l'expérience, à cause de l'insistance de leurs parents.

8. LA CULPABILITÉ FACE AUX CONTRAINTES IMPOSÉES AUX ENFANTS

Les parents peuvent aussi ressentir de la culpabilité à la suite d'événements dont ils savent qu'ils sont peut-être traumatisants pour les enfants, comme un divorce, une adoption, une maladie, un diagnostic de problèmes d'apprentissage, la mort d'un parent, un remariage ou des difficultés financières. Sachant que l'enfant a été bouleversé par ces événements, les parents considèrent que sa mauvaise conduite est excusable, voire normale, dans les circonstances. Quand l'enfant a un comportement inacceptable, les parents ont tendance à le rationaliser et à le justifier : «Je le comprends. Comment pourrait-il en être autrement avec tout ce qui lui est arrivé?», «Comment pourrait-elle se comporter autrement après avoir été si malade?», «Elle agit comme ça parce que je n'ai pas assez d'argent pour lui offrir les petits extras que les autres enfants peuvent se payer.» Ou encore : «Si mon "ex" passait un peu plus de temps avec lui, il ne serait pas aussi insupportable.» Sous le poids des sentiments de culpabilité, les règles sont ainsi modifiées, les attentes diminuées et on laisse finalement l'enfant manipuler les autres à sa guise.

Bert et sa famille en sont un excellent exemple. Nous avons fait la connaissance de Bert, âgé de dix ans, un an et demi après qu'il eut été hospitalisé pendant deux semaines à la suite d'un sérieux malaise de santé. Au bout d'un mois de convalescence, sa santé s'est rétablie, mais il était très déprimé. Il se montrait triste, irritable, et irrespectueux en famille. Ses résultats scolaires dégringolèrent. Il devint raisonneur et désobéissant. Mentionnant que ses problèmes avaient commencé avec son hospitalisation, sa mère nous expliqua : «Son père et moi étions si malheureux pour lui! Nous avons pensé que ce n'était pas le moment de nous occuper de son comportement alors qu'il était si malade. Nous pensions qu'il avait besoin de plus d'attention et nous avons passé autant de temps que possible avec lui.» Tant que les choses allèrent comme il voulait, Bert fut content, mais quand il n'en fut plus ainsi il devint irritable et exigeant et ses parents se mirent à faire pour lui des choses qu'il était parfaitement capable de faire lui-même, notamment le travail ménager et son travail scolaire.

Pendant sa maladie et sa convalescence, les règles avaient changé : des comportements inacceptables étaient désormais acceptés – et Bert en eut de plus en plus. De surcroît, les parents de Bert prirent l'habitude de justifier ses comportements par toutes sortes de raisons : «Il avait l'air si mal en point, ce soir», «C'est un mauvais jour pour lui» ou «Pour Bert, c'est différent, nous avons failli le perdre.»

Pour traiter la dépression de Bert, nous nous sommes d'abord attachés à venir à bout des «points aveugles» de ses parents. Il fallait qu'ils cessent de justifier, de rationaliser et d'excuser tous les comportements de Bert sous prétexte qu'il avait été malade dix-huit mois auparavant. En autorisant Bert à se conduire à sa guise, ils ne lui faisaient pas une faveur mais rendaient les choses encore pires. Heureusement, les parents suivirent nos conseils et cessèrent d'excuser son comportement. Ils mirent fin à ses manipulations et en un temps remarquablement court, son attitude s'améliora, sa dépression cessa, ses résultats scolaires s'améliorèrent et il se refit des amis. Ses parents décrivaient ainsi les changements advenus dans le comportement de Bert : «C'était comme si on lui avait retiré un poids sur les épaules.»

9. CONFLITS ENTRE LES PARENTS

Un autre cas assez courant est celui où l'enfant se trouve pris au milieu de conflits entre ses parents. La mère peut penser que le père ne l'aide pas assez et se dire : «Pourquoi faudrait-il que je fasse ça s'il ne m'aide pas?» Il y a souvent des différences considérables entre les attentes des deux parents en ce qui concerne le comportement de leurs enfants et la manière dont il doit être inculqué et ces différences constituent un terrain fertile pour la manipulation. Parfois le conflit touche à la définition de ce qui constitue un comportement acceptable ou inacceptable : quand doit-on dire que la chambre est propre? Que le comportement de l'enfant est irrespectueux? D'autres fois, c'est sur la manière de réagir : l'un des parents trouve l'autre trop sévère, ou inversement. Finalement, les parents ont tendance à se neutraliser l'un l'autre : l'un monte la barre tandis que l'autre diminue ses exigences. Les enfants, qui possèdent une mystérieuse faculté pour déceler les conflits, profitent de la situation pour manipuler l'un et l'autre. Ils font alliance avec le parent qui leur facilite les choses contre l'autre, en faisant ainsi le complice de leurs manipulations.

Il faut absolument empêcher les enfants d'utiliser les conflits parentaux à leur profit. Il est déjà assez difficile d'élever des enfants sans que l'absence d'un front commun ne ruine vos efforts dès le commencement. Asseyez-vous ensemble pour régler vos différends. Commencez par discuter de vos valeurs et de vos objectifs. Si vous ne parvenez pas à avancer, consultez un professionnel. Une bataille rangée entre les parents ne peut mener à rien. Si vous ne parvenez pas à un compromis, même après avoir lu le chapitre 7 de ce livre, mettez-vous d'accord pour ne pas vous mêler des affaires de l'autre, tout en vous traitant mutuellement avec respect. Le type de compromis auquel les parents arrivent n'a pas grande importance de notre point de vue, mais il est essentiel qu'ils se soutiennent. Par exemple, si l'un des parents a des exigences importantes en ce qui concerne le nettoyage de la chambre de l'enfant et que l'autre pense que, étant donné que c'est sa chambre, il doit être libre de faire ce qu'il veut tant que des règles d'hygiène minimales sont respectées, les parents peuvent couper la poire en deux et demander à l'enfant, chaque semaine, de sortir ses vêtements sales, de faire un minimum de nettoyage et de vider sa poubelle. Même si les parents ont des préférences personnelles, le compromis ainsi atteint devient la règle et ils s'y tiennent l'un comme l'autre.

Une seule conversation ne peut suffire : il y aura toujours des situations imprévues. Dans ce cas, faites front. Ne sabotez pas les efforts de l'autre. Voici un exemple : sa mère avait demandé à Sarah de mettre les assiettes dans le lave-vaisselle et de balayer la cuisine. Sarah s'est plainte à son père de ce travail supplémentaire. Mais, bien qu'il pense qu'il aurait suffi qu'elle s'occupe des assiettes, il savait qu'il devait soutenir sa femme et il a résisté à la tentation de réduire la charge de travail de Sarah. Une fois que l'enfant a fait ce qu'on lui demande, les parents peuvent toujours se réunir, en l'absence de l'enfant, et discuter de leurs exigences pour l'avenir.

Parfois les enfants essaient d'utiliser un des parents pour qu'il intercède auprès de l'autre. Vous démontrerez votre respect des décisions de l'autre parent et votre volonté de constituer un front uni en disant à l'enfant de s'adresser directement à la personne qui a pris la décision, quelle que soit votre opinion à ce sujet.

Souvent les parents entrent en conflit à propos de la manière dont on doit réagir à un comportement donné : l'un des deux trouve l'autre trop sévère. Même dans ce cas, il est important que les parents maintiennent un front commun. Si vous pensez que votre conjoint est réellement violent, faites face à la situation et cherchez de l'aide. Mais s'il s'agit simplement d'une méthode trop sévère et inappropriée, n'intervenez pas sur le coup. Attendez que la crise soit passée et asseyez-vous ensemble pour discuter de vos divergences.

C'est exactement dans ce genre de situation que se trouvaient les parents de Ben. Celui-ci avait été envoyé dans sa chambre pour la ranger. Au bout d'une heure et demie son père entra dans la chambre pour voir ce qui se passait. Non seulement il s'aperçut que Ben n'avait pas ramassé un seul de ses *legos* mais il découvrit au milieu de la chambre une nouvelle construction, assez réussie d'ailleurs. C'était le troisième jour d'affilée que Ben était envoyé dans sa chambre et le seul résultat en était cette nouvelle construction. Son père sortit alors de ses gonds et cria après l'enfant en le menaçant de lui interdire de sortir pendant six mois s'il ne nettoyait pas sa chambre dans l'heure suivante. La mère, qui avait entendu, arriva dans la chambre pour trouver Ben en larmes. Elle pensait que le père exagérait et qu'il était trop sévère, mais elle réussit à réprimer ses sentiments. Pendant ce temps le père de Ben, ayant dit ce qu'il avait à dire, avait quitté la chambre et les parents se retrouvèrent dans la cuisine pour discuter de la conduite à adopter à l'avenir. Ils comprirent que c'était l'inefficacité de leur approche qui avait laissé le champ libre à l'explosion qui avait suivi et décidèrent de prendre les problèmes en main plus rapidement à l'avenir pour éviter que cela ne se reproduise.

Il est plus que probable que les parents auront besoin de discuter ensemble à plusieurs reprises. Communiquez vos réactions de façon honnête et positive. Si un des conjoints a eu des difficultés à imposer des limites à l'enfant dans le passé et tente désormais de le faire, un petit encouragement à ce moment-là peut être bienvenu, que ce soit sous la forme d'un clin d'œil ou d'une tape sur l'épaule. Mais une tape sur l'épaule ne suffit pas à créer une habitude : vous devrez être vigilants et joindre vos efforts pour établir des règles de conduite solides.

Vos observations

Vous voilà maintenant prêt à observer votre enfant.

Première étape : familiarisez-vous avec le tableau placé au début de ce chapitre, page 132. Notez les situations à observer et regardez les exemples.

Deuxième étape : Observez votre enfant pendant un ou deux jours. Cela devrait suffire pour la plupart des comportements, mais pour ceux qui sont moins fréquents vous pourrez avoir besoin d'une semaine, ou même plus.

Troisième étape : Pendant votre observation, prenez note mentalement des circonstances dans lesquelles le problème de comportement se produit, de ce que fait votre enfant (le comportement manipulateur), de votre réponse (réponse d'évitement) et des pensées et sentiments qui permettent à la manipulation de suivre son cours (vos «points aveugles»).

Quatrième étape : Après chaque comportement problématique, inscrivez ce que vous avez vu et entendu dans la colonne appropriée du tableau. Nous vous encourageons vivement à enregistrer vos observations dès que l'incident prend fin car tout retard peut signifier la perte d'informations importantes.

Protéger ses «points aveugles»

Dès que vous aurez rempli votre feuille d'observation, vous pourrez commencer à mettre en place votre mécanisme de protection contre la manipulation. Commencez par relire attentivement votre feuille en prêtant une attention particulière à ce que vous désiriez éviter : les pensées, sentiments et croyances qui vous ont conduit à justifier le comportement manipulateur de l'enfant ou votre acceptation de celui-ci. Ce sont là vos «points aveugles». Nous discuterons au chapitre 7 des stratégies que vous pouvez employer pour mettre fin aux comportements d'évitement de votre enfant mais vous devez d'abord vous prémunir de façon permanente contre ceux-ci, ce qui signifie avant toute chose apprendre à surmonter votre propre anxiété, votre colère et vos sentiments de culpabilité et rectifier certaines de vos croyances. Relisez la section de ce chapitre consacrée aux «points aveugles» les plus courants en étant attentif aux paragraphes proposant des antidotes.

Regarder ses émotions en face

Comme vous l'avez peut-être remarqué, plusieurs des «points aveugles» de notre liste se rattachent aux émotions ressenties par les parents, émotions que les enfants apprennent vite à exploiter à leur avantage. Sans parler de l'expérience désagréable qu'elles peuvent représenter, ces émotions constituent une puissante motivation pour la mise en œuvre de comportements d'évitement. Et si vous ne parvenez pas à contrôler ces sentiments et ces attitudes, vous compliquez encore le problème : vos émotions augmentent et, avec elles, votre désir d'évitement, ce qui accroît encore la prise offerte à la manipulation. Et comme une manipulation réussie amène d'autres manipulations, votre enfant devient de plus en plus habile à contrôler les autres. En l'empêchant de vous manipuler, vous vous épargnerez, à votre enfant et à vous-même, une énorme quantité de temps, d'énergie et d'émotions.

Lorsque vous déciderez de devenir imperméable à la manipulation et de mettre fin à celles qui se produisent, attendez-vous à ce que le processus soit difficile au début. D'abord, il y a vos propres émotions : la meilleure stratégie à adopter vis-à-vis de celles-ci est d'y faire face sans détour. Chaque fois que vous affronterez une situation émotive et résisterez à la tentation d'y échapper, le risque de vous laisser mystifier par ces sentiments diminuera, et à la fin l'émotion ne déclenchera plus de comportement d'évitement.

Vous franchirez une étape décisive lorsque vous déciderez de ne plus vous laisser manipuler. Une fois votre décision prise, préparez un plan d'action. Qu'allez-vous faire pour éviter que vos émotions ne favorisent un comportement d'évitement? Nous suggérons d'expérimenter les émotions désagréables et d'apprendre à ne pas en avoir peur mais à être capable de composer avec elles. Voici quelques maximes qui peuvent vous y aider : «Mes émotions ne sont pas toxiques même si j'ai l'impression qu'elles le sont», «Je peux régler ce problème de comportement si je m'y prends de la bonne façon», «Ses hurlements finiront bien par cesser». Pratiquez l'autosuggestion : vous et votre enfant allez vous sortir de cette situation au mieux. Dites-vous : «Je peux y arriver... Je ne céderai pas... Si je réponds de manière adéquate, ça ira mieux.» Répétez-vous que si vous entrez dans le jeu, les choses iront encore plus mal et qu'il vous faudra recommencer une autre fois. Encouragez-vous à faire ce qu'il faut. Quand une tentative de manipulation est en cours, pensez à rester calme et détendu et à garder le contrôle de vous-même. Vous pouvez noter certaines de ces phrases sur une petite carte et la transporter avec vous pour vous aider le moment venu. Sortez alors votre carte et servez-vous-en comme d'un pense-bête pour vous remettre en mémoire comment faire.

Certains parents, après avoir vécu des émotions intenses, ont jugé utile de faire quelque chose pour se distraire pendant que leur enfant les injurie. Par exemple, de mettre leurs écouteurs et d'être attentifs à la musique ou à un programme de radio.

L'avantage des écouteurs est qu'ils masquent les sons environnants – une caractéristique précieuse lorsque votre enfant de huit ans hurle que vous êtes injuste et déraisonnable. On peut aussi regarder la télévision, ou lire un bon livre ou un magazine jusqu'à ce que la crise soit finie.

À la fin de la crise, si vous vous sentez encore bouleversé, faites quelque chose pour soulager la tension, par exemple un exercice physique : marchez, coupez du bois, nettoyez la salle de bains ou lavez votre voiture jusqu'à ce que vous soyez libéré de vos émotions. Certains parents cherchent plutôt un endroit calme pour y prendre de profondes respirations et se détendre quelques minutes. D'autres préfèrent prendre un bain chaud ou lire jusqu'à ce qu'ils soient calmés. Cherchez le moyen qui vous convient le mieux pour soulager la tension.

Quand vous avez réussi à ne pas manifester ouvertement vos émotions, accordez-vous des félicitations : «Je pensais que j'étais trop fatiguée, mais j'ai fait ce qu'il fallait», «Je l'ai fait», «Je suis contente que ce soit fini», «Ce n'était pas si terrible que je le craignais», «Venir à bout de cette situation difficile nous a rendus plus forts, mon enfant et moi.»

Si vos croyances concernant les enfants vous poussent à justifier votre propre comportement ou celui de votre enfant, réfutez-les et substituez-y des croyances qui ne laissent aucune place à la manipulation. En modifiant votre manière de penser, vous pourrez réduire vos «points aveugles», donner à votre enfant plus de force et d'indépendance, et développer une méthode d'éducation qui conduira celui-ci, et vous-même, à forger une solide estime de soi. Nous avons identifié trois croyances qui, si vous les substituez à des croyances débilitantes, pourront vous éviter d'être mystifiés et renforceront votre estime de vous-même.

Croyances encourageantes

A. Les enfants sont compétents de façon innée

À la naissance, les enfants viennent au monde avec tout l'équipement et le potentiel d'apprentissage nécessaire pour qu'ils deviennent des adultes indépendants. Un bébé de quelques heures à peine est capable d'exprimer ses besoins. Quand il a faim, qu'il est mouillé ou fatigué, il nous le fait savoir. Les parents et les enfants apprennent rapidement à se connaître. Les enfants apprennent à leurs parents à comprendre leur type particulier de communication et à savoir comment y répondre. En retour, ils apprennent à connaître leurs parents et la manière dont ils vont réagir. Dès le début de sa vie, l'enfant commence à s'adapter, c'est ce que signifie le terme «développement». Il est équipé pour résoudre les problèmes. Il peut, comme nous, ressentir du stress, de l'anxiété et avoir d'autres sensations désagréables, mais il est capable de supporter ces émotions. Et le plus important c'est qu'il y survit et devient plus fort.

Jeff, deux mois, était le premier enfant de John et Julie. La nuit, il fallait l'allaiter toutes les deux heures, et tous les matins, entre deux et trois heures, il se mettait à gazouiller frénétique-ment, les yeux grands ouverts. Ses parents étaient épuisés, mais ne pouvaient supporter de l'entendre crier toute la nuit. Dans la journée, il ne se réveillait que pour boire, mais Julie ne parvenait pas à prendre suffisamment de repos pour récupérer. À l'hôpital, on lui avait conseillé de le nourrir à la demande et elle suivait ces instructions avec obstination, en dépit de son manque croissant d'enthousiasme. Finalement, elle appela une amie, mère de trois enfants, pour lui demander conseil. Après avoir écouté son histoire, celle-ci l'avertit que Jeff ne cesserait pas tout seul. Elle lui conseilla de l'éveiller et de le nourrir plus fréquemment dans la journée et de lui imposer un horaire strict la nuit : une tétée à trois heures. Et si ce n'était pas l'heure, Julie pouvait laisser Jeff s'exercer un peu les poumons! Julie pouvait être tranquille : il s'habituerait vite à ce rythme et tout irait bien. Julie suivit le conseil de son amie et au bout de quelques nuits Jeff ne se réveilla plus qu'une fois. L'état émotionnel de John et de Julie s'en trouva considérablement amélioré.

L'amie de Julie avait raison. Les enfants ne sont pas si fragiles : ils s'adaptent. En fait, le pire que l'on puisse faire à un enfant est de *ne pas* lui demander de s'adapter.

Croire que les enfants sont, dès la naissance, fondamentalement compétents modifie profondément votre manière d'agir à leur égard. Si vous pensez que les enfants ne sont pas compétents, vous allez vous comporter avec eux comme s'ils ne l'étaient pas, et faire pour eux ce qu'ils sont parfaitement capables d'apprendre à faire eux-mêmes. Vous voudrez les protéger, leur épargner toutes les expériences qui, justement, pourraient leur apprendre à se débrouiller dans le monde réel et compromettrez ainsi leur adaptation. Or, une telle enfance ne peut produire, en effet, que des adultes faibles et dépendants.

L'année dernière, nous avons rencontré un jeune homme de dix-huit ans, Nick, qui était extrêmement déprimé et angoissé. Il arriva avec une liste complète de choses qui l'inquiétaient ou l'angoissaient : il craignait que quelqu'un ne s'introduise chez lui et n'attaque sa famille et lui-même; il ne pouvait circuler dans la maison sans que quelqu'un ne l'accompagne; il craignait que sa mère ne meure dans un accident de voiture bien qu'elle soit fort prudente; sa grand-mère était âgée et il craignait qu'elle ne meure; il craignait d'être kidnappé; il craignait que ses parents ne meurent pendant qu'il était à l'école. Au sommet de sa dépression, on pouvait le trouver dans la classe, ne travaillant pas mais pleurant. Et lorsqu'on lui demandait pourquoi il pleurait, il récitait quelques-unes de ses frayeurs.

Les parents de Nick sont des parents attentifs et ils firent de leur mieux pour le rassurer et réduire ses craintes. Sa mère l'appelait pour lui dire qu'elle était bien arrivée au supermarché. Sa sœur, une petite fille de trois ans – drôle de garde du corps! – l'accompagnait dans la salle de bains pour le rassurer et réduire son anxiété. Lorsqu'une émission qui pouvait être angoissante, comme *Rescue 911* ou *Cops*, passait à la télé, les parents de Nick changeaient aussitôt de chaîne pour qu'il ne soit pas exposé à quelque chose d'effrayant et ils prenaient garde qu'il ne soit pas dans les parages quand ils regardaient le journal télévisé, de peur d'alimenter ses frayeurs.

Le problème de Nick était le résultat de trois facteurs. D'abord, c'est, par nature, un enfant anxieux, il le reconnaît volontiers : son père est également un angoissé de première catégorie.

Et la seconde raison, tout aussi importante, est que ses parents pensaient qu'il était incapable de faire face à ses frayeurs. Ils craignaient que ses émotions ne lui fassent du tort s'ils n'intervenaient pas pour le protéger. Quand Nick avait peur, ils pensaient qu'il était de leur devoir de le soulager de ce sentiment déplaisant, si bien que Nick est devenu incapable de venir lui-même à bout de ses craintes. Si ses parents avaient pensé dès le début qu'il était capable de se débrouiller lui-même avec ses émotions, Nick aurait appris, malgré son caractère naturellement anxieux, qu'il pouvait prendre soin de lui-même et venir à bout de ses frayeurs.

Notre traitement consista d'abord à aider les parents à modifier leurs idées au sujet de Nick. Nous leur avons appris à voir Nick, non comme un incapable, mais comme un jeune homme apte à prendre en charge ses propres frayeurs. Ils ne s'étaient pas rendu compte qu'ils prenaient Nick (comme tous les autres enfants) pour un incapable, mais quand nous le leur avons indiqué, ils comprirent combien cette idée avait influencé tout leur comportement. Une fois celle-ci rectifiée, ils ont commencé à réagir de façon différente, reconnaissant à Nick la propriété de ses craintes et le laissant en prendre soin lui-même, tout en lui exprimant leur confiance en lui. Nick répondit sans tarder à cette nouvelle attitude. Ne trouvant personne pour participer à ses séances d'angoisse et se sentant responsable de ses frayeurs, il commença à s'inquiéter de moins en moins. Ses peurs cessèrent et il put aller seul à la salle de bains et à l'école. Il était libéré de sa dépendance.

B. Les enfants possèdent une remarquable capacité de survie et d'adaptation

Comment l'homme serait-il allé aussi loin si ce n'était pas le cas? Pensez un instant aux conditions dans lesquelles les enfants vivent à travers le monde. Ils grandissent, se développent et s'adaptent à des conditions qui nous seraient à nous intolérables. Ils voient et entendent des choses que la plupart d'entre nous considéreraient comme traumatisantes et semblent pourtant les supporter, être en bonne santé, bien adaptés à leur environnement et capables de se comporter adéquatement au sein de leur société. Comme Erik Erikson l'a montré il y a quarante ans dans son livre *Childhood and Society*, chaque culture élève ses enfants à sa façon, très différente des autres, pour en faire des adultes qui possèdent les capacités précises nécessaires pour fonctionner dans cette culture particulière et contribuer à son développement. Margaret Mead, dans son étude sur les îles Samoa, a décrit des activités entre enfants et entre enfants et adultes qu'un travailleur social de notre propre société considérerait comme des cas typiques d'abus sexuels et de mauvais traitements; pourtant, en grandissant, ces enfants s'intègrent parfaitement bien dans leur société. Nos enfants aussi survivront, pour peu qu'on leur en laisse la liberté.

C. Les émotions des enfants leur appartiennent

Les sentiments d'un enfant et ses émotions sont ses affaires, pas celles de ses parents ni des autres adultes. Un enfant est parfaitement capable de prendre en charge ses émotions. Dans les périodes émotionnellement difficiles, les parents doivent certes procurer à l'enfant leur soutien et leur réconfort, mais outrepasser la frontière qui les sépare de celui-ci pour s'occuper de ses sentiments constitue une forme d'effraction qui peut être dommageable. Les sentiments d'un enfant lui appartiennent et il est de sa responsabilité de les prendre en charge. Si nous sommes capables de le soutenir et de le réconforter sans outrepasser la frontière pour prendre sa place, il apprendra à composer avec les sentiments négatifs qu'il peut ressentir. Essayer de faire en sorte qu'un enfant se sente mieux en utilisant des tactiques de diversion, tenter de le réconforter en résolvant le problème à sa place ou en changeant les règles, ou lui dire qu'il est merveilleux quand il agit de manière détestable, toutes ces tactiques ne peuvent que conduire à la dépendance. À la prochaine expérience difficile, l'enfant tentera de résoudre le problème en ayant recours à quelqu'un d'autre et il y a de bonnes chances qu'il trouve un adulte compatissant pour coopérer. Mais surtout, laisser un enfant se colleter avec ses émotions lui procure une profonde confiance en lui-même.

Récemment, une adolescente de onze ans, Suzanne, est venue nous voir à la clinique. Elle est en cinquième année à l'école primaire et nous la connaissons depuis sa naissance. Ses parents ont divorcé lorsqu'elle avait quatre ans et son père est parti en Géorgie, où vivent ses propres parents. Le père de Suzanne était un drogué et elle le voyait rarement, seulement lorsqu'elle rendait visite à ses grands-parents. Il est mort subitement il y a un an. Sa mère et elle traversèrent alors une période de deuil et nous avons eu l'occasion de les recevoir plusieurs fois au cours de cette période. Suzanne se remit bien de cet épisode et l'année suivante elle réussit bien à l'école. Elle faisait et fait encore partie d'un club de natation et de danse. Elle est enjouée, pleine de confiance en soi et agréable à fréquenter. Elle a beaucoup d'amis et une mère attentive sans être envahissante. À trois reprises cette année, elle a demandé à quitter la classe parce qu'elle se sentait sur le point de se mettre à pleurer, les trois fois à la suite d'un événement qui lui faisait penser à son père et deux fois aux alentours de l'anniversaire de celui-ci.

Juste avant sa visite à la clinique, la travailleuse sociale de l'école avait pris sa mère à part et lui avait dit : «Je suis très inquiète à propos du passage de Suzanne à l'école secondaire, l'année prochaine. C'est un milieu beaucoup plus dur (elle voulait dire moins protecteur) et avec tous ses problèmes non résolus à la suite de la mort de son père, elle risque d'avoir beaucoup de difficultés.»

Quand la mère de Suzanne demanda à nous parler en privé et nous transmit cette information nous avons été stupéfaits. Difficile de savoir s'il fallait rire, pleurer ou appeler le directeur de l'école. Heureusement, la mère de Suzanne a la tête sur les épaules et tout ce qu'elle voulait était de connaître notre réaction pour être sûre de ne pas se tromper. Nous l'avons rassurée en lui confirmant que tout être humain normal qui vient de subir une perte importante y repense régulièrement et revit les émotions qui y sont associées, parfois tout le reste de sa vie. Et, les enfants se remémorent souvent les événements importants de leur vie et les reconsidèrent à la lumière de l'expérience et de la maturité acquises entre-temps : c'est tout à fait sain. La travailleuse sociale semblait croire que le chagrin, la perte d'un être cher et les émotions qui l'accompagnent devaient être soigneusement emballés et relégués dans un coin du cerveau de manière à ne plus y penser et qu'une thérapie pouvait aider à envelopper tout ça de sorte que le problème soit «résolu». Par chance, la mère de Suzanne savait qu'il n'en était pas ainsi. La perte d'un être cher n'est pas quelque chose qui peut être «résolu» ni même réellement compris. Cela fait partie de la condition humaine et c'est une expérience émotionnelle inaccessible à la raison.

Implicitement, la travailleuse sociale disait : «Vous ne connaissez pas votre fille, elle est incapable de composer avec ses émotions; je la connais, moi, parce que je suis une experte... et elle a un gros problème.» Si la mère de Suzanne avait accepté ce verdict, elle aurait été moins sûre d'elle-même et Suzanne en aurait souffert, à la fois pare qu'elle aurait été privée de la confiance de sa mère et parce qu'elle aurait pensé qu'elle était incapable de faire face à ses émotions. Quand la mère de Suzanne eut écouté ce que nous lui disions, elle déclara : «C'était ce que je pensais, mais je voulais en être certaine. Merci.»

Il arrive chaque jour des incidents de ce type dans un nombre incalculable d'écoles à travers le pays. Les enfants ne sont pas supposés éprouver de sentiments négatifs, et lorsque c'est le cas, il faut embaucher un spécialiste pour en prendre soin. Au cours de ce processus, des parents parfaitement compétents et attentifs se trouvent disqualifiés et rendus dépendants. Les enfants éprouvent bel et bien des sentiments pénibles à la suite d'une perte, d'un échec ou d'une déception, mais tout ce que nous, en tant qu'adultes, pouvons faire pour eux est de les écouter et de leur apporter soutien et réconfort, et c'est déjà beaucoup.

En le réconfortant et en l'encourageant, vous exprimez à votre enfant le fait que vous vous souciez de lui et le comprenez. Implicitement, vous lui dites que vous le considérez comme capable de prendre en main ses affaires, et que vous êtes optimiste quand à sa capacité de surmonter l'adversité grâce à sa force de caractère. Une telle attitude contraste de façon radicale avec la vision pessimiste de ceux qui se mêlent des émotions de leur enfant. Les actions de ces derniers transmettent implicitement le message que l'enfant est incapable de prendre ses émotions en charge et de faire face à l'adversité.

Il y a quelques années, Jim, 9 ans, le fils d'un bon ami à nous, avait joué au Nintendo pendant une heure un samedi matin. Tout à coup il bondit, jeta la commande sur le sol, submergé par la frustration et au bord des larmes. Sa mère, qui était dans la cuisine, lui demanda ce qui le mettait dans un tel état. Jim bredouilla : «C'est parce que je ne peux pas dépasser le niveau trois de ce jeu stupide!» Sa mère sourit gentiment et dit : «Je sais, Jim, il y a des jours comme ça.» Jim se calma, retourna à son jeu et finit par atteindre le niveau cinq.

La mère de Jim a merveilleusement réagi à la situation. Elle a reconnu sa détresse et fait un commentaire plein de bon sens sur la vie en général. Elle n'a pas suggéré de solution, mais a laissé Jim imaginer lui-même comment s'en sortir. Elle n'a pris aucune responsabilité dans la détresse de Jim, la reconnaissant comme une chose personnelle qu'il devait prendre en charge personnellement. Et Jim, comme il l'avait déjà fait plusieurs fois auparavant, a vite retrouvé son sang-froid et s'est finalement prouvé à lui-même qu'il pouvait dépasser le niveau trois de ce jeu «stupide». Jim a de très hautes exigences vis-à-vis de lui-même. La frustration qu'il ressent quand il n'est pas à la hauteur de ses propres attentes n'est pas pour lui une expérience inhabituelle. Sa mère comprend cet aspect de son caractère et sait qu'il doit apprendre à «faire avec» – elle ne peut le faire à sa place. L'accumulation d'expériences de ce genre a permis à Jim d'être aujourd'hui un jeune homme de seize ans réaliste, qui a une confiance justifiée dans ses moyens et excelle dans la plupart des choses qu'il entreprend. Du fait que ses parents ont pris garde de ne pas intervenir quand il avait des difficultés, l'échec et la frustration ont fait partie de son expérience et il a appris à y survivre et à persévérer dans ses entreprises.

Considérer votre enfant comme une personne capable et indépendante émotionnellement lui permet de faire toutes sortes d'expériences qui lui apprennent comment s'adapter au monde qui l'environne. Les adultes solides ont appris à être solides. La capacité de survivre et de se développer croît avec la pratique et avec l'exercice. De ce point de vue, la force psychologique n'est pas fondamentalement différente de la force physique : l'une et l'autre s'acquièrent à force d'exercice. Plus vous êtes exercé, plus vous devenez fort. Un enfant qui regarde ses parents résoudre un problème pour lui ne devient pas plus fort. Ce n'est qu'en résolvant le problème lui-même qu'il développera ses «muscles» psychologiques de manière à pouvoir survivre et se développer.

Nous entendons fréquemment parler d'une méthode d'éducation appelée «éducation positive» dont le but semble être de protéger l'enfant de tout dommage et de tout traumatisme de sorte qu'il devienne en grandissant une personne «complète». L'idée est simple : plus on est positif avec les enfants, mieux ils s'en porteront. Plus la vie sera douce et facile pour eux, plus forte sera leur estime d'eux-mêmes. Ce type d'éducation fait appel aux incitations et aux récompenses. En ayant recours au choix et au raisonnement, on tente d'éviter à tout prix la confrontation et les émotions négatives qui l'accompagnent. Les petites infractions à la règle sont purement et simplement ignorées de crainte que trop de discipline ne diminue l'estime de l'enfant envers lui-même. Lorsque, comme cela se produit inévitablement, celles-ci deviennent plus graves, il y a des «conséquences» (lisez : punitions), censées lui «donner une leçon». Et quand ça ne marche pas, on «met la barre plus haut» en imposant des punitions de plus en plus dures et prolongées.

Bien qu'ils en aient rarement conscience, les parents qui utilisent ce type d'éducation «positive» entretiennent des idées profondément pessimistes sur leurs enfants. Ils croient que ceux-ci ne peuvent trouver eux-mêmes leur bonheur, se défendre et se fixer des objectifs, ni vivre avec leurs erreurs. Pire, ils croient que les enfants sont incapables de supporter les émotions provoquées par le fait d'imposer des limites et que le mot «non» nuit à leur estime d'eux-mêmes. Dans cette perspective, les parents ont l'entière responsabilité du bonheur de leurs enfants. Ce genre de croyances mystifient les parents et les rendent vulnérables à la manipulation. Elles reposent sur l'idée que l'enfant est incapable de faire face aux contraintes et aux contrariétés de la vie.

Le modèle d'éducation que nous proposons est tout à fait différent. Plutôt que de partir du principe que votre enfant est un incapable, nous vous suggérons de le considérer comme compétent, ou capable de le devenir. Considérez votre enfant comme quelqu'un de fort et de résistant, capable d'affronter l'adversité : cette manière de voir modifiera votre approche de fond en comble et vous évitera d'être mystifié : vous considérerez que les moments d'inconfort émotionnel sont pour votre enfant une occasion d'apprendre à se prendre en main et plutôt que d'essayer d'interférer avec ses sentiments, vous pourrez, grâce à votre foi dans ses capacités, l'aider et le réconforter.

Dernier antidote contre la mystification : ayez une idée claire de votre rôle de parent. Votre tâche est d'apprendre à l'enfant à s'adapter au monde qui l'entoure et non l'inverse.

Si vous vous préparez à mettre un terme aux attitudes manipulatrices de votre enfant et à vos propres comportements d'évitement, vous devez savoir que la tâche va être difficile. Il est toujours difficile d'apprendre quelque chose de nouveau. Vous avez avec votre enfant toute une expérience vécue et les habitudes et les modèles de comportement que vous avez développés sont fortement ancrés. Vous devez savoir que le fait de mettre fin aux comportements manipulateurs de votre enfant peut l'amener au début à ressentir de l'anxiété, de la culpabilité et peut-être même de la colère. Vous serez fortement tenté de revenir à vos vieilles habitudes et à vos modes habituels d'interaction, mais il vous faudra résister à cette tentation.

Certains parents trouvent utile de noter par écrit leurs «points aveugles» et la manière dont ils comptent s'y prendre pour les éliminer. Ils notent aussi, pour s'encourager, certaines des phrases qu'ils ont utilisées lorsqu'ils étaient en train de tenter de corriger le comportement de leurs enfants. Mary est de ces parents. Elle a fait une liste de ses points aveugles, notant la manière de s'y prendre pour les éliminer et pour composer avec ses sentiments. Un de ces points aveugles était constitué par sa crainte de manquer de temps. Elle nota à côté : «En faisant ce qu'il faut maintenant, je gagne du temps. Ne pas me laisser aller à la harceler, la menacer ou lui crier après.» Pour ce qui est de ses sentiments, elle nota : «Tout ira mieux si je tiens ma langue et reste calme.» Et, au moment d'aller chercher sa fille à l'école, elle relisait ses notes à titre de pense-bête.

On peut aussi faire une sorte de répétition imaginaire. Il s'agit du même processus que celui auquel les athlètes ont recours avant une compétition. Le joueur de hockey imagine qu'il voit l'ouverture qui va lui permettre de marquer un but. Les patineurs artistiques se voient en train de réussir un triple axel et les joueurs de tennis en train de faire les gestes qui leur permettront de mieux servir et de corriger leurs erreurs. Les parents peuvent utiliser le même «truc» pour protéger leurs points aveugles. Il faut trouver un endroit calme, fermer les yeux et s'imaginer confronté à la tentative de manipulation. On essaie alors de voir ce que l'enfant va faire et comment on se laisse mystifier. On examine ses croyances et on leur en substitue de nouvelles, propres à empêcher la manipulation. On imagine les difficultés qui peuvent survenir et on développe un plan pour y faire face.

Par exemple, supposez que vous vous laissiez mystifier par le comportement de votre enfant lorsque vous êtes fatigué le soir : quand vous lui demandez de faire quelque chose, l'enfant accepte, mais ne fait rien. Comme vous êtes fatigué et que votre enfant a accepté, vous ne vérifiez pas si le travail a été fait. Ce n'est que plus tard que vous vous apercevez que le «oui» de l'enfant n'était qu'un écran de fumée pour *ne pas* faire ce qui lui avait été demandé. Trouvez un endroit tranquille, asseyez-vous, détendez-vous et imaginez-vous dans une situation semblable : vous êtes fatigué et votre enfant accepte de faire un certain travail. Imaginez que lorsque l'enfant dit «oui» vous quittez un instant le confort de votre lit pour vérifier s'il a effectivement fait ce que vous lui avez demandé. Imaginez-vous en train de combattre la tentation de rester couché en pensant que ça ne vous prendra que quelques minutes. Attaquez-vous à la croyance que vous êtes trop fatigué. Convainquez-vous que vous pouvez le faire. Pensez à l'effet que peut avoir à long terme sur l'enfant le fait d'avoir réussi à vous tromper et à la quantité d'efforts qu'il vous faudra pour résoudre le problème plus tard, alors que vous serez probablement tout aussi fatigué. Puis essayez de vous représenter le sentiment de satisfaction que vous ressentirez si vous réussissez à résoudre le problème, sachant que vous avez fait ce qui était le mieux pour votre enfant.

Maintenant que vous avez fait vos devoirs, vous voilà prêt à commencer. Vous avez identifié les comportements manipulateurs de votre enfant et les émotions et pensées qui vous conduisent vous-même à vous laisser manipuler. Vous avez examiné vos croyances nocives et vous vous êtes vacciné contre elles. Vous n'avez plus qu'à passer à l'action.

Chapitre 7

Comment faire échec à la manipulation

S i nous voulons réussir à ce que nos enfants n'utilisent pas la manipulation pour adapter le monde à leurs désirs, nous devons réussir à contrecarrer les manipulations lorsqu'elles se produisent. En fermant la porte à la manipulation, nous ouvrons à l'enfant de nombreuses autres portes pour explorer et enrichir son expérience du monde. Dans ce chapitre, nous allons explorer une manière de tenir la manipulation en échec, laquelle, tout en étant efficace, reste douce, calme, non punitive et applicable même en dehors du domicile familial.

Les comportements d'évitement ont pour but d'éliminer, de reporter ou de réduire les effets de situations que l'enfant trouve déplaisantes. Quand ça marche, le comportement s'installe de façon permanente. Que cela vous plaise ou non, vous êtes, en tant que parents, impliqués dans les manipulations et votre manière de réagir va déterminer leur fréquence future. Si vous réagissez de manière à aider votre enfant dans sa tentative d'évitement, vous risquez de voir le même comportement se reproduire par la suite. Par contre, si vous réagissez systématiquement en l'obligeant à affronter ce qu'il désire éviter, ses tentatives de manipulation vont s'affaiblir et finalement disparaître. Mais ce n'est pas facile à faire – même si c'est relativement facile à expliquer.

Dans les pages qui suivent, nous allons raconter comment des parents, que nous avons rencontrés dans le cadre de notre pratique clinique, s'y sont pris pour venir à bout des comportements d'évitement de leurs enfants en utilisant une technique simple que nous décrirons en détail.

Les tentatives de manipulation font partie du développement. Tous les enfants essaient, à un moment ou à un autre, de modifier une situation qui ne leur convient pas en utilisant quelqu'un pour ce faire. Et certains essaieront de le faire tout au long de leur enfance, même en présence d'efforts constants de la part de leurs parents. La fréquence et la persistance des tentatives de manipulation d'un enfant sont en grande partie une question de tempérament. Les parents ne devraient jamais prendre à la légère une tentative de manipulation, même si une attitude détendue est souhaitable pour faire face au problème. L'enjeu est important : il en va, à long terme, de la capacité de l'enfant de s'adapter à la vie. Si vous remarquez que votre enfant tente de manipuler, ne mettez pas cela sur le compte d'une étape de développement, pensant que ça va passer. Considérez plutôt sa tentative comme une occasion de lui enseigner quelques-unes des choses que vous souhaitez qu'il apprenne. Parmi les choses les plus utiles que vous puissiez faire pour votre enfant, il y a le fait de lui dire «non», d'éliminer les solutions de facilité et de lui demander ainsi de faire appel à des ressources qu'il n'aurait pas découvertes sans cela. Considérez les comportements d'évitement comme des occasions d'apprendre autre chose que de simplement pousser le bon bouton pour faire réagir papa ou maman. Comme le dit Thomas Szaz : «Donnez un poisson à un homme, vous le nourrirez pour un jour; apprenez-lui à pêcher, vous le nourrirez pour toujours.» Apprenez à vos enfants à pêcher.

Nous allons décrire deux procédures que les parents peuvent utiliser pour contrer les tentatives de manipulation. La première est la méthode «Arrêt, pause et réorientation» et la seconde, la technique d'extinction du renforcement négatif. La première a pour but de mettre fin aux comportements de désobéissance, de manque de persistance, aux infractions répétées aux règles et aux argumentations. La seconde permet de faire face aux manifestations d'angoisse, de frayeur et d'appréhension.

La méthode «Arrêt, pause et réorientation»

Nous avons explicitement développé la méthode «Arrêt, pause et réorientation» (APR) pour interrompre les comportements d'évitement. Elle marche bien face à la désobéissance, aux comportements répétés d'infraction aux règles, aux tentatives d'argumentation et de négociation et aux comportements agressifs et violents. Mais elle ne sert à rien après coup, lorsque le comportement a déjà eu lieu. Elle est particulièrement efficace face aux comportements qui se développent grâce à l'attention et aux réactions des personnes environnantes, alors que la plupart des approches que les parents utilisent habituellement pour décourager ce genre de comportement se révèlent improductives, voire contre-productives. Parmi ces dernières, les techniques consistant à supprimer des avantages ou des privilèges à titre de punition, la plupart des méthodes à retardement et pratiquement toutes celles qui font appel à des conséquences après coup. La méthode «Arrêt, pause et réorientation», elle, fonctionne, et c'est une méthode «douce». Elle peut être utilisée instantanément n'importe où, sans que personne ne s'en rende compte et peut remplacer toutes les autres. Moyennant quelques adaptations, elle convient à tous les âges. Ce n'est pas une punition et on aurait tort de la considérer comme telle : c'est tout simplement une manière de fixer des limites.

Voilà pour les bonnes nouvelles. Quant à la mauvaise, elle n'est pas si néfaste que ça : pour être efficace, la méthode APR exige d'être utilisée correctement et avec constance. Pour qu'elle réussisse, les parents s'entraînent à ce qu'elle devienne pour eux comme une seconde nature et ils devront l'utiliser constamment pendant des années. Si vous avez tendance à essayer une méthode après l'autre ou si vous cherchez une recette magique qui agisse immédiatement, cette méthode n'est pas pour vous, car elle demande du travail, de la persévérance et la volonté de ne pas céder à la tentation d'utiliser la punition.

Voici comment procéder. Votre enfant se comporte d'une manière que vous jugez inconvenante pour une raison ou pour une autre : il ne fait pas ce que vous lui avez demandé de faire, il fait quelque chose que vous lui avez interdit, il s'excite en jouant, fait trop de bruit, se conduit de manière irrespectueuse, tente de discuter ce qui n'est pas discutable, etc.

D'abord, ARRÊTEZ l'enfant, interrompez son comportement. Pour cela, «mettez-le au piquet» à un endroit proche, pratique et ennuyeux. Pour que la méthode soit efficace, vous devez mettre un terme au comportement avant de dire ou de faire quoi que ce soit d'autre – c'est le plus difficile.

Faites une PAUSE jusqu'à ce qu'il soit calmé. Une fois que votre enfant est «au piquet», vous devez l'y laisser jusqu'à ce qu'il soit calme et tranquille. Attendez alors quelques secondes (de quinze à vingt secondes tout au plus, au jugé : inutile d'utiliser un chronomètre. Ne le laissez pas plus longtemps, cela n'accroîtra en rien l'efficacité de la méthode).

RÉORIENTEZ l'enfant. Envoyez ensuite l'enfant faire ce qu'il a à faire en lui disant : «Va jouer» ou «Va ramasser tes cubes», par exemple. C'est à ce moment-là que vous pourrez lui expliquer ce qui lui a valu d'être interrompu au départ et ce que vous attendez de lui à l'avenir. Si vous jugez nécessaire de faire un commentaire sur son comportement, soyez clair et précis. Gardez les longs débats pour une autre fois. Pour être menée à bien, la procédure tout entière doit être conduite d'une voix normale, voire en chuchotant. Plus votre attitude sera dramatique, moins vous serez efficace.

Votre approche dans l'utilisation de cette méthode doit être pragmatique. Votre attitude doit clairement manifester votre détermination à aller jusqu'au bout et à obtenir que votre enfant observe les règles. En prenant de l'expérience, vous parviendrez à la mettre en œuvre d'une manière presque désinvolte, quoique sérieuse. Mais cela est difficile si vous avez été conduit au bord de l'exaspération par un enfant qui hurle qu'il vous déteste, que vous êtes injuste ou pire encore. La clé du succès est dans la pratique : plus vous en aurez, plus vous deviendrez habile à résister aux comportements manipulateurs. Et plus vous deviendrez habile, plus les limites que vous fixerez au comportement de votre enfant seront claires. Le succès dépend de votre constance à long terme. Si vous êtes inconstant, l'enfant pensera qu'il y a moyen de continuer à manipuler et vous devrez faire face à de nouveaux affrontements.

Les avertissements, les rappels, les «deuxièmes chances» ou les menaces nuisent à l'efficacité de la procédure, ainsi que tout commentaire – y compris les avertissements – émis entre le moment où se produit le comportement indésirable et la fin de la «pause». Si vous êtes habitué à donner des avertissements ou à faire des menaces, vous devrez d'abord vous attacher à modifier votre propre comportement. Nous ne saurions trop insister sur le point suivant : si vous ne la mettez pas en œuvre correctement, il vaut mieux que vous n'utilisiez pas cette méthode, vous perdriez votre temps. Vous trouverez probablement difficile de vous retenir et d'abandonner vos anciennes habitudes mais, si vous voulez venir à bout des manipulations, vous n'avez pas le choix.

Lorsque vous mettrez en place cette procédure, attendez-vous que votre enfant fera tout ce qui est en son pouvoir pour que les choses redeviennent comme avant. Par exemple, pendant la «pause», préparez-vous à l'entendre se plaindre, discuter, demander à aller aux toilettes, crier, pleurer ou se moquer de vous. Attendez-vous à être accusé d'être injuste, ou à entendre des choses comme : «Je suis bien content que tu me mettes au piquet, comme ça je ne suis pas obligé de rester avec toi!» Au début votre enfant n'aimera pas du tout cette méthode, mais il devrait s'y habituer rapidement et apprendre à «vivre avec» sans trop de difficultés. Rappelez-vous que ce n'est pas une punition : l'efficacité de la technique ne repose pas sur le fait que l'enfant la trouve désagréable; la manière la plus efficace de l'utiliser est de le faire rapidement et calmement, sans histoires, mais souvent.

Le seul critère de succès est la modification du comportement. Vous saurez que vous faites des progrès si vous voyez votre enfant faire ce que vous lui demandez dès la première fois et si la fréquence des comportements indésirables diminue. S'il va s'asseoir tranquillement sur son lit et vous fait un grand sourire pendant la «pause», est-ce signe de progrès? Seulement s'il fait par ailleurs ce que vous lui demandez. S'il passe la pause à maugréer que vous êtes injuste et que votre réaction est trop sévère, pour une si petite offense, votre approche est-elle en train d'échouer? Pas forcément : si vous constatez que son comportement s'améliore et qu'il est plus obéissant, vous pouvez avoir confiance, vous êtes sur la bonne voie.

Prenez garde à vos propres émotions, surtout durant la «pause» : vous pouvez être facilement conduit à intervenir, ce qui rend instantanément la procédure inefficace et surtout apprend à votre enfant qu'il peut trouver un moyen de s'en sortir. Pendant la «pause», il ne doit y avoir *aucune* interaction. Faites quelque chose pour vous en empêcher : parlez-vous à vous-même, préparez le programme de votre journée, faites du travail ménager ou écoutez de la musique sur votre baladeur. Et pensez aux avantages qu'il y a pour votre enfant à apprendre à s'adapter aux règles. Mais, quoi que vous fassiez, n'interagissez pas avec l'enfant avant qu'il ne se calme. Puis indiquez-lui rapidement vos directives.

La phase d'entraînement initiale

Ne soyez pas surpris si la phase d'entraînement initiale à la méthode APR est difficile. Une fois que l'enfant aura compris que vous allez l'utiliser systématiquement et aussi souvent que ce sera nécessaire, le processus devrait devenir plus rapide et plus calme. (Vous pouvez lire à ce sujet le texte encadré; p.178, qui a été rédigé par une mère ayant utilisé la méthode APR avec son enfant de quatre ans.) Nous conseillons généralement aux parents de commencer la mise en œuvre de la procédure dans une période où ils sont disponibles, de façon à pouvoir y consacrer, les premiers jours, tout le temps requis, aussi souvent que nécessaire. Cette stratégie permet de passer plus rapidement à travers la phase d'initiation. En utilisant cette méthode, vous allez révolutionner complètement vos relations avec votre enfant, et ce type de changement ne peut être fait à moitié.

Au début, certains enfants refusent de rester là où on le leur demande. Ils se lèvent et courent dans leur chambre, changent de place ou disparaissent dès que les parents ont le dos tourné. Restez à proximité de votre enfant, interceptez-le et ramenez-le à la place que vous lui avez assignée. Au début, il se peut que vous ayez à le faire plusieurs fois avant qu'il comprenne que vous ne céderez pas. (Nous avons vu des parents devoir ramener leur enfant à sa place jusqu'à cinquante fois!) Mais si vous cédez une seule fois, vous ruinerez tous les progrès déjà obtenus. Une fois que vous avez commencé, vous ne devez arrêter que lorsque votre enfant se tient tranquille. Pensez-y d'avance et si vous n'avez pas le temps de parcourir toute la procédure, ne commencez pas : attendez une autre occasion. Il vaut mieux ne pas appliquer la méthode que d'y renoncer à mi-parcours.

Au début vous serez obligé de réfléchir à chaque étape de la procédure. Supposez, par exemple, que votre enfant vous interpelle depuis le coin de la pièce (pendant la pause). Et hop! vous avez répondu du tac au tac, sans même y penser. Ce n'est qu'une fois la réplique partie que vous vous souvenez que vous ne deviez pas interagir avec lui. Ou alors, vous pouvez être tenté de vous justifier. Par exemple, si votre enfant demande : «Qu'est-ce que j'ai fait?» vous pouvez ressentir le besoin de vous expliquer. Ne le faites pas : vous lui expliquerez ce qui ne va pas à l'étape de la «réorientation» (quoique à ce moment-là il se pourrait bien que votre enfant ne soit plus tellement intéressé par votre réponse...).

N'essayez pas d'appliquer la méthode en public avant de bien la maîtriser à la maison. Attendez-vous aussi que votre enfant fera son possible pour faire échouer la procédure en utilisant un des parents contre l'autre ou qu'il profite de la visite de sa grand-mère. Il faudra, avant que les choses ne se passent en douceur, que votre enfant ait épuisé toutes les solutions et testé toutes les situations possibles.

Brooke

Les lignes qui suivent ont été écrites par une mère à qui nous avons appris à utiliser la méthode APR avec son enfant de quatre ans. Elles devraient aider le lecteur à se faire une idée des problèmes qui peuvent se poser et des résultats qu'on peut en attendre lorsqu'elle est bien appliquée.

Brooke a presque quatre ans. Elle est la plus jeune de nos trois enfants et celle qui nous a posé le plus de problèmes. Lorsque nous avons enfin cherché de l'aide, elle avait réussi à prendre le contrôle de toute la maison : tout le monde était obligé de calculer ses activités en fonction d'elle, de manière à éviter qu'elle ne pique une crise. Nous avons alors demandé conseil au docteur Swihart qui a suggéré que nous utilisions la méthode APR, tout en nous avertissant que ce ne serait pas facile. Ce qui suit raconte les deux premiers jours d'application de cette méthode – deux jours qui ont changé la vie de toute notre famille.

Notre objectif était de reprendre le contrôle de notre maison. Il fallut deux jours avant que nous observions un changement dans l'attitude de Brooke – deux jours à la suivre constamment pour mettre immédiatement fin aux comportements que nous jugions inappropriés et à attendre qu'elle se calme. Ce qui signifie qu'il a fallu mettre fin abruptement à des conversations téléphoniques, garer la voiture trois fois sur le bord de la route et ne pas répondre à la sonnette une fois, alors même que la personne qui était à la porte pouvait nous voir assis dans la cuisine. Nous savions que si nous voulions réussir nous ne devions en aucun cas permettre à Brooke de reprendre le contrôle de la situation, quoi qu'elle fasse et quelles que soient les circonstances. Cela peut sembler facile, mais ce fut épuisant et terriblement difficile à faire de façon continuelle.

Le premier jour, nous avons dû maintenir Brooke physiquement à côté de nous trente-trois fois pendant des périodes allant généralement de quatre à sept minutes.

(Mais une de ses crises dura vingt-deux minutes!) Pendant tout ce temps elle s'efforçait de s'échapper, passant en revue tous les «gros mots» de son répertoire et me déclarant même une fois qu'elle voulait changer de maman. Parfois elle se calmait au bout de deux minutes et nous la réorientions alors vers une nouvelle activité. Mais quelques secondes après, elle répétait de nouveau le comportement qui avait provoqué notre intervention... Elle testait sans arrêt nos réactions. Quand son père rentra à la maison, elle recommença tout depuis le début et manifesta de nouveau la quasi-totalité des comportements que j'avais déjà interrompus un peu plus tôt. C'était pour le moins déprimant! J'eus alors l'impression de n'avoir fait aucun progrès depuis le début : je la voyais comme l'enfant le plus manipulateur que j'aie jamais rencontré : mais après quelques heures Brooke finit par se rendre compte que son père était lui aussi capable de la maintenir en place et qu'elle avait affaire à un front uni, qu'elle réussirait difficilement à enfoncer.

La seconde matinée fut aussi pénible que la première. Il me fallut supporter les regards consternés des acheteurs lorsqu'elle s'assit sur le sol à l'épicerie, à mes pieds, pleurant pendant ce qui me sembla des heures – bien qu'en réalité ce ne fut guère plus de deux minutes. Je dus interrompre une conversation téléphonique sans la moindre explication et ignorer complètement mes deux autres enfants pour réussir à contrôler ses agissements. Et quand son grand-père vint la garder dans l'après-midi, elle passa une heure et quart – sur deux heures – à hurler à ses pieds en lui donnant des coups de pieds et de poing et à le menacer. Mais quand elle eut enfin testé tout le monde – même son grand-père – son comportement changea comme par magie. Elle comprit que lorsque nous lui disions de s'asseoir et de se tenir tranquille, nous étions décidés à ce qu'elle le fasse et que si elle se calmait – mais pas avant – elle pourrait aller faire autre chose.

Le troisième matin, nous pouvions, son père ou moi, mettre un terme aux comportements inappropriés en disant à Brooke de venir s'asseoir à côté de nous. À notre grand étonnement, elle arrêtait ce qu'elle était en train de faire et venait aussitôt. Quand elle était restée tranquille quelques secondes, nous lui proposions de faire autre chose, en ayant soin de préciser quoi.

Bien entendu, il y a encore des jours où elle nous teste et plusieurs affrontements comme ceux qui viennent d'être décrits sont nécessaires. Et, de nouvelles situations suscitent de nouveaux comportements, dont certains sont inappropriés, si bien que le processus est continu. Certains de ces nouveaux comportements sont plus difficiles à arrêter que d'autres et nous avons eu des épisodes difficiles, mais jamais comme les deux premiers jours. L'essentiel est que nous connaissons tous les règles de la méthode APR. Ce n'est plus Brooke qui mène le bal et chaque fois que son comportement laisse à désirer nous l'arrêtons immédiatement. Elle est beaucoup plus heureuse depuis qu'elle sait ce que nous attendons d'elle et nous ne perdons plus notre temps à discuter ou à chercher quelle pourrait être la punition adéquate. La méthode APR fonctionne donc vraiment, si vous acceptez de traverser des étapes difficile. Et vous vous rendrez ainsi un grand service, à vous comme à votre enfant, car elle rend à tous la vie beaucoup plus facile et plus agréable.

Une méthode «transportable»

La méthode APR doit pouvoir être utilisée partout. Aussi, n'utilisez pas un endroit désigné pour mettre votre enfant «au piquet». Choisissez plutôt l'endroit le plus proche que vous puissiez trouver, pour autant qu'il ne gêne pas le passage et ne comporte aucune distraction ; debout dans un coin de la pièce ou assis sur le sol, contre un mur, sur une chaise ou sur une marche, peu importe. Vous pouvez aussi demander à votre enfant de baisser la tête et de se tenir près de vous, debout ou assis. Ce qui compte, c'est que celui-ci se calme. Mener à bien cette procédure en conduisant une voiture peut sembler une gageure mais c'est en fait assez facile, une fois que la méthode est solidement implantée à la maison. Pour arrêter le comportement inacceptable, vous demandez simplement à l'enfant de baisser la tête. Observez alors une «pause» d'une trentaine de secondes et «réorientez» l'enfant comme d'habitude. Au début vous préférerez peut-être vous ranger sur le bord de la route, dans un endroit sûr, le temps de mettre en œuvre la procédure, mais par la suite vous n'en aurez même plus besoin. Cette méthode fonctionne aussi pendant les repas ou lorsque l'enfant travaille à une table, à l'école ou à la maison. Dans les endroits publics, désignez-lui un endroit particulier – à côté de vous ou sous une enseigne quelconque – où il pourra se tenir debout ou assis, ou demandez-lui simplement de baisser la tête. Dans les restaurants, faites-lui poser la tête sur la table ou, s'il est trop jeune, emmenez-le à l'extérieur.

Dans les lieux publics, les parents sont souvent tentés de suspendre la procédure pour éviter d'être embarrassés. Ils marchent sur des œufs pour éviter une confrontation et s'épargner d'avoir à utiliser la méthode APR. Rappelez-vous qu'une fois que vous aurez bien maîtrisé la mise en œuvre de la procédure et que votre enfant s'y sera habitué, le risque d'avoir à faire face à une scène embarrassante disparaîtra. La méthode APR est la seule qui permette d'imposer des limites de manière calme et aimable, sans avoir recours à des tactiques manipulatrices comme la colère, la menace, la discussion, le harcèlement, les promesses ou les récompenses. Votre enfant peut ainsi apprendre à s'adapter à une infinité de situations différentes.

La méthode APR vise à guider l'enfant, pas à le punir ou le récompenser. Tout ce que vous avez à faire est d'arrêter le comportement indésirable, d'attendre que l'enfant se calme et de reprendre vos activités. N'essayez pas d'en faire plus – par exemple, en ayant recours à la punition – car vous détruiriez ainsi son efficacité.

Les «conséquences» (punitions)

En général, le recours à la méthode des conséquences à retardement ne donne guère de résultats fiables, bien que beaucoup de parents et de professeurs pensent que trouver la conséquence adéquate et la manière appropriée de l'imposer aide à améliorer le comportement de l'enfant. En fait, les «conséquences» sont punitives par nature et produisent habituellement plus d'effets secondaires indésirables que d'effets bénéfiques. La menace continuelle de punition peut altérer le comportement, mais ni de manière durable ni de manière prévisible. Aussitôt que la personne qui exerce l'autorité s'en va, le comportement indésirable réapparaît. L'individu puni apprend ainsi la ruse et la dissimulation : il tente d'expliquer ou de justifier son comportement, disparaît ou se moque de celui qui le punit. Les conséquences arbitraires, comme les retenues, le retrait de privilèges, les réprimandes prolongées, les travaux imposés et les amendes ne fonctionnent pas bien. Supposez que votre employeur utilise cette méthode : pensez-vous que vos performances au travail en seraient améliorées? C'est peu probable, surtout à long terme. Par contre, il y a des risques que les employés se découragent, deviennent sournois et se mettent à examiner attentivement les offres d'emploi dans le journal. *Les conséquences à retardement sont une tactique manipulatrice utilisée par les parents pour éviter la confrontation, mais qui apprennent en fait à l'enfant à utiliser la manipulation en retour.*

Les conséquences morales

Bien que nous soyons fermement opposés à l'usage des conséquences à retardement pour modifier un comportement, nous
sommes extrêmement favorables au recours aux conséquences
d'ordre éthique ou moral. Les conséquences morales sont celles
que l'on utilise pour corriger un problème et redresser un tort. Si
on a mis du désordre, il faut nettoyer; si on a volé, ramener l'objet
dérobé avec des excuses; si l'on s'est montré grossier vis-à-vis
d'un professeur, lui écrire une lettre d'excuses et la lui remettre en
mains propres; si la balle qu'on a lancée traverse la fenêtre du
voisin, il faudra remplacer le carreau. Ces conséquences n'ont pas
pour but de modifier le comportement, mais elles correspondent
tout simplement à ce qu'on *doit* faire. Le message d'ensemble et
les valeurs qui le sous-tendent finiront par être perçus par
l'enfant, mais cela peut demander un certain nombre
d'expériences. Et quand votre enfant doit faire une chose difficile
comme de faire face à quelqu'un à qui il a fait du tort et de
s'excuser, encouragez-le en lui rappelant que ce n'est pas la fin du
monde et que la vie continuera après qu'on aura demandé
pardon; ce n'était qu'une erreur et ce ne sera pas la dernière!

Après coup

La méthode APR ne doit pas être utilisée après coup. Après un
certain délai, il n'y a plus grand-chose à faire pour changer le
cours des comportements futurs. Si les conséquences à retardement sont inefficaces, l'utilisation après coup de la méthode APR
l'est aussi. Si plus de quelques secondes se sont écoulées après
qu'un comportement donné s'est manifesté, renoncez à l'utiliser;
la seule approche que vous puissiez alors adopter consiste à
rappeler les règles. Voici un exemple : le professeur de Rachel
appelle pour dire qu'elle a encore poursuivi Bob avec une gre-
nouille pour lui faire peur. Appliquer la méthode APR lorsque
Rachel rentre de l'école est inutile. Tout ce qu'on peut faire, c'est
de lui rappeler la règle : «Rachel, tu ne dois pas effrayer les autres
enfants à l'école. Tu dois cesser de le faire tout de suite. Dès

demain, je veux que tu dises à Bob que tu es désolée et que tu n'essaieras plus de l'effrayer.» Et si vous voulez changer le comportement de l'enfant, entrez en rapport avec les personnes qui se trouvent avec lui lorsque ce comportement se produit. Obtenez l'aide du surveillant : vous pourriez lui parler de la méthode APR et lui demander de l'appliquer si Rachel recommence à faire un de ses tours.

La persévérance

Les parents qui commencent à utiliser la méthode APR assistent généralement à d'importantes modifications du comportement de leurs enfants en peu de temps. Ils les trouvent plus obéissants et constatent qu'ils observent plus facilement les règles. Ils ont alors tendance à relâcher leur action et à fermer les yeux sur les infractions mineures. Petit à petit, des pans entiers du comportement antérieur de l'enfant commencent alors à réapparaître et tout d'un coup les parents s'aperçoivent qu'il est redevenu exactement le même qu'avant que la méthode ne soit appliquée pour la première fois. Si cela vous arrive, rectifiez votre attitude, recommencez à appliquer la méthode de façon systématique, et les choses s'amélioreront aussitôt.

L'utilisation de la méthode APR avec les adolescents

On peut utiliser la méthode APR, moyennant quelques adaptations, avec les adolescents (quoique cela puisse être inefficace avec des adolescents difficiles et déjà relativement âgés). Les modifications à apporter portent sur la période de pause : plutôt que d'envoyer votre enfant de quinze ans dans un coin, ou de le faire asseoir par terre là où il se trouve, vous pouvez lui demander d'aller s'asseoir sur son lit, de rester immobile où il est ou d'aller vous attendre dans la cuisine. Demander calmement à un adolescent de venir à côté de soi, d'attendre un moment pour se calmer puis, très gentiment, lui donner de nouvelles directives marche souvent étonnamment bien. Si votre enfant refuse d'abord de venir, contentez-vous de le regarder et d'attendre. S'il se réfugie en courant dans sa chambre, entrez calmement et regardez-le simplement en attendant patiemment qu'il vienne vers vous. S'il vous provoque, attendez tranquillement qu'il ait fini. Rappelez-vous que ce n'est pas réellement *sa* chambre, mais que vous le laissez seulement l'utiliser jusqu'à ce qu'il soit en âge de se loger par lui-même. Une autre modification utile avec les adolescents qui aiment entraîner leurs parents dans des discussions et des négociations consiste à répondre à côté de la question en disant, par exemple : «Je ne peux pas en parler maintenant.» Ce type de réponse, si vous vous y tenez fermement, permet généralement de «dégonfler» l'argument et de mettre fin à la discussion.

L'utilisation de la méthode APR avec les jeunes enfants

Il est souhaitable de commencer à utiliser la méthode APR quand l'enfant a entre un et deux ans, et de préférence avant dix-huit mois. Les enfants qui ont été habitués à être «mis au piquet» momentanément dès leur plus jeune âge et à qui on a imposé des limites claires et stables sont beaucoup plus heureux, ont plus de confiance en eux et sont plus indépendants que ceux qui ont passé leur temps à explorer les faiblesses du système d'éducation de leurs parents. Et les parents qui ont appris dès le départ à arrêter systématiquement les comportements indésirables plutôt que de réagir de manière inappropriée ne sont pas encombrés de mauvaises habitudes qu'il va leur falloir désapprendre quand ils décideront finalement de faire quelque chose face au comportement de leur enfant.

Si vous avez un jeune enfant, commencez par lui apprendre à rester – assis ou debout – là où vous l'avez placé jusqu'à ce qu'il se calme en lui disant, par exemple : «Assieds-toi et tiens-toi tranquille.» Au début, il vous faudra sans doute y consacrer un peu de temps et d'efforts : placez l'enfant à l'endroit que vous avez décidé, restez près de lui et ramenez-le à sa place rapidement quand il tente de s'échapper. Dès qu'il reste en place une trentaine de secondes – ce que la plupart des enfants devraient apprendre en un jour ou deux avec un minimum d'efforts – laissez-le partir. S'il pique une crise, attendez simplement qu'il ait fini sans intervenir : il comprendra vite que ça ne marche pas. Plus vous appliquerez la méthode souvent, plus l'enfant apprendra vite. Ne vous inquiétez pas de la phase de «réorientation», sinon pour inviter l'enfant à vous suivre ou à aller jouer : vous pourrez ajouter cette phase ultérieurement, lorsque les capacités verbales de votre enfant seront plus développées.

Choisir le bon moment

Si vous appliquez la méthode APR dès le début du comportement auquel vous voulez mettre un terme, vous serez étonné de la facilité avec laquelle votre enfant l'acceptera. Mais si vous avez d'abord tenté de faire changer le comportement de l'enfant tout en essayant d'éviter une confrontation, la méthode APR risque de ne pas très bien fonctionner et de déboucher sur un véritable affrontement. Utilisez donc la procédure tôt et souvent.

Ignorer un comportement

On recommande souvent d'ignorer les comportements destinés à attirer l'attention. Ce principe est valable à deux conditions : ignorer complètement le comportement en question jusqu'à ce qu'il disparaisse et être certain que personne d'autre n'y prêtera attention. Lorsqu'on ignore leur comportement, la plupart des enfants réagissent, en effet, soit en aggravant leur comportement, soit en faisant montre d'une inventivité remarquable pour en trouver un autre plus efficace afin de capter l'attention. C'est pourquoi nous ne recommandons pas, en général, cette attitude.

Il existe toutefois une variante de cette approche qui peut être efficace dans certaines situations : c'est le fait de répondre «à côté», ou pas du tout. Par exemple, si l'enfant dit une chose à laquelle l'adulte devrait normalement répondre par un argument, mais qu'au lieu d'une réponse, il reçoit un sourire ou une plaisanterie, la discussion peut se terminer par des rires et sa tentative d'entraîner ses parents dans des discussions sans fin aura ainsi échoué. Cette technique est particulièrement utile avec les enfants qui disent : «Je ne peux pas», ou qui sont effrayés par quelque chose. Examinez les gens qui se débrouillent bien avec les enfants, ceux qui ont une autorité naturelle, et vous verrez cette technique en action. Quand les parents utilisent l'humour, ils doivent prendre garde à ne pas être sarcastiques ou méprisants vis-à-vis de l'enfant, mais le simple fait de ne pas prendre ses problèmes au tragique peut les faire s'évanouir comme par magie. Les parents qui offrent à leur enfant qui menace de partir de l'aider à faire sa valise, à celui qui a peur la nuit de peindre des monstres sur le mur de sa chambre ou à celui qui se plaint de s'ennuyer de nettoyer le sol avec une brosse à dents utilisent cette tactique. Celle-ci ne consiste pas exactement à ignorer le comportement de l'enfant mais, en ne lui donnant pas la réponse attendue, elle contribue à sa disparition.

L'extinction du renforcement négatif

Cette technique vise à éliminer le renforcement négatif. (Souvenez-vous de ce qu'est le renforcement négatif : face à une situation déplaisante, la personne agit de manière à en éviter les effets désagréables. *Le renforcement négatif n'est pas la punition.*) Si les parents empêchent l'enfant d'échapper à la situation ou à la tâche qui lui déplaît et exigent au contraire qu'il l'affronte, ils éliminent le renforcement négatif, et l'enfant peut ainsi découvrir que ce qu'il trouvait effrayant ou désagréable n'était finalement pas si terrible que ça. À chaque nouvelle expérience, la situation redoutée devient plus familière et l'évitement faiblit. Souvent l'enfant éprouve même un sentiment de triomphe et ce qui était craint devient alors agréable et plaisant. Être capable de surmonter les situations difficiles, ou tout simplement d'y survivre, est un ingrédient essentiel de la constitution de l'estime de soi des enfants, comme des adultes.

Comme la méthode APR, l'extinction des comportements d'évitement doit être conduite de façon calme, confiante et ferme. Il y a aussi d'autres ressemblances : votre enfant peut tenter d'interagir avec vous comme dans la phase de «pause» de la méthode APR : il peut se plaindre que vous soyez injuste et déraisonnable et il peut tenter de se débattre, de hurler ou de s'enfuir. Mais plus vous interagirez avec lui, moins la méthode sera efficace. Plus vous le rassurerez, plus vous lui laisserez voir votre malaise face à ce qu'il doit affronter, plus l'enfant montrera de résistances à faire ce qu'il a à faire. Procédez avec calme, confiance et constance.

Le principe que les parents doivent garder en tête au cours de ce processus et quand ils ont affaire à un enfant désemparé est le suivant : *Réconforter sans résoudre.* Le rôle le plus utile que les parents puissent jouer consiste à réconforter l'enfant lorsqu'il subit des émotions pénibles. Si vous tentez d'arranger les choses pour lui, vous abandonnez ce rôle pour prendre la responsabilité de la situation, et l'enfant ne pourra rien tirer d'utile de l'expérience. Réconforter n'est pas tenter de transformer les sentiments de l'enfant : quand des parents réconfortent un enfant, ils lui communiquent le fait qu'ils savent qu'il doit faire face à une chose qui lui paraît difficile, ils reconnaissent et acceptent sa détresse, mais n'essaient pas d'y remédier. On peut réconforter un enfant en lui disant simplement : «Je suis désolé, je sais que c'est difficile, mais tu vas y arriver» ou en le prenant dans ses bras et en lui expliquant qu'on comprend sa détresse. Vous pouvez aussi lui communiquer votre vision d'adulte, lui raconter une histoire qui vous est arrivée, citer un aphorisme ou une devise familiale – toutes choses qui vous permettront de partager le chagrin de l'enfant sans en prendre la responsabilité. Prenons un exemple : John doit faire un exposé devant sa classe d'études sociales sur Anne Frank. Il va voir son père et se plaint de sa nervosité, disant qu'il a «des papillons dans l'estomac». Il dit : «Je ne sais pas si j'y arriverai, je suis trop nerveux. Papa, peux-tu appeler Mme Ricker pour lui demander si je peux lui faire mon exposé en privé?» Le père prend son fils dans ses bras et répond : «John, je sais que c'est pénible, mais tu peux et tu dois le faire. Non, je n'appellerai pas Mme Ricker car je pense que ce sera un excellent exercice pour toi.» Il ne fait donc rien pour essayer de tirer John de la situation difficile dans laquelle il se trouve ou pour modifier ses sentiments. Il le laisse trouver lui-même une solution pour surmonter son anxiété. Mais il lui exprime son affection, son intérêt et sa confiance en lui.

Permettre à votre enfant de trouver sa propre voie pour faire face à ses émotions, c'est l'encourager à faire un pas vers l'indépendance. John est ainsi devenu plus fort, même si ça a été difficile. Il a appris qu'il était capable et aussi qu'il pouvait réussir à surmonter son anxiété.

Toute situation nouvelle et tout défi effrayaient Brian. Qu'il s'agisse d'apprendre à skier ou à nager, il suppliait qu'on le dispense de le faire, feignait d'être malade ou piquait une crise. Ses parents ne renonçaient jamais, mais reconnaissaient son désarroi. Progressivement ses protestations devinrent moins vives et ses parents purent lui dire : «Brian, est-ce que ça n'est pas déjà arrivé? Est-ce que les choses ne se sont pas toujours bien passées finalement, même lorsque tu avais peur?» Et, plus tard, Brian apprit à se faire la réflexion lui-même lorsqu'il était confronté à une situation angoissante, et il put entreprendre de nouvelles activités aisément, confiant dans sa capacité d'y survivre.

Le rôle du renforcement positif

Quand les parents prêtent attention aux choses qu'ils veulent que leur enfant fasse, ils utilisent un des moyens les plus puissants que nous possédions pour élever des enfants adaptés. Malheureusement, si beaucoup de parents trouvent qu'ils accordent énormément d'attention à leurs enfants, c'est rarement pour de bonnes raisons. Quel est le problème?

Sylvie Rimm, auteur de plusieurs livres sur les enfants, aime à parler de l'enfant «trop désiré». L'enfant «trop désiré» est un enfant que les parents ont attendu longtemps et qui recueille toute leur attention dès sa naissance. Le docteur Rimm parle à propos de ces enfants d'assujétion à l'attention. C'est une excellente définition : ces enfants ne peuvent rien faire s'ils ne reçoivent une attention permanente et continue. Ils ont souvent des résultats scolaires médiocres et lorsqu'ils en obtiennent de bons, c'est grâce à l'attention permanente que ceux-ci leur permettent de recueillir. Ils font ce qui attire l'attention – pas ce qu'ils ont choisi eux-mêmes de faire en fonction de leurs intérêts propres. L'accent que l'on met actuellement sur le renforcement positif et les méthodes positives d'éducation, combiné à la petite taille des familles, a pour résultat que de nombreux enfants souffrent de ce type d'assujétion et sont incapables de suivre leur propre voie si ce n'est pour attirer l'attention des autres. Quand ils sont jeunes, ces enfants pensent qu'ils sont au centre de l'univers, mais ils deviennent malheureux et dépendants en grandissant. Ils dépendent toujours des autres pour les lauriers et l'enthousiasme et ne sont jamais satisfaits de la simple poursuite de leurs propres buts. Les enfants ont besoin de notre amour et de notre attention, mais nous ne sommes pas obligés de les déverser sur eux à chaque petite réussite. Ils ont besoin de temps et de solitude pour trouver leurs propres renforcements, poursuivre leurs propres intérêts et s'enthousiasmer pour les découvertes qu'ils font seuls, par eux-mêmes. Et si l'on veut qu'ils réussissent à trouver leur bonheur personnel dans la vie, ils doivent comprendre tôt qu'ils ne sont pas le centre de l'univers, mais seulement une personne importante parmi d'autres.

Le renforcement positif peut être utile pour venir à bout d'un comportement négatif, mais il est presque toujours nécessaire de fixer aussi des limites et il ne permet pas de corriger les attitudes d'évitement ni de venir à bout des comportements visant à attirer l'attention. Être attentif aux comportements positifs tout en imposant des limites (par la méthode APR ou celle de l'extinction) rendra le processus infiniment plus rapide, mais si les enfants sont désobéissants, renforcer leur comportement *quand* ils sont obéissants ne suffira pas. La plupart des enfants désobéissants le sont en partie pour attirer l'attention. Ils offrent donc peu d'occasions de renforcement positif tant qu'on n'a pas mis fin à leur comportement négatif. S'il est essentiel que nous prêtions attention aux attitudes positives de nos enfants, nous en remettre totalement au renforcement positif est une erreur. Rappelez-vous que votre objectif à long terme est que votre enfant n'ait pas besoin de l'attention constante des autres pour poursuivre ses propres objectifs.

Pour être efficace, le renforcement positif doit être instantané : dès que l'enfant manifeste le comportement souhaitable, les parents doivent répondre immédiatement de façon positive. Le renforcement positif le plus efficace réside dans l'attention des parents. Comme pour la technique APR, le renforcement positif doit être apporté de manière calme et sans insistance. Un clin d'œil, une tape dans le dos, un bref commentaire décrivant ce que vous avez remarqué suffisent à la plupart des enfants. Les félicitations après coup confèrent une valeur au comportement, mais ont peu de chance d'influencer celui-ci. En voici un exemple : Kay vient juste de finir un devoir et le montre à ses parents pour qu'ils le relisent. Ils y jettent un coup d'œil et lui disent qu'elle a fait un excellent travail. Ce commentaire est beaucoup trop vague pour augmenter de manière significative le montant d'efforts que mettra Kay à son travail à l'avenir (surtout si elle n'aime pas le travail scolaire). Les comportements qui lui ont permis de produire un excellent travail ont eu lieu bien avant. Féliciter un enfant pour un A à un examen donne de la valeur à celui-ci, mais augmente peu la probabilité que la performance se reproduise à l'avenir. L'enfant a étudié toute la semaine et le soir précédant l'examen. Si vous voulez être efficace, c'est à ce moment-là que vous devriez lui dire : «Il me semble que tu devrais être prêt pour ton examen, demain», lui faire un clin d'œil ou lever le pouce lorsque vous entrez dans sa chambre pendant qu'il travaille.

Nous recommandons fermement aux parents d'éviter ce que nous appelons des félicitations excessives : «Tu as fait un travail extraordinaire, formidable! Tu es le meilleur», «C'était de loin le meilleur de tous!», «C'était fantastique, incroyable!» Les parents qui abreuvent régulièrement leurs enfants de félicitations excessives ont le choix entre deux scénarios. Dans le premier, l'enfant se rend compte que ce qu'il a fait n'était ni extraordinaire ni fantastique : il a juste fait ce qu'il avait à faire. Il risque de développer alors le sentiment qu'en réalité les parents ne sont aimables avec lui que pour le pousser. Il sent qu'il est traité avec condescendance, ce qui rend l'attention des parents moins efficace.

Il peut également se méfier de ce qui va suivre : «Et alors, maman, qu'est-ce que tu veux que je fasse maintenant?»

L'enfant peut aussi croire que les félicitations sont sincères. Mais ses perspectives sont trop limitées pour lui permettre de savoir avec certitude ce qui lui mérite cet éloge et il ne possède aucun indice lui permettant de répéter ce que les parents ont trouvé de si extraordinaire. Il risque alors de devenir perfectionniste, d'être paralysé et incapable de réussir. Pire, il peut grandir en croyant qu'il est réellement le meilleur pour découvrir finalement que le monde résiste à cette croyance. Soyez donc réaliste dans vos éloges et, aussi souvent que possible, demandez à votre enfant ce qu'il pense lui-même de sa performance.

Renforcez chez vos enfants ce qu'ils font plutôt que ce qu'ils disent qu'ils *vont* faire. Renforcer une déclaration verbale peut conduire à de nouvelles déclarations, mais ça n'a aucun impact sur le comportement présent. Supposons, par exemple, qu'Amy annonce à ses parents que, désormais, contrairement à ce qui était le cas auparavant, elle ne va plus avoir que des A à ses tests hebdomadaires de mathématiques. Heureux et pleins d'espoir, ceux-ci la félicitent. Mais Amy travaillera-t-elle vraiment le semestre suivant? Peut-être, mais si c'est le cas ce ne sera pas à cause du renforcement de ses parents. Tout ce qu'on peut prédire à partir de la réaction de ceux-ci, c'est qu'Amy fera encore plus de déclarations d'intention à l'avenir. Mais, malheureusement, renforcer sa déclaration ne modifiera pas de façon prévisible le comportement d'Amy.

Les comportements les plus susceptibles de bénéficier du renforcement positif des parents sont ceux qui commencent juste à émerger. En revanche, utiliser le renforcement une fois que l'enfant a déjà acquis un comportement sert seulement à lui enseigner la dépendance. Quand l'enfant commence à acquérir un nouveau comportement, le renforcement devrait être aussi fréquent que possible, mais au fur et à mesure que le comportement devient habituel, les parents devraient transférer leur attention sur d'autres comportements en train d'émerger.

L'entraînement effectif

L'entraînement effectif, une méthode développée par Nathan Azrin, est très utile pour inculquer de nouveaux comportements. Contrairement à la méthode APR, qui consiste à agir directement pour mettre fin aux comportements manipulateurs, l'entraînement effectif enseigne une nouvelle manière de se comporter et nous conseillons presque toujours d'utiliser en même temps une des méthode permettant d'imposer des limites (comme la méthode APR).

L'entraînement effectif sert surtout à inculquer des comportements qui dépendent d'un signal pour se produire. Ce signal peut être interne, externe ou être un autre comportement d'une série dans laquelle différents comportements s'enchaînent. Par exemple, lorsqu'un enfant apprend à aller aux toilettes, une combinaison de ces trois types de signaux entre en jeu. Un signal interne (la vessie pleine) met en route une série de comportements (arrêter de jouer et se diriger vers les toilettes). Quand l'enfant est dans les toilettes ou la salle de bains (signal externe), il défait ses vêtements, urine et réajuste ses vêtements. Ensuite, il actionne la chasse d'eau, se lave les mains, puis les essuie, et finalement retourne à ses jeux. Un simple signal externe peut également mettre en route une séquence complexe. Aux mots «Éric, il est temps de se préparer pour l'école», Éric doit franchir toutes les étapes nécessaires pour être prêt à partir. Dans cet exemple, la directive parentale déclenche la séquence, mais c'est l'exécution d'un comportement qui déclenche le comportement suivant.

Les comportements avec lesquels l'entraînement effectif marche le mieux sont les comportements routiniers et automatiques : s'habiller ou se déshabiller, se préparer pour aller au lit, apprendre à aller aux toilettes, se laver les mains, mettre sa ceinture de sécurité, traverser la rue, apprendre à se tenir à table, savoir comment se comporter quand on vous tourmente, et ramener ses devoirs à l'école. Malheureusement, les parents tentent souvent d'inculquer ces comportements en harcelant l'enfant, en élevant le ton, en utilisant les menaces ou les punitions ou par des démonstrations de colère. Or, le harcèlement, la colère et la menace garantissent en fait un accroissement des comportements indésirables. Combien d'entre nous ne se souviennent-ils pas d'avoir rappelé cent fois à leurs enfants de s'habiller, de se laver le visage ou de mettre leur ceinture de sécurité pour se rendre compte finalement que tout était à recommencer la fois suivante?

Voici comment l'entraînement effectif fonctionne : faites simplement répéter toute la séquence plusieurs fois à l'enfant. Par exemple, s'il a l'habitude de faire tout et n'importe quoi plutôt que de se préparer à aller au lit, vous interviendrez en lui faisant répéter plusieurs fois toute la procédure chaque fois qu'il ne le fera pas spontanément. Tout d'abord, si c'est possible, demandez-lui de vous décrire la suite de comportements qu'il doit effectuer. Une fois que vous êtes d'accord sur ceux-ci, mimez rapidement chaque étape en décrivant les actions qu'il doit faire. S'il s'agit d'aller au lit, faites semblant d'enlever vos vêtements, de mettre votre pyjama, d'aller à la salle de bains, de vous brosser les dents, de faire vos besoins et de boire un verre d'eau, puis de retourner dans la chambre, d'ouvrir le lit, d'éteindre la lumière et de vous glisser dans le lit. Ensuite, faites-lui répéter toute la séquence de dix à quinze fois. Maintenez un climat enjoué tout le long de l'exercice : une approche punitive ou agressive ne marchera pas. Faites comprendre à l'enfant qu'apprendre la séquence éliminera la colère et les oublis. Avec les séquences plus longues et plus compliquées, il peut être nécessaire de donner des indications verbales telles que : «Bon, maintenant qu'est-ce qu'il faut faire ensuite?» ou «Qu'avons-nous décidé de faire ensuite?» ou «Comment t'y prendrais-tu pour faire ça?» Vous pouvez aussi utiliser des signaux physiques : regarder, hocher la tête ou désigner l'étape suivante. Si l'enfant effectue la séquence de façon satisfaisante, reconnaissez son succès au moyen du renforcement positif (voir section précédente). Renforcez à la fois ses comportements et ses réponses aux indications verbales, en diminuant vos encouragements au fur et à mesure qu'il réussit mieux. S'il refuse de participer, expliquez-lui l'importance de cet entraînement. «Je sais que c'est ennuyeux, mais nous devons le faire. Je pense que ça rendra les soirées plus agréables pour nous tous» ou «Faisons-le encore quelques fois et ça ira.» S'il résiste encore, n'hésitez pas à utiliser la méthode APR.

Pour les tâches qui demandent plus de temps, vous pouvez vous contenter de faire exécuter à l'enfant les déplacements ou lui faire mimer les mouvements d'une partie des essais à l'exception d'un ou deux à la fin, qu'il devra faire complètement. Par exemple, s'il s'agit d'être prêt pour l'école, un processus qui demande au moins quinze minutes, on ne peut demander à l'enfant de le répéter dix fois. Utilisez donc le mime au début, puis demandez-lui de faire la séquence au complet.

Les jours où l'enfant n'a pas de problème avec le comportement en question, ne le lui faites pas répéter. S'il en a, faites-lui faire plusieurs répétitions et s'il traîne ou s'amuse pendant ce temps, utilisez la méthode APR. Contrairement à cette méthode ou à celle du renforcement positif, l'entraînement effectif ne doit pas nécessairement être entrepris dès qu'il y a un problème. Vous pouvez le faire au moment qui vous convient, à vous et à votre enfant. Vous devez cependant observer la règle suivante : effectuez la séquence exactement de la même façon chaque fois. Même lorsque l'enfant réussit une performance acceptable, continuez à utiliser la méthode APR et celle de l'entraînement effectif chaque fois que sa conduite laisse à désirer, sans quoi l'enfant retombera dans ses anciennes habitudes. Et plus vous recommencerez l'entraînement rapidement, plus les résultats à long terme seront satisfaisants.

L'application des techniques

L'enfant oppositionnel

L'enfant oppositionnel est celui qui refuse de faire ce qu'on lui demande : il discute les requêtes et les ordres en devenant souvent véhément et coléreux et, pour lui, «non» est un mot qui appartient à une langue étrangère et incompréhensible. Quand vous lui demandez quelque chose, il ne fait souvent qu'une partie du travail. Dès qu'il rencontre des problèmes, il se décourage et dissimule ce qu'il n'a pas fait. Il manifeste souvent un comportement agressif : si vous l'envoyez dans sa chambre pour la ranger, il ne fait le travail qu'à moitié et termine en jouant avec les objets qu'il était supposé ranger. Et si vous lui en faites la remarque, il devient agressif et violent. Comme il le fait souvent remarquer, rien n'est jamais sa faute... Les comportements qu'il faut viser pour mettre fin aux manipulations de ce genre d'enfants sont : l'obéissance, la persévérance, la qualité du travail, l'honnêteté, le respect des règles, l'acceptation du «non» et la capacité de mettre fin à un comportement lorsqu'on le lui demande.

Jake est un enfant oppositionnel. Il avait onze ans lorsque nous l'avons rencontré. Lorsqu'on lui demandait de faire quelque chose dans la maison, sa première réponse était de discuter. Quand ça ne marchait pas, il piquait une crise de colère de première grandeur, arpentant bruyamment la maison, criant et hurlant, ou se précipitait dans sa chambre pour la saccager. Son comportement était meilleur à l'école, mais ses résultats étaient très en dessous de ses capacités. Il «perdait» mystérieusement ses devoirs, ne les terminait pas ou «oubliait» de les rendre. Ce qu'il faisait était souvent bâclé, négligé et inexact.

Le premier comportement dont nous voulions venir à bout était la désobéissance. Avec ce genre d'enfant, la première place revient à la méthode APR. Voici comment ça se passe : on demande calmement à l'enfant de faire quelque chose; l'obéissance est suivie d'un «merci», le refus d'obéir, de l'application de la technique APR. Le comportement de l'enfant est considéré comme désobéissant à partir du moment où la tâche demandée n'est pas entreprise dans les secondes qui suivent. Les parents font appel à la méthode APR aussi longtemps que l'enfant ne fait pas ce qu'ils lui ont demandé. Une des tâches de Jake consistait à sortir les poubelles et ses parents pensèrent qu'ils pouvaient aussi bien commencer par là. Voici comment les choses se passèrent : «Jake, s'il te plaît, sort les poubelles. – Non, ne vois-tu pas que je regarde mon émission? – Jake, s'il te plaît, assieds-toi sur cette chaise.» Il fallut un bon quart d'heure à Jake pour s'installer et se calmer. «O.K., Jake, maintenant sors les poubelles s'il te plaît.» Jake répondit non de nouveau. «S'il te plaît, retourne sur la chaise.» Cette fois, Jake se calma plus rapidement, mais il fallut encore douze essais avant qu'il n'accepte d'obéir.

Chaque fois que Jake refusait de sortir les poubelles, on lui demandait de s'asseoir sur une chaise à l'écart du poste de télé. Au cours de la première séance, Jake cria de tous ses poumons que ses parents le haïssaient, qu'il les haïssait et qu'il ne pourrait pas attendre d'être assez grand pour quitter la maison. On pouvait aussi l'entendre répéter : «Je ne sortirai pas ces ... de poubelles! Vous pouvez me laisser sur cette chaise pendant mille ans, je ne les sortirai pas. Vous pouvez me faire tout ce que vous voudrez, je ne les sortirai jamais.» Chaque fois qu'on demandait à Jake d'y aller, il se remettait en colère, mais, graduellement, la durée de ses crises et l'intensité de ses cris diminuèrent. Une fois, il essaya de s'en tirer autrement : «Oh! Je suis désolé, je n'avais pas entendu.» Il essaya aussi un «truc» qu'utilisent la plupart des enfants (navré, Jake, ce n'était pas original!) : lorsqu'on lui demanda de s'asseoir, il se précipita pour faire le travail. Mais ses parents furent assez avisés pour le rattraper et le ramener sur sa chaise. Cette fois-là, Jake explosa. Sa sœur eut le malheur d'arriver pour répondre au téléphone et il déversa son vitriol sur elle, la traitant de toutes sortes de noms. Heureusement, elle savait qu'il ne fallait pas répondre, prit le téléphone et se glissa hors de la cuisine.

Quand vous mettez en œuvre la méthode APR avec un enfant oppositionnel, attendez-vous à être confronté à un comportement similaire à celui de Jake au début. (Si ce n'est pas le cas, vous devriez même vous inquiéter et réexaminer votre manière de faire...) L'enfant oppositionnel doit avoir tout essayé pour contrôler la situation, et finalement échoué à le faire, avant qu'un changement puisse se produire. Quand la tempête sera passée, vous pourrez espérer un changement. Grâce à l'application persistante de la méthode APR par ses parents, Jake a appris à être plus complaisant. Avec les enfants oppositionnels, vous devez réagir à chaque cas de désobéissance par l'application immédiate de la méthode APR.

Le père de Jake, Bill, eut beaucoup de mal à appliquer cette méthode. Sa réponse naturelle était de crier et de menacer Jake. Elle était automatique et il y avait recours depuis des années. La mère de Jake eut plus de facilité, mais il fallait que Bill perde ses mauvaises habitudes. Ils décidèrent alors que lorsque Bill se mettrait à crier, la mère de Jake lui ferait un signe pour lui rappeler d'appliquer la méthode APR. Elle pourrait tousser, attirer son regard, le toucher dans le dos ou simplement lui dire «Bill!» pour l'interrompre. Bill baisserait alors le ton d'une cinquantaine de décibels et demanderait calmement à Jake de s'asseoir. Dans les rares occasions où Bill mettait calmement en œuvre la méthode, sans élever le ton, la mère de Jake levait le pouce ou lui faisait un clin d'œil. Nous avons demandé aussi à Bill d'identifier les situations qui le mettaient le plus en colère. Nous nous sommes aperçus qu'il avait tendance à répéter plusieurs fois à Jake qu'il avait un travail à faire. La seconde ou la troisième fois, il se mettait en colère et commençait à crier. Comprendre cela aida Bill à mettre en œuvre la méthode APR dès la première fois plutôt que d'attendre d'être exaspéré. Nous l'avons encouragé aussi à répéter mentalement ce qu'il allait faire. Il s'assiérait dans un endroit calme et imaginerait que Jake désobéissait – ce qui ne demandait pas un gros effort d'imagination! – puis il se ferait une image mentale du comportement de Jake et de sa propre réponse à celui-ci : l'application calme et immédiate de la méthode APR. Il répéta ce scénario jusqu'à ce qu'il n'ait plus besoin de penser à ce qu'il devait faire, en portant une attention particulière à ce que Jake faisait quand on lui demandait quelque chose. Grâce à l'aide de la mère de Jake, aux répétitions mentales et à sa ferme détermination, Bill apprit à utiliser la méthode APR avec calme et efficacité.

Au bout d'un jour ou deux, il demanda d'ailleur à sa femme de cesser de lui faire des signes, disant : «Je ne veux pas m'en remettre à elle : je crains de devenir dépendant. Je veux être capable de m'en sortir tout seul. Jake a deux parents, pas seulement un et nous devons tous les deux agir comme il faut vis-à-vis de notre fils.» Bill avait évidemment raison : s'en remettre constamment à sa femme pour lui rappeler ce qu'il devait faire pouvait, au-delà de quelques jours, créer une dépendance.

Jake manquait aussi de persévérance, un autre comportement d'évitement. Lorsque quelqu'un réussit à remettre un travail à plus tard, à en réduire les dimensions ou à l'éliminer, le processus de renforcement négatif se produit. Face au manque de persistance, nous conseillons aux parents de recourir à la méthode APR chaque fois qu'ils s'aperçoivent que l'enfant ne fait pas ce qu'ils lui ont demandé, de surveiller le travail – assez fréquemment au début – et d'intervenir dès que l'enfant abandonne sa tâche. Si les parents trouvent l'enfant en train de travailler, ils peuvent lui faire un commentaire positif, lui toucher le bras ou lui faire un signe. Cette approche est très différente de celle qu'adoptent la plupart des parents dont les enfants manquent de persévérance. Parmi les réactions typiques, on trouve le harcèlement, les cajoleries, les supplications, les menaces et les hurlements – des réponses qui ne peuvent qu'accroître le problème. L'enfant bénéficie ainsi à la fois d'un renforcement négatif – en échappant au travail – et d'un renforcement positif – en recevant l'attention de ses parents lorsqu'il abandonne sa tâche. Dans ces conditions, il n'est guère étonnant que le manque de persévérance soit si difficile à traiter.

Lorsqu'on lui demandait de s'habiller, de ranger sa chambre ou de faire du travail ménager, Jake abandonnait assez vite... lorsqu'il commençait! On pouvait le trouver en train de regarder un dessin animé alors qu'il était censé s'habiller ou de jouer à un jeu quand il aurait dû faire ses devoirs. Ranger sa chambre lui prenait trois heures – dont la majeure partie était consacrée à jouer ou à ranger ses cartes de sport. Tout était bon pour échapper au travail. Le père de Jake se trouvait constamment en train de le harceler pour qu'il s'y remette. Ses remarques commençaient sur un ton aimable et calme, mais à la cinquième fois il finissait par se mettre en colère et à utiliser la menace. Et les parents de Jake ne pouvaient se concentrer sur ce qu'ils avaient eux-mêmes à faire dans toute la maison, occupés comme ils l'étaient à se promener dans toute la maison pour remettre Jake au travail.

Initialement, la nouvelle technique demanda aux parents de Jake autant de temps que l'ancienne car Jake interrompait souvent son travail. Si on l'envoyait nettoyer sa chambre, on le retrouvait en train de jouer au Nintendo, ou au basket-ball avec ses vêtements sales; ou encore assis sur le sol contemplant le mur. Chaque fois que c'était le cas, les parents de Jake mettaient calmement en œuvre la procédure APR. «Jake, s'il te plaît, assieds-toi sur ton lit.» Jake se plaignait alors que les actions de ses parents étaient injustifiées : «Je faisais juste une petite pause!» Il disait aussi qu'il n'était pas l'esclave de ses parents, que leur attitude était excessive et injuste et qu'après tout c'était sa chambre et pas la leur. Après qu'il se fut calmé, les parents le «réorientaient» tranquillement : «Jake, nettoie ta chambre.»

Après une cinquantaine de séances de ce genre, Jake devint beaucoup plus efficace pour nettoyer sa chambre et réussit à le faire en moins d'une heure. Et au fur et à mesure que son comportement s'améliorait, ses parents purent réduire le nombre de leurs vérifications. Mais ils continuèrent toutefois, selon un horaire imprévisible.

En plus de la méthode APR, les parents de Jake utilisèrent aussi le renforcement positif. Quand il faisait ce qu'il était censé faire, ils lui faisaient un clin d'œil ou disaient : «Tu progresses» ou «J'ai vu que tu avais mis ton linge sale dans le panier». Mais ils ne faisaient ce genre de commentaire que lorsqu'ils le trouvaient au travail ou dans les deux ou trois secondes après qu'il eut fini – et ils n'en rajoutaient pas.

Jake avait tendance à négliger les choses qu'il n'aimait pas faire. Il prétendait que c'était fait, mais en vérifiant, ses parents trouvaient ses vêtements sales fourrés en paquet sous le lit, ses *legos* en tas dans le placard et ses vêtements propres pendant hors des tiroirs. Quand ils constataient que Jake avait fait son travail de cette façon, les parents de Jake appliquaient la méthode APR. S'ils le voyaient en train de pousser ses *legos* sous le lit, de fourrer ses vêtements propres dans le panier à linge sale ou de quitter la commode en laissant ses vêtements pendre hors des tiroirs, ils appliquaient la méthode APR. Mais il n'était pas toujours possible de le prendre sur le fait et, de nouveau, la vérification devint la clé de l'efficacité. Ils vérifiaient systématiquement le travail de Jake et le lui faisaient refaire lorsqu'ils n'en étaient pas satisfaits. Ainsi, ils inspectaient les tiroirs, la penderie et regardaient sous son lit avant de déclarer le travail fait.

Beaucoup de parents font faire leurs devoirs aux enfants dans la cuisine, pendant qu'ils font du nettoyage ou préparent le repas. Mais ils se trouvent ainsi conduits à harceler l'enfant pour qu'il fasse son travail ou même à le faire à sa place. Il est préférable de laisser les enfants faire leurs devoirs dans leur chambre ou dans un endroit spécialement aménagé à cette fin et où l'enfant est seul. Nous avons constaté que l'utilisation combinée de la méthode APR et de celle de l'extinction, associées à des vérifications périodiques et imprévisibles pour voir si l'enfant travaille, augmente de façon notable la persévérance. Au début, fixez-vous pour objectif que l'enfant travaille aussi longtemps qu'il sera nécessaire pour un résultat de qualité, même si l'heure du coucher s'en trouve retardée.

Jake avait toujours fait ses devoirs dans la cuisine parce que sa chambre était remplie de jouets, ne comportait pas de bureau et se trouvait à l'autre bout de la maison. Une solution pratique, quoique inusitée, consistait à utiliser la salle à manger, qui se trouvait un peu à l'écart, loin de la télévision et facilement accessible pour la supervision. Avant de mettre en application une routine de travail, ses parents s'assirent avec Jake et fixèrent un horaire avec lui. Lundi, mardi et jeudi soir, Jake commencerait son travail à 17 h 30 parce qu'il avait un entraînement de hockey à 19 h 30 et sa mère se chargerait de la supervision. Le dimanche et le mercredi, il commencerait à 18 h 30 sous la supervision de son père. Les soirs où il jouait au hockey, Jake devrait avoir fini son travail – et l'avoir fait correctement – avant d'aller jouer. S'il finissait à 20 h et qu'il lui restait assez de temps pour aller s'entraîner, ses parents l'y conduiraient. Les soirs où il n'avait pas de travail, ses parents lui feraient faire des révisions ou lui donneraient un exercice de lecture dont il devrait faire un résumé écrit avant que le travail ne soit considéré comme terminé. Les parents de Jake pensaient comme nous qu'il était nécessaire qu'il fasse ses devoirs sur une base régulière. Chaque vendredi en allant le chercher à l'école, la mère de Jack récupérait les devoirs que Jake n'avait pas faits parce qu'il n'avait pas ramené l'énoncé du devoir ou le matériel nécessaire à la maison. Le soir, ses parents lui demandaient de s'asseoir et de terminer tout travail incomplet. Ils vérifiaient fréquemment, utilisaient la méthode APR au besoin, faisaient un commentaire positif lorsqu'il était au travail et ne l'envoyaient se coucher que lorsque tout était fini. Le premier soir, Jake resta debout jusqu'à une heure du matin, mais après quelque temps, il réussit à faire son travail en un temps de trente à soixante minutes.

Tout au long de ces premières semaines, les parents de Jake l'assurèrent de leur affection et firent en sorte qu'il sache qu'ils comprenaient combien c'était difficile pour lui. Ils réussirent à réconforter Jake et à le consoler sans pour autant reculer dans l'application du programme.

Les parents de Jake se fixèrent des points de repère pour déterminer quand il fallait l'aider. Ils voulaient l'aider le moins possible pour favoriser son indépendance. Quand Jake se plaignait de ne pas savoir comment faire, ses parents répondaient calmement : «Jake, je sais que c'est difficile, mais tu peux y arriver et tu *dois* y arriver.» Si, après avoir fait de sérieux efforts, il ne parvenait toujours pas à comprendre, ils lui expliquaient. Pour cela, ils ne faisaient jamais référence au devoir en question mais fabriquaient plutôt leurs propres exemples en prenant garde d'éviter de lui expliquer des choses qu'il était capable de comprendre lui-même. En d'autres mots ils ne se laissaient pas mystifier par Jake. Un effort n'était considéré comme sérieux que lorsque Jake avait passé suffisamment de temps sur son devoir et avait relu attentivement certains passages des instructions. Quand il l'avait fait, il pouvait demander de l'aide. On considérait alors qu'il avait fait un effort même si son travail contenait des erreurs, à condition qu'il ne soit pas incohérent au point de dénoter une incompréhension profonde du sujet.

À force de persévérance, le travail scolaire de Jake s'améliora. Il finit par réussir à rendre ses devoirs à temps et à les faire correctement. La procédure eut aussi un effet secondaire réjouissant : les notes de Jake s'améliorèrent. Et les batailles à propos des devoirs à la maison commencèrent à diminuer. Bien qu'il ne l'admette pas encore, Jake en est venu à trouver certains travaux intéressants : on peut maintenant l'entendre discuter de certains des sujets qu'il étudie et poser des questions pour en savoir plus.

L'expérience de Jake et de ses parents est un excellent exemple de la manière dont on peut combiner la méthode APR avec l'extinction du renforcement négatif, l'application de la règle «Réconforter sans résoudre» et le renforcement positif. Jake était devenu complètement dépendant de l'aide de ses parents pour son travail à la maison : procéder à l'extinction du renforcement négatif supposait qu'on l'oblige à le faire sans aide. Il tentait sans cesse d'éviter le travail : ses parents appliquaient la règle «Réconforter sans résoudre» dans les cas où Jake réagissait de façon émotive devant leur insistance pour qu'il travaille. Et le manque d'obéissance ou de persévérance était sanctionné par l'application de la méthode APR. Au début, tout cela demanda beaucoup de travail et d'attention aux parents de Jake, mais ils seraient prêts à recommencer à la minute si c'était nécessaire.

L'enfant malhonnête

La malhonnêteté est quasi universelle chez les enfants manipulateurs et il est difficile d'y parer, surtout avec les enfants oppositionnels. À la question «Qui a laissé des cannettes traîner dans le salon?», on obtient une réponse de déni. Et quand on lui demande s'il a terminé son travail et s'il l'a fait correctement, l'enfant malhonnête répond toujours oui.

Mentir est le comportement d'évitement par excellence, aussi la technique dont nous avons parlé est-elle particulièrement indiquée dans ce cas. Pour venir à bout de la malhonnêteté, les parents doivent accepter une part d'arbitraire dans leurs réactions. Ils doivent s'en remettre à leur instinct et faire confiance à leurs doutes quant à la véracité des dires de l'enfant. N'ayez pas peur d'utiliser la méthode APR lorsque vous avez un doute : il se peut que vous y ayez parfois recours alors que l'enfant avait dit vrai, mais cela ne réduira pas de façon significative ses chances d'être honnête à l'avenir. Si vous faites une erreur, reconnaissez-le, et excusez-vous. Se tromper à l'occasion n'est pas si grave, si l'on réussit finalement à mieux élever son enfant. Et rappelez-vous que si vous n'y prenez pas garde, la malhonnêteté peut s'accroître de façon dramatique.

Si vous demandez à un enfant qui ment pourquoi il le fait, le résultat est facile à prévoir : sa malhonnêteté ne fera que s'accroître. En demandant à l'enfant de justifier et d'excuser son comportement, vous ne faites que reporter le problème : les enfants apprennent très vite à ne dire que ce que les adultes veulent entendre ou ce qui leur permettra d'échapper aux problèmes.

Voici les règles à observer face à un mensonge : ne jamais demander pourquoi (utilisez plutôt la méthode APR dès que vous suspectez un mensonge); lorsqu'un mensonge est découvert après coup, en parler à l'enfant et réitérer l'exigence d'honnêteté; le cas échéant, demander à l'enfant de faire ce qui est moralement correct (s'excuser, par exemple).

À l'occasion d'une réunion de sixième année à l'école de Carrie, ses parents ont appris qu'elle avait déclaré à plusieurs occasions qu'elle était malade pour justifier le fait que ses devoirs étaient en retard. Or, elle n'avait *pas* été malade. Après leur réunion, ils eurent avec Carrie une conversation à sens unique au cours de laquelle ils la confrontèrent à ses mensonges. Ils lui rappelèrent que l'honnêteté faisait partie des valeurs familiales et lui demandèrent d'écrire une lettre pour s'excuser auprès de son professeur et de faire les devoirs en retard même si elle ne pourrait être notée pour ceux-ci. Ils interrompirent ses tentatives de se justifier en lui disant qu'ils ne voulaient pas le savoir et lui rappelèrent de nouveau les règles familiales. Ils entrèrent en ensuite en contact avec le professeur pour vérifier que les excuses avaient été faites et s'assurèrent que Carrie ne fasse rien d'autre tant qu'elle n'avait pas fini ses devoirs en retard.

Jake, lui aussi, était malhonnête. Rien n'était jamais sa faute, c'était toujours celle de son professeur, de sa sœur, du conducteur de bus, de ses amis ou de ses parents. Si on lui demandait qui avait mangé le dernier morceau de gâteau au chocolat, il répondait que c'était sa sœur. Et si on lui demandait pourquoi il y avait des miettes dans sa chambre, il prétendait que sa sœur était allée manger le gâteau dans sa chambre pour lui faire des ennuis. Même lorsqu'on le prenait la main dans le sac, il niait.

Nous avons demandé aux parents de Jake de ne plus lui donner l'occasion de mentir en lui demandant «pourquoi?» Nous leur avons conseillé de faire confiance à ce qu'ils ressentaient lorsqu'il leur racontait ses histoires : s'ils avaient le moindre doute, ils devaient intervenir. Ils pouvaient utiliser l'humour : «Jake, s'il te plaît, est-ce que j'ai l'air aussi stupide? Penses-tu vraiment que je vais avaler ça?» ou adopter un ton plus sérieux : «J'ai de sérieux doutes sur ce que tu es en train de me raconter.» Et quand leurs doutes étaient plus sérieux, ils devaient appliquer la méthode APR. Enfin, lorsqu'ils surprenaient Jake en flagrant délit de mensonge, ils devaient y mettre fin immédiatement et, après l'avoir réorienté, lui dire : «Jake, dans notre famille, on doit être honnête.» Et s'il était possible de faire quelque chose pour compenser son manque d'honnêteté, ils lui demanderaient de le faire : par exemple, aller ramasser les canettes dans le salon et les porter dans le bac de recyclage ou faire des excuses.

Jake réagissait systématiquement à l'application de la méthode APR en se plaignant de n'être jamais cru et d'être traité injustement. Ensuite, il essayait de justifier son mensonge. Mais ses parents ne répondaient pas et avec l'utilisation répétée de la procédure, les mensonges de Jake finirent par disparaître et on put bientôt l'entendre se plaindre lorsque quelqu'un d'autre ne disait pas exactement la vérité. Lorsqu'il avait laissé le salon en désordre, il le reconnaissait et il ne blâmait plus systématiquement les autres. On pouvait commencer à croire ce qu'il disait.

Les enfants qui enfreignent les règles

La méthode APR est tout indiquée avec les enfants qui ne peuvent supporter un «non», ceux qui enfreignent les règles et ceux qui refusent de cesser de faire quelque chose lorsqu'on le leur demande. L'intervention doit être immédiate : interrompez immédiatement le comportement incorrect, sans préambule, et suivez la procédure habituelle. Mark, un enfant de sept ans fort déterminé, répondait systématiquement à un «non» en faisant tout en son pouvoir pour le transformer en «oui». Il avait eu plusieurs succès avec cette tactique et était devenu incroyablement persévérant dans ses efforts. Ses parents avaient toujours essayé de discuter avec lui pour qu'il comprenne *pourquoi* ils lui disaient non. Mais leur stratégie se retourna contre eux : Mark devint un négociateur hors pair, ayant toujours un point d'avance dans la discussion. Les parents de Mark durent d'abord accepter l'idée qu'il était de leur responsabilité, en tant que parents, de prendre les décisions et de les appliquer sans avoir à les justifier vis-à-vis de Mark. Ils durent aussi accepter le fait que Mark n'aimerait pas cela. Dans cet esprit, ils trouvèrent utile de faire la distinction entre ce qu'ils considéraient comme négociable et ce qui ne l'était pas. Cela étant fait, ils purent dire à Mark que telle décision était non négociable et que telle autre pouvait être discutée. Lorsqu'une décision était non négociable et que Mark essayait néanmoins en discuter, nous leur avons demandé de lui dire : «Désolé, mais la réponse est non et nous n'avons pas l'intention d'en discuter.» (On peut utiliser d'autres phrases pour exprimer la même idée.) Si Mark essayait de continuer, ils utilisaient la méthode APR. Au début, lorsqu'ils l'envoyaient sur son lit, il pleurait et proclamait qu'on ne voulait jamais l'écouter, que ses parents étaient injustes, qu'ils le détestaient et qu'il les détestait – et ce, pendant une demi-heure. Mais, à la longue, Mark apprit à accepter qu'on puisse lui répondre non.

Mark avait du mal à observer certaines des règles de la maison. Ainsi, si on lui demandait de cesser de mettre la salle de séjour sens dessus dessous, il s'arrêtait un moment puis recommençait de plus belle. Ses parents passaient leur temps à lui dire de s'arrêter et de se calmer. Lorsqu'il grandit, le comportement de Mark ne fit qu'empirer : c'était comme si la maison lui appartenait, qu'il en fixait les règles et que ses parents n'étaient là que pour préparer les repas et ramasser derrière lui.

Nous avons proposé l'approche suivante : d'abord demander à Mark de se calmer puis, si le remue-ménage continuait, appliquer la méthode APR. Après quelques reprises, supprimer l'avertissement et appliquer directement la procédure APR. Pendant l'étape de réorientation, ils devaient lui dire de retourner jouer, mais moins violemment. Comme on pouvait s'y attendre, Mark reprocha bruyamment à ses parents d'être injustes et promit qu'il jouerait plus calmement. Mais ses parents ont attendu néanmoins qu'il soit calmé pour le réorienter. Mark commença à se rendre compte que ses parents allaient vraiment s'en tenir aux règles qu'ils avaient fixées, et dès lors son comportement s'améliora.

Mark avait un autre problème dont il fallait s'occuper : il ne mettait jamais sa ceinture de sécurité sans que ses parents ne le lui demandent. Et si on le lui demandait, il le faisait volontiers. Ses parents combinèrent la méthode APR, l'entraînement effectif et le renforcement positif pour modifier cette attitude dangereuse et dépendante. Le père de Mark lui mima ce qu'il devait faire quand il entrait dans la voiture : ouvrir la porte, rabattre le siège avant, entrer dans la voiture, fermer la porte, s'asseoir, replacer le siège et boucler sa ceinture. Le premier jour Mark répéta la procédure dix fois, avec un minimum d'indications de la part de son père. À partir de ce moment-là, dès que la voiture était en mouvement (mais avant de quitter l'allée de la maison), son père lui disait quelque chose du genre : «Eh bien, tu y es arrivé!», «Tu vois, tu t'en es souvenu!» ou «J'ai du mal à t'attraper sans ta ceinture!» Mais si Mark n'avait pas bouclé sa ceinture, son père appliquait immédiatement la méthode APR, avant de faire démarrer la voiture, lui demandant de baisser la tête quelques instants. Après quoi, il redemandait à Mark de boucler sa ceinture et lui rappelait que lorsqu'ils arriveraient à destination, il devrait s'entraîner de nouveau. À leur arrivée, il lui faisait répéter la procédure de dix à quinze fois, selon le temps dont il disposait.

En peu de jours, Mark bouclait la plupart du temps sa ceinture sans qu'on ait à le lui rappeler. Il y eut en tout soixante répétitions pour l'entraînement effectif et environ cinq applications de la méthode APR.

Les enfants victimes

Nous connaissons tous des enfants qui se laissent prendre à partie par leur frère, leur sœur, un voisin ou un «petit dur», à l'école ou dans le bus scolaire. Les outils dont nous avons discuté peuvent tous aider à améliorer le comportement de ces enfants.

Brianna est une petite fille de huit ans qui va à l'école primaire du quartier. Elle est charmante et intelligente, elle parle bien et réagit vite. Mais la moindre plaisanterie provoquait chez elle une crise émotionnelle pouvant aller de la réplique verbale acerbe à une attitude de repli calme et sans larmes. Chaque jour, lorsque sa mère allait la chercher à l'école, elle se plaignait d'avoir été maltraitée par les autres enfants. Comme l'année progressait, ses plaintes, qui consistaient d'abord en quelques commentaires attristés, se transformèrent en séances de lamentations de près de deux heures. Sa mère appela le principal de l'école, mais cela n'eut apparemment guère d'effet, à en juger par l'attitude de Brianna. Quant à ses conseils à Brianna d'ignorer les moqueries ou d'en parler au professeur, ils ne firent, semble-t-il, qu'aggraver le problème.

Pour aider Brianna, nous nous sommes réunis avec les parents, John et Judy. Au début, Judy fut interloquée par ce que nous lui demandions et y participa à contrecœur. Elle voyait Brianna comme une victime qui avait besoin de protection plutôt que comme une enfant forte et capable de faire face. Après de longues discussions, Judy commença toutefois à prendre conscience que Brianna possédait des ressources inexploitées. Nous avons dit aux parents qu'il fallait mettre fin aux séances de lamentations à la sortie de l'école et nous avons demandé à Judy d'utiliser pour cela la méthode de l'entraînement effectif et de respecter la règle «Réconforter mais ne pas résoudre.» Judy et John devaient aussi rencontrer le principal, le professeur de Brianna et les surveillants de récréation pour parler avec eux de la manière dont il fallait réagir au comportement de Brianna. Quand Brianna avait un conflit avec un enfant, ils devraient envoyer chacun des deux enfants dans un coin, Brianna pour avoir réagi de manière exagérée et l'autre enfant pour s'être moqué d'elle.

Ensuite chacun devait être «réorienté» pour aller rejoindre l'autre. Toute tentative de justification était interrompue immédiatement et on les renvoyait jouer. La vigilance accrue que ce programme suscita révéla qu'en fait Brianna était bien loin d'être une innocente victime et qu'elle faisait sa part pour ce qui était de tourmenter les autres.

La règle «Réconforter sans résoudre» fut appliquée pour mettre fin aux lamentations de Brianna sur le comportement de ses camarades. Quand Judy la prenait à l'école, elle lui demandait : «Alors, comment s'est passée la journée?» et dès que Brianna commençait à se plaindre d'un camarade, Judy lui disait calmement : «Je sais, ma chérie, ce n'est pas drôle, mais tu es la seule qui puisse régler le problème. Il faut que tu trouves un moyen de t'entendre avec tes camarades.» Par ailleurs, comme Brianna avait tendance à réagir vivement nous pensions qu'elle serait sensible à l'entraînement effectif : il fallait qu'elle apprenne à réagir aux plaisanteries d'une autre façon.

Les parents de Brianna s'assirent donc avec elle pour discuter de l'impact qu'avaient ses réactions sur les autres enfants. Ils lui expliquèrent qu'une réaction émotionnelle était une invitation à continuer et admirent que, contrairement à ce qu'ils lui avaient déjà dit, ignorer la personne qui se moquait d'elle n'était pas une bonne solution : il était trop difficile d'ignorer quelqu'un qui tenait absolument à vous faire réagir. Il fallait donc que Brianna apprenne à réagir différemment. Ils la prévinrent qu'elle allait trouver ça difficile au début et qu'il faudrait qu'elle s'entraîne un peu. Quand on se moquait d'elle, elle devait sourire, acquiescer et, si elle trouvait une manière spirituelle de le faire, grossir encore le trait. Quand tout était fini, elle devait se rappeler que la remarque désobligeante était fausse et continuer tranquillement à vivre sa vie. Brianna et ses parents firent alors une liste des comportements les plus fréquents et les plus pénibles auxquels elle se trouvait confrontée pour lui donner la possibilité de trouver des répliques spirituelles.

C'est John qui fut choisi pour diriger l'entraînement de Brianna, car il était le plus doué pour la moquerie. Pour commencer, il choisit quelques commentaire dans la liste de Brianna. Il traita Brianna d'idiote et au début Brianna voulut répliquer, elle aussi, par des insultes, ou dire qu'elle n'était pas idiote. John l'entraîna à réagir par un sourire et à acquiescer. Au bout de huit ou dix essais, Brianna commença à saisir et à sourire à l'insulte. Elle se montra plus détendue et répondit ensuite par une exagération spirituelle. À la fin de cette première séance, John et Brianna avaient tous deux le fou rire et quand Brianna alla se coucher, ses parents la prévinrent qu'ils allaient lui fournir toutes sortes d'occasions inattendues de mettre en œuvre ses nouvelles compétences.

Par la suite, chaque fois que Brianna se plaignait que l'on s'était moqué d'elle ou répondait de manière émotionnelle lorsque ses parents la testaient, ceux-ci lui faisaient faire une séance d'entraînement un peu plus tard dans la soirée. Ils lui disaient : «Tu as encore à apprendre, il faut t'entraîner encore un peu, mais tu en es capable.» La première semaine, ils firent des séances d'entraînement tous les jours. Au cours des deux semaines suivantes, elle ne rapporta des problèmes avec ses camarades que deux fois et lorsque ses parents la testaient, elle répondait par un sourire et une subtile exagération. Au bout d'un mois, elle était transformée. Elle réagissait toujours vivement, conformément à sa nature, mais elle était capable d'utiliser ce trait de caractère à son avantage. Quand on allait la chercher à l'école, il n'y avait plus de séances de lamentations, elle parlait plutôt de ce qu'elle et ses amis faisaient ou expliquait comment elle s'était débrouillée dans une situation difficile. Elle était calme, beaucoup moins déprimée et avait acquis un sentiment de maîtrise sur son environnement. Ses camarades ne déterminaient plus ses émotions, elle les avait prises en charge et y avait gagné en indépendance.

Changer le style de vie d'un enfant manipulateur n'est pas facile. Il faut beaucoup de temps et d'efforts pour mettre fin à chacun des comportements en jeu et les parents autant que l'enfant risquent de subir un degré de stress particulièrement élevé au cours de l'expérience. Mais la récompense est à la mesure des efforts exigés : le comportement s'améliore, les résultats scolaires également et l'enfant découvre soudain tout un ensemble de nouvelles activités tandis que son attitude passe de «Faites-le pour moi» à «Je suis capable de le faire».

L'enfant anxieux et craintif

Beaucoup des enfants que nous rencontrons peuvent être considérés comme anxieux ou craintifs. Souvent, ces enfants apprennent à ménager leur anxiété en contrôlant tout et tout le monde autour d'eux : situations, amis, parents, camarades et professeurs, et les situations nouvelles sont souvent extrêmement anxiogènes pour eux, car ils ont peur de perdre leur contrôle. Les enfants anxieux se font du souci pour leur travail scolaire, veulent savoir ce qui va arriver le soir ou en fin de semaine ou qui viendra à une fête d'anniversaire : n'importe quelle situation peut alimenter leurs angoisses. Souvent perfectionnistes, ils veulent que leur travail scolaire soit parfait et sont désemparés dès que leurs notes ne sont pas parfaites. La perspective de faire un exposé en classe les terrifie et tout changement fortuit dans le cours de la vie familiale les rend nerveux. Les parents de ces enfants ont souvent recours à des doses massives de réconfort, ils évitent de changer leurs plans de peur de devoir faire face à une crise grave et prennent beaucoup de peine à préparer l'enfant à toute nouvelle activité. Ces stratégies sont contre-productives : la vie réelle est par essence imprévisible et incontrôlable et les enfants anxieux doivent apprendre à faire face à cette réalité.

Pour les enfants anxieux, la méthode APR, l'extinction des renforcements négatifs et la règle «Réconforter sans résoudre» sont toutes utiles : nous nous efforçons ainsi de rendre impossible toute manœuvre d'évitement des situations anxiogènes tout en soutenant l'enfant tout au long du processus. À force de se trouver exposé à la situation qu'il craint et qui provoque chez lui de l'anxiété, l'enfant apprend à réprimer la réponse suscitée par l'anxiété et découvre ainsi de nouvelles manières de s'y prendre qui pourront être utilisées dans d'autres situations.

Andy était un enfant de six ans, anxieux et craintif, qui ne voulait pas aller se coucher le soir, se plaignant d'avoir peur du noir et de voir des ombres qui l'effrayaient. Il faisait tout pour que quelqu'un l'accompagne dans son lit ou le fasse sortir de sa chambre. Il faisait de multiples voyages aux toilettes ou à la cuisine pour boire un verre d'eau, pensait soudain à quelque chose d'important à dire à l'un de ses parents juste avant que la lumière ne s'éteigne, cajolait ses frères et sœurs pour aller dormir avec eux ou se glissait subrepticement dans le lit de ses parents après qu'ils furent tombés de sommeil, épuisés.

Les parents d'Andy avaient déjà essayé plusieurs méthodes pour venir à bout de ce problème : les récompenses et les gâteries, le réconfort, le raisonnement, les câlins, les menaces, la colère et les cris – rien ne fonctionnait. La plupart du temps, un des parents s'allongeait près de lui jusqu'à ce qu'il s'endorme, mais malgré cela ils le retrouvaient souvent dans leur lit à leur réveil.

Nous avons recommandé de procéder à l'extinction du renforcement négatif. Les parents d'Andy avaient pour instructions de l'informer, dans la journée, qu'il allait devoir dormir dans sa chambre et qu'il n'aurait plus la permission de la quitter. Avant d'aller au lit il boirait un verre d'eau et irait aux toilettes. Et il ne serait plus autorisé à se glisser dans le lit de ses parents au milieu de la nuit. Ils fermèrent d'ailleurs la porte de leur chambre quelques nuits de suite. Ce soir-là, après lui avoir lu une histoire, fait un câlin et un baiser et donné un verre d'eau, et l'avoir conduit aux toilettes, ils l'escortèrent jusqu'à son lit, éteignirent la lumière et fermèrent la porte. Il sortit aussitôt de sa chambre. Sa mère, qui attendait dans l'entrée avec un magazine, le ramena immédiatement sans rien dire et sans croiser son regard. Son attitude, soigneusement étudiée, était calme, ferme et déterminée. Durant la soirée, les parents se relayèrent pour escorter Andy jusqu'à son lit, ce qu'ils durent faire à plusieurs reprises avant qu'il y reste. La première nuit, cela dura deux ou trois heures. Mais par la suite, les choses s'améliorèrent rapidement. Ses parents durent encore ramener Andy dans son lit au milieu de la nuit lorsqu'il piqua une véritable crise de rage en trouvant la porte de leur chambre fermée.

En dix jours, le comportement d'Andy s'améliora au point qu'il allait désormais se coucher joyeusement et sans la moindre protestation. Au cours des deux mois qui suivirent, il lui arriva encore de grimper dans le lit de ses parents, mais ils le ramenaient immédiatement et sans fanfare dans son lit. Ses grands-parents remarquèrent un effet secondaire bénéfique : il était, selon eux, de meilleure humeur et plus facile à manier et avait une vision plus positive de la vie. Que ne peut pas faire une bonne nuit de sommeil!

Comme par hasard, plusieurs mois plus tard, alors qu'Andy était allé se coucher seul comme d'habitude, il se mit à hurler frénétiquement «Maman, il y a quelque chose dans ma chambre!» «Encore un de ses vieux tours!» pensa sa mère. Et quand Andy se remit à crier, plus fort et plus frénétiquement encore : «Maman, il y a réellement quelque chose dans ma chambre!», elle ne répondit pas. Il cria encore une fois, avec de la panique dans la voix : «Maman, il y a quelque chose dans ma chambre!» puis il y eut un moment de silence. Andy déclara alors : «Maman, il y a un chat dans ma chambre.» Sa mère alla alors dans la chambre et trouva le chat des voisins sortant de sous le lit d'Andy. Elle prit le chat et le mit dehors. Quant à Andy il resta dans son lit toute la nuit et il n'y eut aucune rechute les nuits suivantes. Bien qu'il ait été légitimement effrayé, Andy avait suffisamment pris confiance en lui pour surmonter sa peur. Il était sans contredit sur la voie de l'indépendance.

Sarah était en maternelle lorsque nous l'avons rencontrée pour la première fois. Son professeur avait remarqué qu'elle avait de la difficulté à se séparer de sa mère, qui l'accompagnait à l'école. Une fois dans la classe, elle s'isolait des autres enfants. Sarah avait une petite voix. Bien qu'elle fût en parfaite santé, elle suscitait chez les adultes un réflexe de protection car elle semblait délicate. Elle se faisait constamment du souci et s'angoissait dès que sa routine était menacée. Elle appréciait d'être l'objet de l'attention des adultes et demandait à être rassurée constamment. Quand ce n'était pas suffisant, elle tentait de faire en sorte que les règles changent pour soulager son anxiété.

Pour lui éviter toute inquiétude, les parents de Sarah la prévenaient de tout changement dans la routine familiale, la raisonnant et la rassurant pour l'aider à y faire face. Sarah disait

«Je ne peux pas». avant d'avoir essayé de faire toute chose qu'elle considérait comme nouvelle ou difficile. Elle n'avait pas réussi à acquérir certaines des aptitudes exigées à la maternelle : elle était incapable de s'habiller ou de se déshabiller sans aide et disait : «Je ne peux pas». ou «Je ne sais pas». Elle avait besoin d'aide pour se brosser les dents et pour se peigner. Quand on lui demandait d'aller dans une partie de la maison où elle se trouverait seule, elle tentait de convaincre son frère à force de charme et de câlineries de l'accompagner. Elle prétendait avoir peur d'aller seule à la salle de bains, dans sa chambre ou dans la salle de séjour. Elle avait également peur de sortir seule de la maison. La rencontre d'une fourmi, d'un hanneton ou d'un moustique la faisait se précipiter à l'intérieur pour se mettre à l'abri. Les soirs précédant les jours de classe, elle demandait sans arrêt si elle était obligée d'aller à l'école et lorsqu'on lui répondait que oui, elle fondait en larmes. Ses parents tentaient alors de la rassurer. Le déjeuner était un véritable exercice de procrastination dans le but de ne pas avoir à s'habiller pour aller à l'école. Et ses parents observèrent que plus ils la rassuraient, pire c'était.

Nous avons travaillé avec les parents de Sarah pour les aider à apprendre la méthode APR, puis ils l'ont appliquée à ses problèmes avec l'école. Les veilles de jours de classe, ils répondaient à ses plaintes par : «Désolé, Sarah, je sais que tu es effrayée par l'école, mais il faut y aller – tu y survivras.» Nous avons dit aux parents d'arrêter à la fois de la rassurer et de discuter avec elle. Ils devaient plutôt reconnaître ses craintes et exprimer leur confiance en elle, l'assurant qu'elle pouvait y arriver et qu'ils ne changeraient pas les choses pour les lui rendre plus faciles. Si elle continuait à chercher du réconfort ou à demander à ses parents de changer leurs décisions, ils devaient appliquer la méthode APR immédiatement.

Il fallait aussi s'occuper de la manière dont elle traînait pour s'habiller et se brosser les dents et les cheveux. Au début, ils la réveillèrent une heure plus tôt que d'habitude pour ne pas être pris par le temps. Et ils interrompirent chacune de ses tactiques par l'application de la méthode APR.

Les parents de Sarah ont utilisé aussi la méthode APR lorsqu'elle ne voulait pas aller seule dans une pièce de la maison. Elle ne fut plus autorisée à faire du charme à son frère pour qu'il l'accompagne. Ainsi, si Sarah refusait, par exemple, d'aller dans la chambre de ses parents pour prendre la laisse du chien, ils appliquaient la méthode APR, puis le lui redemandaient.

Nous avons demandé aux parents de Sarah de lui trouver des travaux à faire dans toute la maison. Ils lui ont donc confié la tâche de débarrasser la table, de remplacer le papier dans les toilettes, de porter son linge dans sa chambre et de mettre la litière du chat dans le garage (toutes des tâches convenant à une enfant de six ans). Toute tentative pour éviter d'accomplir ces corvées était sanctionnée immédiatement par l'utilisation de la méthode APR. Enfin, lorsque Sarah se plaignait d'avoir peur, ils ne tentaient pas de la rassurer, mais lui disaient plutôt : «Désolé, je sais que tu as peur. Mais il va falloir y aller; je sais que tu en es capable.» En cas de nouvelles plaintes ils appliquaient de nouveau la méthode APR. Nous voulions accroître les responsabilités de Sarah pour deux raisons : chaque fois qu'elle réussissait à traverser seule la maison, elle apprenait à surmonter un peu plus ses craintes. Mais elle avait aussi besoin d'apprendre à faire ce qu'on lui demandait : sa peur était devenue une excuse pour se dispenser de tout travail qu'elle ne voulait pas faire.

En deux semaines, Sarah apprit à s'habiller seule et sans qu'on ait à le lui demander. Elle se promenait librement et volontairement dans toute la maison, aussi bien lorsqu'on le lui demandait que lorsqu'elle-même avait besoin de quelque chose qui se trouvait dans une autre pièce. Elle allait maintenant aux toilettes sans qu'on l'accompagne et sortait jouer dans la cour, même seule. Ses parents avaient traité cette question comme les autres et ils furent abasourdis quand, au bout de deux jours, Sarah commença à demander d'elle-même à sortir, trouvant cela très agréable. Elle avait trouvé ses propres renforcements et ne dépendait plus de l'attention de ses parents.

Par chance, l'institutrice de Sarah accepta de participer à un plan visant à régler ses problèmes avec l'école. La mère de Sarah la déposait à l'école le matin, la déshabillait, l'embrassait rapidement et la remettait entre les mains de l'institutrice qui l'accompagnait dans la salle de classe. On la laissait alors s'asseoir et pleurer jusqu'à ce qu'elle se calme d'elle-même. Son institutrice avait pour instructions de l'ignorer soigneusement jusqu'à ce qu'elle se décide à faire des avances aux autres enfants. Le résultat fut celui que nous attendions : au bout de quelques semaines elle réussissait à se séparer de sa mère sans problème, à entrer en relation avec les autres enfants et à suivre la routine de la classe.

Sarah avait aussi un problème de rivalité avec son frère et, avec l'amélioration de son comportement dans les autres domaines, ce problème devint la cible du traitement. Son frère, plus jeune, la connaissait bien et il était capable de la faire réagir à la moindre provocation. Alex et Sarah manifestaient un problème typique de relation : le premier excitait la seconde, qui réagissait par des hurlements à vous glacer le sang. C'est Alex qui prenait généralement l'initiative de ce jeu. Il y a ordinairement un tourmenteur et une victime dans ce genre de rivalité familiale : le tourmenteur fait quelque chose pour faire réagir la victime et les pleurs de celle-ci agissent comme un renforcement. Mais ces pleurs amènent aussi les parents à entrer en scène, et la victime peut alors assiter au feu d'artifice qui s'ensuit inévitablement. Les parents de Sarah et d'Alex s'assirent avec les deux enfants et leur dirent qu'ils étaient libres d'avoir des conflits, mais qu'il faudrait qu'ils les règlent eux-mêmes. Ils devaient toutefois respecter la règle suivante : les disputes devraient être réglés calmement et sans comportement agressif. Si les enfants ne respectaient pas cette règle, les parents interviendraient. Le secret de leur succès avec ce plan tient à la façon dont ils intervenaient. Plutôt que d'essayer de deviner qui avait fait quoi, ils mettaient tout simplement fin au conflit en appliquant la méthode APR aux *deux* enfants. Quand ils étaient calmés, on leur enjoignait d'aller résoudre leur problème dans la salle de bains ou dehors. La délation constitua un problème au début, mais il fut vite réglé quand le rapporteur se vit appliquer la méthode APR. Tant qu'un conflit demeurait paisible, on l'ignorait. Sarah et Alex apprirent ainsi à vivre ensemble. Les provocations et les réactions démesurées disparurent et ils commencèrent à négocier des solutions à leurs différends.

Nous avons demandé aux parents de Sarah de lui confier des tâches adaptées à son âge et mettant en jeu des relations sociales comme de rendre les films vidéo à la boutique de location, de payer à l'épicerie ou de demander à un employé de lui indiquer l'emplacement d'un article dans un magasin, ce qu'elle faisait sous la surveillance de ses parents, debout à l'écart. Ces exercices renforcèrent considérablement sa confiance en elle lorsqu'elle avait à faire face à une situation inhabituelle.

À l'école, on lui demanda aussi de faire des choses qui suscitaient son anxiété. On l'envoya au secrétariat rapporter la feuille d'absence ou au local de surveillance faire nettoyer les brosses servant à effacer le tableau. Comme elle ne levait jamais la main en classe, son professeur l'interrogeait deux ou trois fois par jour au moins et lui demandait régulièrement de nommer les choses qu'elle lui désignait. Les autres n'étaient pas autorisés à encourager sa timidité : ils ne devaient pas parler à sa place ni lui faciliter les choses d'aucune autre façon. Sarah commença à s'affirmer. Comme il n'y avait pas d'enfants dans le voisinage, il fallait aller chercher ailleurs des camarades pour Sarah. On lui apprit donc comment inviter des enfants chez elle et on lui demanda de le faire. Sarah commença ainsi à procéder à des échanges sociaux.

Bien qu'au début ses tentatives n'aient pas eu grand résultat, ces relations sociales se développèrent rapidement. Sarah a maintenant des amis qu'elle appelle et invite chez elle sans qu'on ait besoin de l'y pousser. Et elle a aussi appris à prendre sa place dans la cour de récréation. Au début, si les autres enfants refusaient ses propositions de jouer, elle renonçait et regagnait sa retraite. Mais on mit fin à ce comportement à l'aide de la méthode APR et elle fut renvoyée dans la mêlée pour chercher quelqu'un avec qui jouer. Graduellement, elle y réussit et surtout elle apprit ainsi à surmonter ses échecs.

Aujourd'hui, Sarah est très différente de la petite fille que nous avons rencontrée la première fois. Elle a quelques amis intimes et plusieurs camarades. Elle est encore encline à l'anxiété, mais elle a appris à la surmonter. Il ne fait pas de doute que certaines de ces craintes ont été acquises au cours de sa longue histoire d'évitement, mais nous pensons aussi que l'anxiété faisait partie du bagage originel de Sarah. Après avoir constaté à un grand nombre de reprises qu'elle était capable de surmonter son anxiété, elle a toutefois adopté l'attitude caractérisée par les mots «Je peux le faire» et à plusieurs occasions, sa mère l'a entendue dire : «J'ai peur mais je peux le faire» lorsqu'elle se trouvait confrontée à une situation qui l'angoissait.

Les méthodes qui ne marchent pas

Vous avez probablement remarqué que nous ne parlons jamais d'utiliser les récompenses, les menaces, le marchandage ou les punitions pour modifier le comportement. Bien que ces méthodes puissent changer le comportement à court terme, leurs effets ne durent pas et elles apprennent plutôt à l'enfant comment opérer dans un environnement manipulateur, exactement ce que nous voudrions éviter.

Les récompenses peuvent modifier le comportement à court terme, mais leur effet ne dure qu'aussi longtemps qu'il y a récompense et que l'enfant y trouve son compte. Il peut arriver qu'un comportement ainsi acquis se généralise, lorsque l'enfant le trouve satisfaisant, mais ce n'est pas la règle. Et les récompenses ne peuvent venir à bout des comportements d'évitement.

Le marchandage est encore moins efficace. Il ressemble aux récompenses, mais avec une différence importante : dans un marchandage, on donne une récompense en échange du comportement désiré, mais on la donne dès que l'enfant accepte d'avoir ce comportement, c'est-à-dire avant qu'il ne l'ait réellement manifesté. Prenons un exemple. «John, si tu fais régulièrement tes devoirs, tu auras un Super-Nintendo.» John accepte et on lui achète un Super-Nintendo. Tout ce qu'il a à faire pour obtenir une récompense, c'est donc d'être d'accord. Pourtant il n'a encore rien fait en ce qui a trait au comportement réel. Ce mode de fonctionnement garantit en fait que les prochains marchés risquent d'être passés avec, de la part de l'enfant, peu ou pas d'intention de suite.

Les effets des menaces sont proches de ceux des récompenses. Menacer un enfant, c'est lui dire que s'il a un comportement inacceptable, il lui arrivera quelque chose d'horrible et de désagréable. Par exemple : «April, si tu ne nettoies pas ta chambre, Betty ne pourra pas rester dormir.» L'effet sur le comportement est identique à celui des récompenses : la menace doit être présente pour que le comportement ait lieu. Celui-ci change tant que la menace persiste ou que l'enfant le croit; une fois que la menace disparaît, le comportement redevient ce qu'il était précédemment. April rangera peut-être sa chambre ce soir, mais il n'est pas certain qu'elle le fasse à l'avenir. Les récompenses et les menaces favorisent la dépendance. Pour obtenir que l'enfant se comporte correctement toute autre personne devra également user de menaces ou de récompenses, l'enfant ne manifestera pas spontanément le comportement en question.

Les punitions, comme le retrait de privilèges préalablement accordés, les prétendues «conséquences logiques», les conséquences physiques ou les réprimandes verbales ne marchent pas. Il est impossible de prédire comment une punition modifiera le comportement, surtout s'il s'agit de «conséquences» sévères et à retardement, comme : «Albert, tu as encore eu un D sur ton bulletin. Tu peux dire adieu à la télé pour le reste de l'année scolaire.» Les parents croient qu'en rendant la conséquence assez sévère, ils réussiront à modifier le comportement de l'enfant et le comportement change en effet, mais pas de la manière prévue.

Les parents et les professeurs des enfants auxquels nous avons affaire dépensent beaucoup d'énergie à chercher de bonnes punitions, susceptibles de modifier le comportement des enfants. Ils semblent penser que s'ils font preuve de suffisamment de créativité, la punition marchera. On a alors recours à des suspensions ou renvois de l'école de plus longue durée, à de plus longues interdictions de sorties, à plus de travail – et parfois même à des corrections physiques plus sévères. Et lorsque le fait d'augmenter l'*intensité* de la punition ne donne pas de résultats, on en essaie d'autres, passant de l'une à l'autre. À notre avis, tout cela relève de l'abus de pouvoir – sans parler du fait que c'est inutile. Imaginez que votre employeur vous traite de cette façon. Que pensez-vous qu'il obtiendra en retour? Un employé dévoué et enthousiaste ou un subordonné sournois qui surveille attentivement les offres d'emploi? Les punitions physiques ont pu sembler efficaces dans le temps parce qu'elles produisaient des comportements d'évitement et permettaient aux parents de se faire entendre et prendre au sérieux par leurs enfants. Mais elles s'inscrivaient dans le cadre de règles strictes, simples, claires et constamment renforcées, et c'est pourquoi elles fonctionnaient. Elles n'étaient pas utilisées par les parents comme un dernier recours marqué par la colère et la frustration mais comme une procédure de première ligne. Toutefois, comme toutes les autres formes de punitions, on en usait aussi souvent avec excès ou à mauvais escient. En ce qui nous concerne, nous ne recommandons pas l'usage des punitions – qu'elles soient physiques ou autres – pour influer sur le comportement, tout simplement parce qu'elles n'ont aucune efficacité à long terme. Et que nous avons constaté que les parents pouvaient obtenir des résultats tout aussi valables sans y avoir recours.

Chapitre 8

Comment amener les enfants à avoir confiance en eux-mêmes

Les techniques utilisées pour faire cesser les comportements manipulateurs qui ont été discutées au chapitre 7 – méthode APR, extinction du renforcement négatif, «Rassurer sans résoudre» – peuvent, lorsqu'elles sont correctement appliquées, être très efficaces pour apprendre à l'enfant à s'adapter. Mais ce n'est là que le début de l'histoire. Dans ce dernier chapitre, nous voulons intégrer dans un ensemble tout ce que nous avons dit jusqu'à présent. Nous allons d'abord voir ce que peuvent faire les parents pour assurer le développement, chez leurs enfants, de l'estime de soi.

L'estime de soi

L'estime de soi est un ensemble de croyances réalistes que quelqu'un entretient à propos de soi-même et qui, au total, présente une vision positive de sa valeur et de ses compétences. En d'autres termes, elle est le fait de quelqu'un qui, sur une longue période de temps, même s'il reconnaît avec réalisme ses faiblesses et ses limites, se considère néanmoins comme ayant une valeur et des compétences. Certains éléments de cette définition méritent de retenir notre attention.

Avoir de soi-même une vision réaliste est essentiel. Les personnes qui s'estiment ne se font pas une idée exagérée d'elles-mêmes et ne sont ni prétentieuses ni arrogantes. Mais elles ne se font pas non plus une idée dévalorisante d'elles-mêmes comme les personnes qui ne parviennent pas à prendre le monde tel qu'il est. Elles sont suffisamment réalistes pour comprendre qu'il y a des domaines dans lesquels elles ne possèdent ni les compétences, ni l'entraînement, ni les capacités requises ou pour lesquels elles n'ont ni intérêt ni désir. Mais elles reconnaissent leurs compétences dans leurs propres domaines et peuvent en juger en toute équité. Elles considèrent leurs échecs non comme des catastrophes mais comme autant de défis à surmonter et, face à ceux-ci, redoublent d'efforts pour atteindre l'excellence. L'échec suscite, bien entendu, chez elles des sentiments pénibles, mais elles considèrent ces émotions comme normales et humaines. Les personnes qui ont une saine estime d'elles-mêmes sont fortes.

Cette vision positive de soi est durable. Elle n'a pas besoin qu'on l'alimente par un flot continu d'attention ou d'adulation mais se développe d'elle-même, sans chercher les commentaires ou les compliments. Les compliments sont appréciés et peuvent être agréables, mais ils ne sont pas essentiels car la personne dotée d'une solide estime de soi sait déjà qu'elle a fait de son mieux et atteint ses propres standards de conduite. Terry Waite, le délégué de l'Église anglicane détenu au Liban, est retourné volontairement voir ses ravisseurs après sa première libération. Il savait qu'il risquait d'être de nouveau pris en otage, mais il savait aussi que certains de ses camarades étaient malades ou mourants. M. Waite pensait qu'on avait besoin de lui, qu'il pourrait être utile de quelque façon, et considérait donc que rencontrer les preneurs d'otages était juste et que, par conséquent, il fallait le faire. Il fut pris de nouveau en otage et après une année de tortures on lui annonça qu'il allait être exécuté et qu'il ne lui restait que six heures à vivre. On lui laissa alors écrire une dernière lettre, qu'il adressa à l'archevêque de Canterbury et dans laquelle il écrivit : «Ne ressentez pour moi aucune tristesse, je suis en paix. J'ai fait de mon mieux.» C'est cela, la véritable estime de soi.

Les gens qui ont de l'estime pour eux-mêmes sont indépendants. Ils poursuivent leurs propres buts malgré, parfois, de terribles difficultés. Ils croient que le produit de leurs efforts en vaut la peine. Ils sont honnêtes et assument la responsabilité de leurs échecs comme de leurs réussites. Personne n'a fait le travail à leur place : ils s'accordent donc le crédit de leurs succès et, lorsqu'ils se trompent, ne blâment pas les autres pour leurs propres erreurs. Leurs échecs leur appartiennent comme leurs réussites. Les personnes qui s'estiment refusent de se laisser attribuer des succès qui ne sont pas vraiment les leurs. Elles préfèrent en accorder le crédit à ceux qui les ont aidées. Elles ne renoncent pas à leur intégrité personnelle pour éviter les conflits ou l'anxiété. Elles s'en tiennent à leurs principes. Comme Terry Waite, elles font ce qu'elles croient juste et acceptent d'en payer le prix.

L'estime de soi n'est pas un don inné que l'on posséderait dès la naissance. Elle s'acquiert par l'expérience et par une honnête évaluation de celle-ci. Elle ne se développe pas du jour au lendemain ni même à la suite de quelques expériences importantes : c'est le résultat de toute une vie de travail.

En effet, l'estime de soi est un état d'esprit pour lequel on doit travailler sans arrêt. Ce n'est pas un état statique, mais dynamique. Elle peut croître ou décroître avec le temps selon les conditions, les efforts et l'énergie qu'on dépense pour la maintenir. On ne peut agir directement sur elle, en se disant, par exemple, à soi-même combien on est merveilleux – elle résulte plutôt des actions entreprises dans d'autres buts, comme le respect de ses valeurs. Comme Terry Waite, les personnes qui s'estiment savent ce qu'elles jugent bien et agissent conformément à ce jugement.

Les expériences clés qui favorisent le développement de l'estime de soi sont celles qui présentent un défi (celles dans lesquelles il y a réellement un risque d'échec et une chance de succès). Or, ce sont souvent des situations que nous avons tendance à éviter. Par exemple, si un enfant trouve son devoir de mathématiques assommant et difficile, mais qu'il le fait néanmoins de son mieux, il augmente ainsi un peu son estime pour lui-même. Ou alors, supposons qu'un enfant travaille sur un exercice de lecture compliqué et demande à ses parents de l'aider à lire les mots difficiles. Ses parents refusent gentiment, l'assurant qu'ils sont certains qu'il peut le déchiffrer lui-même. L'enfant proteste, mais s'y remet et finit par réussir à faire le travail. Une telle expérience forge l'estime de soi.

Affronter des défis développe l'estime de soi, quel que soit le résultat, car celui-ci est secondaire par rapport au sentiment de maîtrise que procurent les efforts dépensés pour atteindre le but qu'on s'est fixé, surtout si on a été tenté d'abandonner. De telles expériences nous en apprennent beaucoup sur nos capacités. Reconnaître honnêtement l'échec et identifier ses causes permet de procéder aux corrections nécessaires pour un succès à venir. Et quand celui-ci arrive, l'estime de soi monte en flèche. Personne n'aime échouer, mais sans échec il ne peut y avoir de réel succès. Les personnes qui s'estiment savent qu'elles ont fait tous les efforts possibles, qu'elles ont accepté le défi et qu'elles ont bien fait en dépit de leur échec. Et elles ont en outre appris quelque chose d'inestimable : qu'elles étaient capables de survivre à l'échec.

Les comportements manipulateurs détruisent systématiquement l'estime de soi car la malhonnêteté qui leur est inhérente et la dépendance qu'ils entraînent sont incompatibles avec celle-ci. Des succès réguliers peuvent aussi détruire l'estime de soi, et ce, en dépit d'une croyance générale chez les parents et les professeurs qui tentent souvent de procurer à l'enfant des succès faciles pour développer celle-ci. En procédant ainsi, ils montrent malheureusement qu'ils confondent le plaisir immédiat de l'enfant – ou son soulagement – avec l'estime de soi, ce qui est une erreur d'autant plus grave que leur objectif est précisément de développer chez l'enfant la capacité de s'apprécier à sa juste valeur. Les enfants savent généralement ce qu'il en coûte de relever un défi. Si nous les laissons, pour éviter un problème, choisir la facilité (par exemple, en demandant de l'aide alors qu'ils pourraient s'en sortir seuls), nous sacrifions leur estime d'eux-mêmes à leur bonheur. Pire, nous leur ouvrons la possibilité d'échapper de la même façon à d'autres défis à l'avenir et nous leur apprenons à nous manipuler pour échapper à la frustration et à la peur. Materner un enfant favorise sa dépendance et une conscience de soi déficiente.

Mike est en quatrième année. Un lundi, son professeur lui avait donné cinquante exercices de mathématiques à faire dans la soirée. Les maths sont la matière préférée de Mike. Après le dîner, il s'est donc assis pour travailler et s'est vite rendu compte qu'il comprenait sur quoi portait le devoir, mais que le travail allait être pénible et fastidieux. De plus, son père était en train de regarder *Le football du lundi soir* à la télé et s'il n'avait pas eu de travail, il aurait pu le regarder avec lui. Il commença alors à bâcler son travail pour le finir le plus vite possible. En dix minutes, tout était terminé, mais son travail était négligé et bourré de fautes. Mike savait parfaitement ce que ses parents attendaient de lui : quoi qu'on fasse, il fallait le faire le mieux possible. Si l'on travaillait dur, mais ne réussissait que médiocrement, cela n'avait pas d'importance; si l'on réussissait, c'était merveilleux. En descendant, après avoir fini son devoir, Mike se sentait un peu coupable, mais il se justifiait en pensant qu'après tout le devoir était ennuyeux, stupide et que le professeur exagérait en leur demandant un travail aussi bête. Le lendemain, Mike obtint un C, qu'il excusa à ses propres yeux en se disant : «Le devoir était vraiment trop stupide et de toute façon je suis bon en maths.» Par la suite, Mike se trouva d'autres excuses pour bâcler son travail et il rendit plusieurs mauvais devoirs de suite. Mike avait un excellent professeur et celui-ci remarqua vite le problème. Au quatrième devoir aussi peu soigné, elle le convoqua à son bureau et lui dit qu'elle était déçue de son dernier travail et espérait qu'il allait le reprendre. Elle lui fixa un délai et suggéra qu'il reste pendant la récréation pour le terminer. Elle ne lui demanda pas pourquoi il n'avait pas fait son travail aussi bien qu'il l'aurait dû – elle considérait que ce n'était pas son affaire – et ne le menaça d'aucune punition. Elle n'avertit même pas les parents de Mike – c'était un problème entre lui et elle, entre élève et professeur. Mike fit son travail proprement et rapidement et retrouva son niveau de performance antérieur.

Mike avait commencé à apprendre comment échapper à une corvée. Quand ça l'arrangeait et lui permettait de passer plus de temps devant la télé, il avait tendance à recommencer. Il savait qu'il ne respectait pas les valeurs familiale et il en était un peu gêné mais il continuait quand même à bâcler son travail. Si son professeur lui avait demandé pourquoi il faisait cela, il aurait trouvé toutes sortes de justifications pour expliquer son comportement mais elle ne lui en a pas donné l'occasion. Elle lui a simplement fait part de ses exigences et est passée à autre chose, Dieu merci!

Cet épisode est un des rares exemples de comportement d'évitement qu'ait jamais eu Mike, c'est pourquoi il put s'en remettre et continuer. Avec un autre enfant, qui aurait pratiqué l'évitement de façon systématique, la correction d'un tel comportement aurait demandé une sérieuse bataille. Chaque fois qu'un comportement d'évitement se produit et qu'un enfant réussit à manipuler, la force de ces comportements augmente. Plus l'évitement et la manipulation s'installent, moins l'enfant respecte les valeurs familiales, et plus la malhonnêteté envers soi et envers les autres devient habituelle et l'estime de soi se détériore.

Les messages explicites et implicites envoyés aux enfants par des adultes de bonne volonté peuvent être tout à fait destructeurs pour l'idée qu'ils ont d'eux-mêmes, surtout lorsque ces adultes possèdent une autorité sur l'enfant et qu'ils les répètent constamment. Les parents, par exemple, qui passent leur temps à parler fort (à réprimander) leurs enfants à propos de leur comportement, peuvent communiquer le message : «Tu es méchant.» Si l'on réagit de façon répétée et prolongée aux comportements inacceptables de cette manière, le message finit par passer. Il est préférable d'arrêter le comportement en question immédiatement, d'attendre que l'enfant se reprenne, de le réorienter rapidement et de continuer comme si de rien n'était. Les enfants sont des enfants : ils ont besoin d'entraînement, pas de récompenses, de raisonnements ni de rationalisations. Moins on s'attarde sur un mauvais comportement, mieux cela vaut.

Il est toutefois plus facile pour un enfant de réagir à un message explicite qu'à un message implicite : au moins les cartes sont sur la table. Les pensées et les conclusions cachées sont beaucoup plus dangereuses pour l'idée que les enfants se font d'eux-mêmes.

Parfois, heureusement, les messages explicites ont un effet opposé à celui qu'ils auraient dû avoir. Peter était un élève de première année du secondaire, un garçon laconique au visage sans grande expression qui provenait d'une famille ouvrière. Nous avions commencé un traitement pour un problème de déficit d'attention alors qu'il était en sixième année du primaire et ses résultats scolaires s'étaient un peu améliorés. En huitième année, il a décidé de prendre un cours de «maths avancées» (algèbre). Ses résultats en maths avaient été plutôt bons jusqu'alors et il se sentait prêt à relever le défi. Quand il a demandé à s'inscrire, les professeurs lui ont dit qu'il n'était pas prêt et lui ont dressé la liste de ses résultats antérieurs. Ils lui dirent qu'il devrait prendre le cours normal de préparation à l'algèbre. La colère de Peter à la suite de cette décision fermenta tranquillement pendant tout le semestre. Nous l'avons vu en mai et avons appris alors toute l'affaire. Quoique ce ne fût pas une attitude très professionnelle, nous avons exprimé notre surprise et notre désapprobation face à cette décision. Nous ne parvenions tout simplement pas à le croire!

Pendant l'été, Peter obtint une copie du cours d'algèbre et l'étudia tout seul deux heures par jour. Quand l'école reprit à l'automne, il demanda à passer l'examen d'algèbre, ce qui lui fut accordé. Il réussit avec une excellente note et demanda alors à être admis en deuxième année d'algèbre. Nous avons appris tout cela lors d'une rencontre à la fin de l'automne : il souriait tranquillement et nous dit qu'il avait obtenu un A à son cours. Nous avons ri avec lui et l'avons félicité.

Brian avait neuf ans lorsqu'il a pour la première fois, demandé à son père de jouer avec lui au *racketball*. Son père lui a répondu qu'il était trop petit mais l'autorisa à inviter un ami pour nager avec lui pendant que son père jouerait. Brian invita son ami et ils passèrent un moment agréable à nager. La scène se reproduisit plusieurs fois les années suivantes. Finalement, quand Brian eut treize ans son père lui offrit une raquette et lui dit qu'il était assez grand pour jouer. Mais il ne le laissa pas gagner : il joua comme d'habitude, de façon compétitive. À seize ans, Brian réussit finalement à battre son père et il n'y a pas d'enfant plus fier et plus triomphant que Brian le fut ce jour-là. Le père de Brian ne l'avait ni flatté ni materné; il n'avait pas essayé de faire en sorte qu'il se sente bon : il avait tout simplement été honnête, et Brian a dû travailler pendant des années pour relever le défi. Finalement il a réussi, après des années d'échecs. Le père de Brian lui avait lancé un défi attirant et il l'a relevé, franchissant ainsi une étape sur la voie de l'estime de soi.

Bien que nous n'ayons pas l'intention de recommander les messages explicites comme méthode de motivation, ils ont toutefois le mérite d'être tangibles, ce qui permet à l'enfant d'y faire face. Pour certains enfants, le fait qu'un adulte leur dise que quelque chose est trop difficile pour eux ou qu'ils sont trop jeunes confère à cette chose un attrait irrésistible : ils veulent prouver à l'adulte qu'il se trompe.

Jonathan, un élève de cinquième année, d'intelligence moyenne, n'avait pas travaillé très fort pour préparer ses tests d'orthographe durant ses six premières semaines d'école. Il obtint ainsi plus de mauvais résultats que de bons. Son professeur, déçu de sa performance, savait que s'il continuait ainsi son estime de soi en souffrirait. Elle pensait que Jonathan avait besoin de succès et décida de lui permettre d'en obtenir en réduisant sa liste de vingt à dix mots. Son intention était bonne mais mal avisée. En réduisant la charge de travail de Jonathan, elle lui disait implicitement qu'elle ne le jugeait pas capable d'en faire plus en y mettant plus d'efforts. Malheureusement, Jonathan accepta cette solution – après tout, ça lui faisait moins de travail! Pendant quelque temps, il réussit à avoir huit mots corrects sur dix puis sa performance commença à décliner, même par rapport à ces exigences réduites. Et, bien entendu, son estime de soi en prit un coup. En fait, le problème ne relevait pas de sa capacité à faire ou non le travail mais de sa volonté. Or ce n'était pas le message qui lui avait été adressé.

On confond souvent l'estime de soi avec le fait de se sentir bien. Bien que les gens ayant une solide estime d'eux-mêmes puissent se sentir heureux et contents à certains moments, ils risquent plus que d'autres d'accepter des tâches difficiles et, comme tout le monde, ils ne sont pas particulièrement heureux durant les périodes de stress. Cela est vrai pour les enfants comme pour les adultes. Il faut que nous comprenions que notre tâche n'est pas d'épargner tout effort à l'enfant pour éviter qu'il ne soit malheureux. Une telle attitude de «maternage» témoigne en fait implicitement de notre manque de confiance envers l'enfant. Notre rôle est d'appuyer les enfants lorsqu'ils doivent faire face à une tâche difficile, d'être compréhensifs face à leurs sautes d'humeur, de refuser de les libérer de leurs obligations et de les féliciter s'ils réussissent en leur disant, par exemple : «Bravo! Je savais que tu en étais capable.»

Le rôle des parents

Les frontières

Il est d'une importance vitale que vous déterminiez et posiez des frontières à votre rôle de parents. La manière dont vous le ferez dépend de l'idée que vous vous faites de votre enfant. Si vous êtes convaincus que les enfants sont des «survivants», c'est-à-dire qu'ils sont capables de s'adapter à presque tout, d'y trouver leur bonheur personnel et de développer un sentiment de bien-être, vous vous sentirez responsable de procurer à votre enfant les choses qu'il ne peut pas se procurer lui-même mais pas beaucoup plus. Les parents doivent fournir à l'enfant de quoi se nourrir, se loger et se vêtir, des soins médicaux, une bonne école, une protection contre les dangers réels et surtout une solide structure familiale.

Ils peuvent aussi donner aux enfants des cadeaux, organiser des fêtes et des distractions ou prendre leurs vacances avec eux, mais ce sont là des «extras», pas des responsabilités.

Donner des perspectives à son enfant

Une structure familiale est un ensemble de valeurs, de principes moraux et d'objectifs qui vous guide dans toutes les règles que vous fixez et les décisions que vous prenez, comme dans toutes les choses que vous essayez d'apprendre à votre enfant. Les enfants apprennent à vivre au sein de cette structure et à s'en accommoder. De cette manière, vos valeurs et vos buts tracent une perspective d'avenir pour vos enfants. Que voulez-vous que votre enfant devienne? Comment voyez-vous son avenir? Voulez-vous qu'il devienne responsable? fiable? honnête? qu'il fasse de son mieux, malgré les échecs? Voulez-vous qu'il ait du plaisir, des amis et une carrière satisfaisante? Voulez-vous qu'il devienne un adulte indépendant, solide et capable de réagir dans n'importe quelle circonstance? Nous ne suggérons évidemment pas que les parents prennent des décisions qui relèvent de l'enfant lui-même, comme le choix d'une carrière ou d'un conjoint. Mais un enfant élevé au sein d'une structure familiale cohérente sera capable de prendre lui-même ces décisions, de s'adapter, de survivre et de se développer, quel que soit le monde dans lequel il aura à vivre.

Votre perspective à long terme détermine la manière dont vous élevez votre enfant au jour le jour. Elle vous permet de définir ce qui est bon ou mauvais. Par exemple, si vous désirez que vos enfants deviennent des adultes d'une intégrité irréprochable, vous exigerez qu'ils soient honnêtes, tout en faisant preuve d'honnêteté vous-même, tout au long des années qu'ils passeront avec vous. Vous ne serez jamais malhonnête avec eux et ne tolérerez aucune malhonnêteté de leur part, quelles que soient les circonstances ou les raisons. Si vous valorisez la capacité de réagir en toute circonstance, ne privez pas votre enfant de l'occasion de résoudre un épineux problème. Faites-lui confiance, posez-lui clairement le problème, encouragez-le, soyez patient et félicitez-le lorsqu'il découvre la solution. Mais ne résolvez pas le problème, même s'il est facile pour vous. Si vous accordez de l'importance à la responsabilité, au lieu de demander «pourquoi?», demandez «comment vas-tu faire la prochaine fois?» ou «qu'elle était ta part de responsabilité; que peux-tu y faire?» Dans cette perspective, blâmer les autres pour ses erreurs et ses échecs est toujours inacceptable. Et si c'est ce que vous souhaitez apprendre à vos enfants, vous devrez non seulement vous préoccuper de leur comportement, mais aussi en témoigner par le vôtre.

Vous devez rester fidèle à vos perspectives même lorsque c'est difficile. Par exemple, si vous accordez de la valeur à l'honnêteté, vous ne pourrez travestir la vérité même si cela vous arrange. Si vous réagissez de façon constante et fiable pendant des années, vous apprendrez à votre enfant à agir de manière cohérente avec vos perspectives. Mais si vous réagissez de façon inconstante vous créerez un vide de valeurs qui risque d'être rempli à partir de diverses sources comme les bandes de copains, la télévision et les normes sociales. Et le résultat en sera imprévisible.

Hier soir, nous avons rencontré les parents d'un de nos patients de la clinique pédiatrique. Nous avons parlé de l'honnêteté en famille et ils nous ont raconté cette histoire : comme ils entraient à la clinique avec leur fille de quatre ans, ils ont remarqué des traces de vomissement sur les marches. La mère dit alors : «On dirait que quelqu'un a été malade et a vomi.» Mais une autre femme, qui quittait le bureau avec son enfant de trois ans, chuchota à celui-ci : «On ne dit pas "vomir", on dit : "renvoyer son Pepsi".»

Cette femme était malhonnête vis-à-vis de son enfant parce qu'elle pensait que celui-ci ne pouvait supporter la vérité. Elle travestissait la réalité pour le protéger des sentiments inconfortables qu'elle avait probablement elle-même ressentis en apprenant que quelqu'un avait vomi sur les marches. Si nous ne pouvons être honnête à propos de quelque chose d'aussi ordinaire, quand et où le pourrons-nous? Comment choisir ce sur quoi on doit être honnête? Comment l'enfant apprendra-t-il à l'être si on lui masque les vérités les plus simples?

Offrir des occasions

Les enfants peuvent trouver des occasions d'acquérir des aptitudes aussi bien dans les programmes organisés que dans la vie familiale quotidienne. Les parents peuvent leur donner de telles occasions en les inscrivant à des activités comme des cours de dessin, des leçons de musique, des activités sportives ou des clubs de jeunes, comme par des activités familiales ou par la pratique de hobbies. Il existe aussi un nombre incalculable d'occasions de ce type dans la vie quotidiennes mais les parents n'y prêtent guère attention, précisément parce qu'elles sont quotidiennes. Par exemple, quand ses parents demandent à un enfant de faire un travail ou une corvée dans la maison, ils lui apprennent à être responsable de soi et des autres, surtout si l'éthique familiale met l'accent sur le partage des tâches ménagères. Certains parents évitent de demander à leurs enfants de participer aux tâches quotidiennes parce qu'ils peuvent le faire plus vite eux-mêmes et qu'ils essuient des refus lorsqu'ils leur demandent de le faire. Ils ratent ainsi une belle occasion d'apprendre à leurs enfants des choses essentielles. De plus, les tâches ménagères sont généralement plutôt ennuyeuses et se résoudre à accepter la monotonie et l'ennui de certaines tâches est une bonne préparation à ce que la vie leur réserve. Les enfants devraient participer aux tâches ménagères dès leur plus jeune âge et de façon continue.

Lorsqu'ils cherchent des occasions d'apprendre pour leurs enfants, les parents ne devraient pas s'arrêter seulement à celles qui paraissent évidentes compte tenu des connaissances et de la force de l'enfant, mais ils devraient penser aussi à celles qui peuvent représenter un défi pour celui-ci, notamment dans les domaines où il est faible. L'enfant qui possède peu de qualités physiques devrait pratiquer un sport, et le futur athlète olympique devrait suivre des leçons de musique. Un enfant timide et craintif tirera un bénéfice immense d'expériences qu'il ne peut éviter. Demandez-lui, par exemple, de marchander le prix de quelque chose – surtout s'il s'agit de son propre argent – ou de ramener un jouet défectueux au magasin pour qu'on le lui échange, de manière à lui faire prendre de l'assurance et à lui donner confiance en lui. Comme l'estime de soi se forge à force de défis maîtrisés, les enfants qui ne font que ce dont ils se sentent parfaitement capables et qui fuient tout ce qui est inhabituel ou effrayant ratent beaucoup d'occasions d'élargir la base de leur sentiment de compétence.

Scott avait six ans quand sa famille vint skier à Jackson Hole. Lors des voyages antérieurs, il avait passé son temps à la garderie, au pied des pistes, à glisser sur des tas de neige, à faire des promenades et à jouer à l'intérieur. Cette année-là ses parents décidèrent qu'il prendrait des leçons de ski. Scott était leur enfant le plus âgé, il ne pouvait donc apprendre en suivant ses frères et sœurs. Quand ses parents lui firent part de leur décision, il essaya de discuter, pleura et refusa absolument d'y aller. Il essaya tout ce qu'il put trouver pour échapper aux leçons de ski : il dit d'abord qu'il aimait la garderie, puis qu'il savait déjà skier, puis qu'il prendrait des leçons l'année suivante. Le matin suivant, ses parents l'habillèrent, le traînèrent jusqu'à la piste, lui mirent ses skis et le déposèrent à l'école de ski, le tout contre sa volonté, bruyamment affirmée depuis le moment où il avait enfilé sa première chaussette jusqu'à celui où ils battirent en retraite pour se précipiter sur le télésiège le plus proche.

À leur seconde montée en téléphérique ils purent voir Scott skier avec les autres élèves sur une petite pente, riant et s'amusant joyeusement. Le reste appartient à l'histoire : Scott, aujourd'hui étudiant de seconde année au collège, est devenu un grand skieur. Mais le plus important est que plusieurs épisodes similaires avec de nouvelles activités ont appris à Scott qu'il pouvait surmonter sa frayeur. Lorsqu'il grandit, ses parents pouvaient lui rappeler ses expériences précédentes et par la suite Scott apprit à se les remémorer lui-même pour s'encourager. C'est aujourd'hui un jeune homme sûr de lui qui peut affronter n'importe quel défi.

Beaucoup de parents tentent d'assurer le succès de leurs enfants en les mettant dans des situations qui requièrent un minimum d'efforts. Ils croient que l'estime que l'enfant a de lui-même augmentera s'il remporte une série de succès, même si ceux-ci demandent peu d'efforts et de persévérance. Mais le fait d'obtenir des succès au prix d'un minimum d'efforts risque plutôt de conduire l'enfant à continuer à faire le moins d'efforts possible à l'avenir et à avoir une vision déformée de ses capacités. Pire, si ses premières expériences consistent essentiellement en succès faciles, l'enfant risque d'être anéanti par l'échec. Devoir faire des efforts pour réussir exige de la persévérance. Même si ces efforts aboutissent à un échec, ils nous apprennent quelque chose sur nos capacités, ensuite la vie continue. Et si l'échec survient après des efforts insuffisants, cela nous aide à comprendre ce qu'il faut faire pour réussir.

Les occasions d'apprendre dont nous venons de parler doivent être en accord avec les valeurs familiales. Autoriser votre enfant à poursuivre une activité qui est contraire au système de valeurs familial parce qu'il veut la faire ne lui rendra pas service. Il est plus que légitime de dire non à un enfant qui veut aller traîner au centre commercial ou se rendre à une fête sans surveillance, même si l'enfant n'aime pas ça. Il peut s'écouler des années avant que l'enfant reconnaisse que certaines des positions que vous aurez prises sur la base de vos valeurs familiales étaient bonnes.

Les parents doivent établir leurs priorités en fonction de leur système de croyances. Par exemple, supposez que votre enfant joue très bien au soccer et qu'il est indispensable à son équipe. Il y a un match ce soir, mais il n'a pas fini son travail scolaire et vous savez qu'il sera trop fatigué pour le faire en rentrant. Il aurait pu le faire en sortant de l'école, mais il a passé son après-midi au téléphone, lancé quelques ballons et regardé la télé un moment. Le laisserez-vous y aller ou devra-t-il rester pour finir son travail? Quelles sont vos priorités? Votre décision enverra un puissant message en ce qui concerne vos valeurs et les priorités qui en découlent. Les parents n'ont pas seulement besoin d'être clairs sur leurs valeurs, ils doivent aussi fixer des priorités.

Il y a quelques années, Sean, dix ans, a été invité à passer le samedi avec un garçon qu'il connaissait mais qui n'était pas un ami proche. Il accepta mais, un peu plus tard dans la semaine, un de ses meilleurs amis l'invita pour le même jour. Il décida donc de téléphoner au premier garçon pour lui dire qu'il ne pourrait pas venir. Il avait une excuse toute prête et en parla à son père. Celui-ci savait qu'il préférait de loin aller chez son ami et qu'il serait mécontent s'il n'était pas autorisé à réaliser son plan. Il y pensa un moment, puis dit : «Sean, tu as pris rendez-vous avec Joey. Dans notre famille, nous respectons nos engagements, je compte donc sur toi pour tenir le tien. De plus, ta méthode pour te dégager n'est pas honnête.» Après avoir vigoureusement protesté, Sean accepta finalement de respecter son engagement. Plusieurs années plus tard, le père de Sean fut amusé d'entendre Sean se plaindre de coéquipiers qui ne participaient pas régulièrement aux entraînements de soccer : «Ils ne comprennent pas qu'ils ont pris un engagement vis-à-vis de l'équipe et qu'ils doivent le respecter même si ce n'est pas toujours facile.»

L'importance de l'échec

L'échec est essentiel au développement de l'estime de soi et de l'indépendance. L'échec nous apprend ce sur quoi nous devons travailler, nous aide à corriger ce qui ne va pas et nous informe que les difficultés auxquelles nous nous sommes butés méritaient l'effort que nous avons fait. L'estime de soi ne peut devenir solide sans qu'on ait fait à plusieurs reprises l'expérience de surmonter un échec, surtout si celui-ci nous aide à mettre en œuvre un entraînement adéquat, à changer et finalement à réussir. Pour bien jouer leur rôle, les parents doivent permettre aux enfants d'échouer, tout en les réconfortant, et s'opposer à ceux qui prétendent que l'échec est dangereux et que les émotions qui l'accompagnent sont nocives. Soutenir un enfant qui a des difficultés n'est pas facile. Il est parfois difficile de résister à la tentation d'intervenir pour résoudre le problème à sa place. Un adulte qui a nettement plus d'expérience peut avoir l'impression que la solution est évidente, mais ce n'est peut-être pas le cas pour l'enfant et s'il parvient à la trouver tout seul, cette expérience lui en apprendra beaucoup plus.

Un mot de mise en garde : accuser les autres est une manière courante de réagir à un échec. Les enfants le font et les parents aussi. Quand ils disent, par exemple : «Wilbur, tu es intelligent et je pense que si tu as échoué à ton test de maths c'est que le professeur vous a donné quelque chose de trop difficile» ou «Sarah, je pense que si tu as des problèmes avec Amélia, c'est parce qu'elle se sent menacée par toi.» Demandez plutôt à Wilbur ce qu'il pense qu'il devrait faire la prochaine fois pour être mieux préparé pour son test ou à Sarah ce qu'elle pourrait faire pour arranger les choses avec Amelia. Le message contenu dans ces questions est le suivant : «Tu as un certain contrôle sur ta vie et sur les circonstances : tu peux avoir une certaine influence sur ce qui en résulte si tu le désires; tu n'es pas une victime. Mais si tu veux que les choses changent, c'est à toi de changer, pas aux autres.»

Nous voyons couramment les enfants qui échouent à l'école faire une partie de leur travail, mais ne pas prendre la peine de le rendre. Ils ont souvent l'impression qu'échouer n'a pas d'importance du moment qu'ils n'ont pas eu à faire d'efforts. Ils ne se sentent pas responsables de leur échec parce qu'ils ont décidé dès le départ de ne pas essayer. Les enfants qui évitent ainsi les défis peuvent réagir positivement si vous insistez pour qu'ils fassent leur travail et que vous procédez à un suivi pour vous assurer que celui-ci est effectivement fait et rendu.

Quand un enfant essuie un échec, il n'est pas rare que quelqu'un essaie de venir à son secours. Bien que cela puisse soulager sa misère sur le moment, ce genre d'intervention lui fait rater une occasion de se forger une bonne estime de soi, qu'elle vienne d'un parent, d'un frère ou d'une sœur, du personnel de l'école, de ses grands-parents, des voisins ou d'un étranger. Il faut savoir mettre fin à ces tentatives calmement et avec tact en faisant comprendre à la personne en question que vous avez toute raison de croire que votre enfant s'en sortira.

La mise en œuvre

Pour être couronnée de succès, la mise en œuvre de tout cela doit comprendre trois étapes. La plupart des choses que nous allons suggérer ont l'air simples mais, en pratique, elles demandent des efforts considérables et une grande résistance. Élever des enfants de manière qu'ils deviennent des êtres humains de qualité, responsables, indépendants et maîtres d'eux, des gens avec du caractère, est souvent un dur travail, et la récompense ne vient pas avant des années. En chemin, vous aurez des moments agréables et vous serez aussi souvent angoissé et assailli de doutes. Mais si vous gardez les yeux fixés sur vos objectifs à long terme, votre parcours sera moins tortueux.

Première étape : se faire une idée positive

D'abord, attachez-vous à avoir des idées positives sur votre enfant. Relisez la fin du chapitre 6 où nous avons fait une liste de ces idées. Avoir des idées positives sur les enfants est autre chose que d'utiliser une méthode «positive» d'éducation. Si vous vous faites une idée positive de votre enfant, vous croyez qu'il est capable de survivre, de se développer et de prendre soin de lui-même, alors que l'éducation positive suppose exactement l'inverse, à savoir que les enfants ne peuvent survivre que si vous créez exactement l'atmosphère qui leur convient. Si vous ne croyez pas d'abord que votre enfant est apte à survivre, qu'il peut s'adapter et se développer, rien de ce que nous allons vous dire ne pourra vous aider.

Pour vous faire des idées positives commencez par examiner vos propres idées sur votre enfant et votre comportement vis-à-vis de lui. Faute d'une bonne dose d'introspection et d'auto-observation, vous risquez de vous laisser aller au pessimisme et de vous retrouver en train de materner l'enfant au lieu de simplement vous en préoccuper. Les idées pessimistes et le comportement qu'elles engendrent ne s'évanouissent pas en une nuit. Passez un contrat d'entraide avec votre conjoint, examinez chacun le comportement de l'autre et apprenez ensemble. Affichez quelque part les mots : ILS NE SONT PAS EN VERRE, comme rappel. Répétez-vous chaque jour : «Le pire que je puisse faire est de lancer mes enfants dans la vie adulte sans préparation parce que je les ai isolés des réalités.» Les enfants doivent se développer indépendamment, et être encouragés à se comporter comme des êtres autonomes et à vivre leur vie propre car vous ne pouvez le faire pour eux.

Deuxième étape : se guider sur des valeurs

Qui dirige votre famille? Passez-vous votre temps à négocier et à débattre qui a le contrôle? Les décisions se prennent-elles à l'épuisement? Jouez-vous au yo-yo entre l'attitude qui consiste à vous soumettre passivement aux demandes de votre enfant et celle qui cherche à lui imposer vos volontés de façon autocratique? Après avoir pris une décision qui ne lui plaît pas, passez-vous des jours à essayer de justifier celle-ci rationnellement? Combien de fois vous êtes-vous surpris en train d'essayer d'éviter de mettre quelqu'un en colère – de maintenir la paix – en ayant recours à des discussions, des explications ou des apaisements au lieu de clairement affronter le problème. Rêvez-vous d'une famille dans laquelle tout marcherait rationnellement et où le consensus résulterait d'une approche raisonnable? Pensez-vous que les règles qui ont cours dans le monde puissent être comprises et enseignées de façon rationnelle?

La manière dont fonctionne une famille dépend de la réponse à ces questions. Elles touchent au cœur des problèmes qui se posent à la plupart des familles – notamment des familles américaines – et qui les paralysent. Ceux qui ont l'occasion de s'exprimer publiquement sur le sujet, depuis les experts jusqu'aux politiciens, ont tous leur coupable préféré pour ces difficultés. La plupart s'entendent sur le fait que la famille joue, d'une façon ou d'une autre, un rôle dans celles-ci. Mais comment? Et que pouvons-nous faire dans nos propres familles? Telle est la véritable question.

LES DYSFONCTIONNEMENTS FAMILIAUX

La plupart des gens, même les experts, auraient du mal à donner une description claire, précise et compréhensible des caractéristiques de la famille dysfonctionnelle. Le mot «dysfonction» est associé à des problèmes d'alcool, de drogue et de violence. Pourtant de nombreuses familles qui n'ont de problèmes ni d'alcoolisme ni de violence sont malheureuses et ont des enfants velléitaires, improductifs et irresponsables. Nous pensons qu'il faut regarder les problèmes de ces familles autrement. Nous croyons qu'il est possible d'adopter une perspective plus optimiste et de dire, en des termes que l'on peut comprendre et utiliser, ce dont ces familles ont besoin pour changer.

Ces derniers temps, on a mis beaucoup l'accent sur les valeurs familiales dans les discours politiques. Bien que cela ait eu l'avantage de mettre le sujet à l'ordre du jour, ce que nous voudrions en dire ici est fort différent de ce qu'en disent la plupart des politiciens. Ils parlent généralement d'un ensemble de valeurs mythiques qui sont censées avoir fait la grandeur de ce pays. Ils essaient de nous faire croire que leur système de valeurs est le bon et que si seulement nous pensions comme eux tout irait bien. Mais tel n'est pas le cas.

Nous allons insister sur ce que les valeurs peuvent faire pour nous et la façon dont elles influencent la vie familiale. Mais nous ne discuterons pas de ce que sont vos valeurs – ou les nôtres. Vos valeurs relèvent de votre vie privée et nous souhaitons qu'elles le restent.

Nous avons commencé par vous poser une série de questions sur la manière dont s'exerce l'autorité dans votre famille. Les familles peuvent fonctionner de deux façons différentes : certaines sont surtout influencées par les circonstances, tandis que d'autres sont essentiellement guidées par un système de croyances et de valeurs. Or, la différence est importante.

Dans l'étude mentionnée au chapitre 4, des chercheurs ont clairement démontré que les enfants de familles dont les décisions et les actions étaient réglées par un système de valeurs réussissaient mieux que les autres à long terme. Les familles qui respectent des valeurs, quelles que soient leurs valeurs précisent, marchent mieux que celles qui s'en remettent à des expédients. Pour ce qui nous concerne, on pourrait tout aussi bien traduire les expressions «famille respectant des valeurs» et «famille usant d'expédients» par «famille fonctionnelle» et «famille dysfonction-nelle» – mais on y perdrait beaucoup en clarté.

FAMILLES RESPECTANT DES VALEURS ET FAMILLES USANT D'EXPÉDIENTS

Comparons ces deux types de familles.

Les *familles qui respectent des valeurs* présentent les caractéristiques suivantes :

- Le comportement de chacun des membres est comparé aux normes du système de croyances et de valeurs de la famille. Personne n'est exempté. Si le père est impoli ou irrespectueux et que le code de la famille exclut ce genre de comportement, les autres membres relèvent cette transgression. Les enfants doivent suivre le code et sont autorisés à protester lorsqu'il est enfreint.

- Aucune convenance personnelle n'a préséance sur le code d'éthique qui existe dans la famille. Les confrontations suscitées par le comportement d'un des membres ne sont jamais évitées sous prétexte qu'elles pourraient le peiner ou le contrarier. Les sentiments des autres sont considérés comme leur affaire personnelle et ne sont pas le principal sujet de préoccupation en cas de confrontation. Dans ce cas, la famille peut user de diplomatie dans son approche, mais le message n'en est pas moins clair.

- Dans leurs paroles, les membres de la famille respectent leurs valeurs et les conversations comportent de nombreuses références aux normes familiales, ce qui crée un sentiment d'identité collective – le sentiment que la famille représente quelque chose. Ces familles ont souvent une histoire, et aussi des histoires, que l'on conte et raconte et qui véhiculent le message suivant : «Nous avons un passé auquel nous devons être fidèle, nous avons un avenir plein de promesses à espérer et vous pouvez être fiers d'appartenir à notre famille.»

- Les enfants sont envoyés dans le monde comme représentants de leur famille. Leur comportement à l'extérieur de la maison doit être conforme aux valeurs familiales et l'on accorde une attention immédiate, rapide et entière à toute transgression. Ensuite, la question est réglée et l'enfant peut rejoindre les autres. Le sentiment de fierté qui anime la famille dissuade ses membres de tout acte impulsif qui pourrait donner une mauvaise image de celle-ci.

- Les parents offrent une perspective d'avenir à leurs enfants : ils ont un but. Cette perspective peut être aussi simple que : «Faire de son mieux en toute situation» ou plus complexe, mais dans tous les cas elle est claire pour l'enfant et il souhaite s'en montrer digne.

- La manière dont les enfants sont élevés reste constante dans le temps. Les règles, les décisions et les conséquences dérivent toutes de l'éthique familiale, ce qui garantit une continuité lorsque l'enfant grandit. Cette morale familiale fournit un point d'ancrage aux parents et constitue un point de référence tout au long de l'éducation de leurs enfants.

Dans les *familles usant d'expédients*, par contre, voici les caractéristiques qui prévalent :

- Les décisions et les règles sont basées sur les convenances du moment. Qui est grognon, fatigué, irritable ou inapprochable, qui a trop bu, qui risque de se mettre en colère et de devenir violent? Telles sont les considérations qui entrent en jeu plutôt que le bien ou le mal tels que définis par le code familial. Dans de nombreuses familles qui usent d'expédients, presque tout est négociable, pour peu qu'on utilise la tactique appropriée. Les questions négociables ou non ne sont pas clairement déterminées. Dans ces familles, les enfants apprennent à être extrêmement persévérants pour obtenir que les autres fassent ce qu'ils veulent. Les sentiments sont la propriété de tous et on peut dépenser une quantité considérable d'efforts pour éviter un conflit ou une confrontation qui pourrait attrister ou énerver quelqu'un. Le maternage est courant dans ces familles qui sont souvent dominées par quelqu'un dont les humeurs ont des répercussions sur tous ses membres.

- Il y a peu de perspectives communes. Soit qu'on ne raconte pas d'histoires, soit que les croyances qu'elles illustrent ne sont pas partagées. Le système de valeurs familial ne fait pas partie intégrante des conversations et, par conséquent, l'identité familiale et la fierté familiale ne se développent guère.

- La position sociale, la gêne, les inconvénients, la tristesse de l'un ou l'autre des membres de la famille et toutes sortes d'autres facteurs dont l'importance est liée aux circonstances sont utilisés comme étalons de mesure du comportement. Quand un enfant se conduit mal, il y a des explications, des excuses, sans parler de la sempiternelle question «pourquoi?» et des réponses à celle-ci. On ne rappelle pas à l'enfant les valeurs familiales, on ne s'oppose pas à son comportement avant de l'accueillir de nouveau dans le cercle de la famille. Les parents de ce genre de familles ne considèrent pas l'éducation des enfants comme un entraînement mais recherchent des solutions rapides et définitives à leurs problèmes. Quand cette approche échoue, ils sont exaspérés et ont recours à des punitions sévères.

Le plus désolant, dans ces familles, est le résultat de cette éducation pour les enfants. Comme les valeurs ne jouent pas leur rôle pour guider les parents, les décisions et les règles ont tendance à varier dans le temps. Les enfants apprennent ainsi l'opportunisme. Se servir des autres et manipuler deviennent pour eux un mode de vie et ils utilisent par la suite ces leçons dans le monde extérieur avec des conséquences désastreuses. Il est impossible d'être constant tout au long des dix-huit années qu'il faut plus ou moins pour élever un enfant sans faire référence à un système de valeurs et sans cette constance à long terme, les enfants auront inévitablement des problèmes.

Il est possible d'être guidé par des valeurs tout en étant, en même temps, aimant et compatissant. Être guidé par des valeurs ne veut pas dire agir de façon autocratique ou dictatoriale, au contraire. Les parents qui craignent d'être autoritaires sont souvent des gens qui ne savent réagir autrement que par la colère lorsque leur vie et leurs enfants échappent à leur contrôle et qu'il faut «faire quelque chose».

QUE FAIRE?

Les étapes à suivre pour devenir une famille inspirée par des valeurs sont faciles à décrire, mais elles demandent pas mal d'efforts pour être mises en œuvre et toutes doivent l'être soigneusement. Si vous décidez de suivre ce cheminement, il faudra vous y engager résolument et avec persévérance, mais le résultat en vaut la peine. Les parents qui l'ont suivi en sont généralement très satisfaits, mais ce n'est pas un programme que vous pouvez mettre en œuvre et oublier ensuite : il requiert des investissements continus et des révisions répétées tout au long de sa mise en place.

La première étape suppose que vous énonciez vos valeurs personnelles. Dans un couple, chaque conjoint doit d'abord noter ce qu'il croit, sans consulter l'autre. Essayez d'être clair et précis. Examinez les questions suivantes et ajoutez-en d'autres si nécessaire : honnêteté, responsabilité personnelle (vis-à-vis des autres et de soi-même), respect des autres, valeur et importance du travail, qualité du travail, relations entre jeu et travail, frontières personnelles et vie privée, propriété (possession et respect), valeurs qui dépassent la famille (environnement, esprit sportif, relations de l'individu et de la famille avec la communauté, etc.), égalité (avec tout ce que cela signifie), valeurs spirituelles et éducation religieuse, argent et biens matériels, relations entre les gens, autorité et lois. Cette liste n'est pas exhaustive : vous pouvez inclure d'autres sujets.

Souvent, les gens n'ont jamais réfléchi sérieusement à ce qu'ils croient et aux conflits inhérents à leur système de croyances. Par exemple, il est facile de dire que l'on croit à l'honnêteté tout en pensant en même temps qu'il ne faut pas heurter les sentiments des gens. Mais comment être honnête vis-à-vis d'une personne dont on risque de heurter les sentiments? Qu'est-ce qui est le plus important? Comment résoudrez-vous ce genre de conflit? Une des manières de procéder peut être d'identifier des croyances absolues ou prioritaires. Ensuite, indiquez les croyances d'importance secondaire et notez qu'elles seront subordonnées aux premières. Le dilemme précédent peut alors être résolu comme suit : on doit toujours être honnête. Il faut tenir compte des sentiments des autres dans tout ce qu'on entreprend, mais l'honnêteté prime. S'il est donc souhaitable de montrer du tact vis-à-vis des autres, ce ne devra pas être aux dépens de l'honnêteté.

En second lieu, efforcez-vous de concilier les différences éventuelles entre les énoncés de valeurs des deux conjoints. Si vous êtes un parent isolé, vous pouvez demander à une autre personne de vous aider : quand les autres examinent notre système de valeurs, ils notent souvent des contradictions que nous n'avions pas remarquées. Et, comme ces énoncés doivent nous servir de guide, il nous faut réfléchir sérieusement à la façon dont ils vont fonctionner dans des situations réelles. Concilier les valeurs des deux conjoints peut ne demander que quelques reformulations ou quelques discussions concernant les priorités. Si les discussions débouchent sur une impasse concernant des questions essentielles, un examen de la manière dont les valeurs sont mises en pratique concrètement, dans des situations réelles, peut aider à aboutir. Mais il peut aussi être nécessaire que les conjoints s'entendent sur le fait qu'ils ne sont pas d'accord. De toute façon, mieux vaut être honnête.

En troisième lieu, établissez un énoncé des valeurs de la famille. Celui-ci devra être fait de manière aussi claire et concise que possible, en précisant quelles sont les valeurs essentielles et celles qui sont secondaires. À partir de cet énoncé, vous pourrez, si vous le désirez, fixer un système de règles. Un tel système sera surtout utile si vos enfants sont en âge de le lire.

En quatrième lieu, présentez vos valeurs à votre famille. Pour les illustrer, vous pouvez faire appel à des histoire tirées du passé de votre famille. Ces valeurs font des vôtres une entité distincte : «Ce sont nos valeurs; nous les représentons. Chaque membre de la famille doit les suivre et y adhérer à la maison comme en dehors. Soyez fiers d'appartenir à une famille dont les valeurs sont aussi élevées.»

Dans un cinquième temps, mettez vos valeurs en action. Utilisez-les comme guide, même lorsque ce n'est pas facile. Quand quelqu'un commet une infraction, arrêtez-le immédiatement, faites-lui faire une pause jusqu'à ce qu'il soit calmé et discutez de l'infraction en la rapportant au code de votre famille. Les enfants n'apprendront, par exemple, ce qu'est le respect que si on stoppe leurs comportements irrespectueux immédiatement, qu'on leur dit ce dont il s'agit et qu'on leur explique le comportement à adopter. Mais un événement comme celui-ci ne suffit jamais : il faut constamment le répéter pour que la leçon «rentre». Les enfants se développent; ils doivent reconsidérer nos principes à la lumière de leurs nouvelles expériences pour voir comment ils fonctionnent réellement. Votre enfant peut ne pas comprendre ce dont il s'agit lorsque vous lui parlez d'honnêteté, de respect, ou même de travail : c'est à vous de lui apprendre le sens de ces mots. Au fur et à mesure que votre enfant en apprend plus sur le monde, il faut l'aider à intégrer les vieilles leçons dans son nouveau système de connaissances. Mais tout cela ne servira à rien si, tout en lui enseignant vos valeurs, vous ne prenez pas le temps et ne faites pas l'effort de corriger son comportement.

Il est d'une importance vitale de réaliser que ces valeurs s'appliquent aussi bien aux adultes qu'aux enfants. Si vous n'êtes pas prêt à remettre en cause votre propre comportement lorsqu'il est en contradiction avec les valeurs familiales que vous voulez promouvoir, vous pouvez aussi bien vous dispenser de tout l'exercice. «Fais ce que je te dis, pas ce que je fais.» Cette devise ne marche pas. Il est absolument nécessaire que vous acceptiez les observations de vos enfants ou de votre conjoint sur votre comportement, lorsqu'elle sont faites avec respect.

Enfin, sixième point, il vous faudra réexaminer de temps en temps votre énoncé de valeurs, lorsque vous le jugerez nécessaire, et repasser par la quatrième étape ci-dessus. Dans la mesure du possible, utilisez une histoire pour illustrer vos propos. Au cours des années, des modifications et des clarifications seront nécessaires et les règles de la maison devront être adaptées à l'âge des enfants et à la situation.

Finalement, utilisez toutes les occasions pour enseigner vos valeurs aux membres de votre famille. Ne pensez pas qu'il suffit de les énoncer pour que vos enfants les comprennent et sachent comment elles fonctionnent. Ceux-ci ne peuvent apprendre les choses que nous voulons leur enseigner que si nous sommes décidés à y mettre les efforts, la constance et le temps nécessaires.

Troisième étape : méthodes et techniques

La plupart des parents auxquels nous avons affaire sont très attentifs à leurs enfants. En fait, la plupart le sont même trop : leurs enfants prennent l'habitude d'être toujours sur le devant de la scène. Pour reprendre les mots de Sylvia Rimm, auteur de plusieurs livres sur l'éducation des enfants, ils sont assujettis à l'attention qu'on leur porte. Imaginez ce que cela peut représenter pour un enfant de s'attendre à être toujours sous les feux de la rampe lorsqu'il s'aventure dans le monde et de découvrir, sans comprendre, que les projecteurs ne se braquent sur lui que lorsqu'il fait un mauvais coup! Les enfants ont besoin d'avoir du temps à eux, du temps pour découvrir et explorer leurs propres champs d'intérêt, même s'ils n'aiment pas ça sur le coup. Si votre enfant a constamment besoin d'être avec vous, il y a un problème. Mettez-le dans son parc ou, s'il est un peu plus grand, laissez-le jouer seul un moment.

La plupart des gens que nous rencontrons ont besoin d'apprendre à être attentifs aux choses positives que fait l'enfant, que ce soit du point de vue de son développement ou du point de vue moral. Et la plupart trouvent qu'ils passent beaucoup de temps à se préoccuper de la mauvaise conduite de leurs enfants. En fait, ce dont nous avons tous besoin, c'est de moyens efficaces pour poser des limites à nos enfants, car ils ne peuvent apprendre à s'adapter correctement sans nous.

POSER DES LIMITES – LA PIÈCE MANQUANTE

Nous avons décrit, au chapitre 7, une méthode qui fonctionne, pour peu que vous l'appliquiez consciencieusement. Une méthode qui devient douce, tranquille et rapide avec l'habitude et qui reste efficace dans le temps. Cette méthode n'est pas la seule, mais c'est celle qu'utilisent de nombreux parents et professeurs pour apprendre aux enfants à respecter les valeurs et les règles, même s'ils ne l'appellent pas comme nous méthode APR (Arrêt, pause et réorientation). Sans une méthode efficace pour enseigner aux enfants à respecter les limites, on ne peut espérer leur apprendre à devenir des adultes forts, indépendants et adaptables. L'anarchie ne profite pas plus aux familles qu'aux sociétés. Or, même avec les meilleures intentions et des valeurs claires, de nombreuses familles sont à la recherche d'une méthode pour atteindre leur but.

Cette méthode n'est pas un remède magique, mais un style de vie qu'on adopte et qui devient une habitude. Elle ne fait appel ni à la manipulation, ni aux punitions, ni aux récompenses mais consiste à imposer des limites aux enfants. Elle repose sur l'idée que l'enfant a besoin d'un entraînement pour intégrer les valeurs et les règles familiales. Elle encourage le développement de l'indépendance, de l'autonomie et de la capacité de forger ses propres motivations. Elle est ferme et ouverte, jamais violente. Elle est simple à conceptualiser, mais très difficile à apprendre, parce qu'elle exige un changement radical de notre manière de procéder. Et, comme toute autre méthode d'éducation, elle ne peut produire de bons résultats que si elle est guidée par un ensemble de principes considérés comme essentiels. Si vous l'utilisez adéquatement, vous ne devriez avoir besoin d'aucune autre méthode de discipline. Vous trouverez dans l'annexe C un court guide de référence sur cette technique que plusieurs familles ont déjà utilisé et apprécié.

LA PERSÉVÉRANCE

La persévérance à atteindre le but que vous vous êtes fixé pour vos enfants est la clé de la réussite. La route du succès n'est pas toujours facile, mais ne cherchez pas de raccourcis. Votre enfant doit appendre à naviguer tout seul. Dans les périodes difficiles, ne cédez pas, continuez. Même avec l'approche que nous vous conseillons, il est nécessaire d'être constant et d'utiliser fréquemment la méthode indiquée. Élever un enfant est un peu comme sculpter une statue dans un morceau de bois. Pour faire un bon travail, vous devez enlever soigneusement de fines couches de matière jusqu'à ce que vous obteniez le résultat désiré. Si vous vous impatientez et essayez d'enlever trop de bois à la fois, la statue aura une allure différente de celle que vous aviez prévue. Il n'y a ni pardon ni réparation. La règle est toutefois moins stricte en éducation : il faut répéter la même erreur à plusieurs reprises, et pendant longtemps, pour causer des dommages irréparables.

GUIDER EN FIXANT DES LIMITES

Si vous parvenez à fixer des limites de façon persistante et cohérente et si celles-ci sont conformes à vos valeurs, vous donnerez à vos enfants l'occasion d'apprendre a se réaliser par eux-mêmes. Si vous concentrez votre attention sur les comportements adaptatifs, appropriés et souhaitables et vous contentez d'interrompre les comportements indésirables ou mal adaptés, vous enseignerez à votre enfant tout ce qui lui est nécessaire pour avoir une vie réussie. Quand vous encouragez, en y étant attentif, la poursuite par votre enfant de ses intérêts propres, vous l'aidez à persister dans la voie qui est sienne. Lorsque vous lui apprenez qu'il y a des règles à suivre et des valeurs à respecter, vous lui donnez une leçon irremplaçable, qui lui permettra d'agir de façon indépendante à l'avenir, quelle que soit la situation. C'est cette approche que nous appelons «guider en fixant des limites».

Conclusion

Stephen Covey, dans son merveilleux livre, *Les sept habitudes des personnes réellement efficaces*, passe en revue de façon exhaustive les *best-sellers* de la littérature américaine (psychologie «pop», développement personnel et livres sur «comment s'aider soi-même») de 1800 à nos jours. Il remarque un changement frappant dans cette littérature après la Première Guerre mondiale. Jusque-là, les auteurs de ce genre de littérature concentraient leurs efforts sur le développement du caractère et l'intégration de la morale à la vie quotidienne. Après la guerre 1914-1918, ils déplacèrent leur centre d'intérêt vers le développement des traits de personnalité. Des sujets comme l'apparence, la pensée positive, les stratégies de pouvoir, les aptitudes à la communication, l'image sociale, et le comportement prirent alors le premier plan. La mode était aux solutions rapides, sans grande efficacité à long terme. Les problèmes fondamentaux de l'intégrité et de la finalité étaient traités avec négligence, ou pas du tout.

Stephen Covey continue en expliquant comment cette éthique de la personnalité influença son approche et celle de sa femme vis-à-vis d'un de leurs enfants, qu'ils élevèrent dans un esprit d'amour et d'acceptation inconditionnels. Sa femme et lui considéraient cet enfant comme incapable de se mesurer sociale-ment avec les autres. Ils le comparèrent avec les standards de l'éthique de la personnalité et leur approche devint conditionnelle au comportement social de l'enfant, à la manière dont il se présentait extérieurement. L'enfant s'est senti dévalorisé et ses problèmes se sont accrus. Après de longues réflexions, ils ont reconnu leur erreur : ils avaient sacrifié leurs valeurs fondamen-tales à des standards de personnalité superficiels. Ils en revinrent par conséquent à leurs croyances profondes et leur comportement vis-à-vis de leur fils changea radicalement. Ils oublièrent les comparaisons sociales et vécurent au sein de leur système de valeurs familial. Leur fils commença alors à changer.

Voici les leçons qu'on peut tirer de cette histoire : nos valeurs sont importantes, elles déterminent en dernier ressort l'efficacité de notre éducation. Nos enfants ont besoin d'un amour inconditionnel. Mais il importe aussi qu'il existe des frontières bien définies entre parents et enfants : essayer de transformer un enfant pour le faire correspondre à ce que nous voulons sans se soucier de ses intérêts et de ses inclinations est un empiètement sur son domaine privé. Insister pour que les enfants essaient de faire des choses qui les effraient et affrontent des situations qui leur répugnent est essentiel pour leur bien-être. Trouver le juste milieu entre ces deux positions est un des exercices d'équilibre les plus difficiles que les parents aient à affronter. Nous pouvons apprendre à nos enfants les valeurs qui guident notre vie tout en leur permettant d'explorer et de construire leur propre futur avec notre appui. Nous pouvons leur apprendre à voir la réalité et à composer avec celle-ci. Nous pouvons les initier à participer en leur apprenant d'abord à obéir. Nous pouvons les encourager à surmonter leurs frayeurs et leur anxiété et à accepter les défis qu'ils redoutent. Nous pouvons forger leur caractère de telle manière qu'ils puissent suivre la voie qu'ils auront choisie. Mais l'estime de soi est dure à gagner. Nous ne pouvons pas la donner à nos enfants, mais il est possible de les aider à développer les aptitudes dont ils ont besoin pour la forger eux-mêmes.

Vous pouvez définir votre rôle de parent de la façon suivante : aimer vos enfants sans condition; leur fournir les choses qu'ils ne peuvent pas se procurer eux-mêmes; ne pas les laisser passer à côté d'expériences profitables parce qu'ils ont peur ou qu'il leur faudra travailler; fixer des limites claires et constantes à leur comportement et leur apprendre les valeurs qui guident votre vie familiale. Avec cela, ils trouveront leur voie et vous n'aurez rien à craindre pour leur caractère.

Épilogue : écoles et autres lieux d'éducation

Les leçons dispensées dans ce livre sont efficaces tant que les parents contrôlent l'environnement de leur enfant. Malheureusement, leur extension aux autres secteurs de la vie de l'enfant peut présenter des difficultés insurmontables. Les parents, le personnel des garderies, les entraîneurs et les chefs des scouts ou des autres organisations de jeunesse n'acceptent pas toujours de traiter les problèmes comme les parents et ils peuvent se faire manipuler par l'enfant. Voici quelques suggestions pour vous aider.

N'essayez jamais d'apprendre à votre enfant comment se comporter, en public, tant que vous n'aurez pas réussi à lui apprendre à le faire à la maison. Par exemple, il vaut mieux apprendre à un enfant à contrôler ses crises de colère à la maison avant d'essayer de le faire au supermarché. Et n'essayez pas d'appliquer la méthode APR sur un terrain de jeu avant de l'avoir pratiquée à la maison.

Ne suggérez pas à quelqu'un d'utiliser la méthode APR avec votre enfant tant qu'il ne l'accepte pas à la maison. Avant de demander à un professeur ou à un entraîneur de l'utiliser, expliquez-lui que cette technique fonctionne à la maison et que vous avez pensé qu'elle pourrait aussi lui être utile. Décrivez la méthode avec simplicité et exactitude et assurez le professeur ou l'entraîneur de votre appui, s'il décide de l'utiliser. Peu d'éducateurs tenteront de contrer les manipulations de votre enfant ou ses infractions aux règles sans votre appui. Par ailleurs, on ne peut réussir avec la méthode APR que si l'on décide de l'utiliser de son plein gré. Nous avons, pour notre part, recueilli des succès variables en tentant d'obtenir la coopération des professeurs.

Quand nous, et surtout l'enfant, avons de la chance, la réaction est chaleureuse et enthousiaste et il arrive même que le professeur applique la méthode à toute la classe. Par contre, lorsque le professeur ou l'entraîneur n'est pas d'accord, il vaut mieux ne pas insister. Et si les choses ne s'arrangent pas et que la personne ne veut pas modifier son approche, il est préférable d'en changer, lorsque c'est possible.

Expliquez à l'éducateur que vous vous efforcez d'identifier le type de comportement qu'utilise votre enfant et de mettre fin à ses entreprises de manipulation, et que sa participation serait bienvenue. Parlez-lui du comportement de votre enfant et du lien entre celui-ci et son caractère. Renseignez-vous sur le comportement de votre enfant en classe puis discutez de l'approche que vous jugez utile d'adopter.

Choisissez votre école maternelle ou votre garderie en tenant compte de la manière dont ils contrôlent le comportement des enfants. Mettent-ils simplement fin au comportement indésirable ou en font-ils toute une histoire? Le personnel a-t-il conscience qu'il doit entraîner les enfants à vivre en groupe et à coopérer dans des activités de groupe aussi bien qu'à accomplir des tâches individuelles? Le programme comprend-il une section consacrée au comportement? Allez voir et observez comment ils s'y prennent avec les enfants. Les règles sont-elles claires? Dans une bonne maternelle ou une bonne garderie, l'éducateur devrait avoir peu à intervenir pour corriger le comportement parce qu'il a déjà établi son autorité et enseigné les règles de conduite. Si vous voyez au contraire de nombreuses interventions en ce sens, demandez-vous si le professeur ou l'éducateur a vraiment le contrôle du groupe. Les garderies et les maternelles devraient être des endroits heureux car le personnel a des responsabilités bien établies et les enfants peuvent y faire des activités amusantes et souvent productives.

En agissant de concert, les professeurs et les parents peuvent faire beaucoup plus de chemin que s'ils ne parviennent pas à se mettre d'accord. Vous devez toutefois savoir un certain nombre de choses en ce qui les concerne. Ils se sentent souvent très vulnérables. Il leur est devenu très difficile, dans notre société, d'assurer leur autorité sur leur classe. Ils craignent des plaintes ou des poursuites de la part des parents. Et, comme les conseils d'administration des écoles sont essentiellement politiques, il redoutent de n'être pas soutenus en cas de conflits avec les parents. On met fréquemment les professeurs en garde contre le fait de toucher à un enfant et plusieurs ne veulent plus intervenir physiquement, même lorsque la sécurité des enfants est en jeu, et à plus forte raison s'il ne s'agit que d'obtenir que l'enfant obéisse – par exemple, lorsqu'on lui demande de s'asseoir par terre. Pour que les choses puissent avancer, les professeurs doivent donc avoir l'assurance que nous les soutiendrons.

La formation des professeurs en ce qui concerne l'éducation du comportement est souvent très limitée. Nous avons vu de nombreux programmes concernant le comportement en classe, mais peu sont efficaces et aucun ne peut remplacer la volonté de l'enseignant de prendre sa classe en main : un bon professeur est décidé à atteindre ses objectifs et il ne se laissera pas entraîner à discuter du pourquoi d'une mauvaise conduite. Malheureusement, on n'a jamais pris la peine d'examiner les méthodes des professeurs les plus efficaces de telle sorte que leur expérience puisse servir aux plus jeunes. De plus, les enseignants ont souvent pour instructions d'utiliser des tactiques manipulatrices en classe – récompenses ou punitions – que n'importe quel enfant manipulateur peut ruiner sans le moindre effort. Vous pouvez toujours demander au professeur de ne pas utiliser cette méthode avec votre enfant en lui expliquant que celui-ci est manipulateur, mais il se peut malheureusement qu'il n'ait aucune solution de rechange.

Dans l'idéal, enseigner et étudier devraient être l'affaire du professeur et de l'élève, sans aucune intervention extérieure. Les parents devraient jouer un rôle de soutien, faisant le nécessaire pour que l'enfant aille à l'école et soit préparé à étudier, mais laissant l'enseignement proprement dit et la direction de la classe au professeur qui, par ailleurs, devrait être tenu en haute estime tant par les enfants que par les parents. Les parents devraient agir comme substituts de l'enseignant pour le travail scolaire à la maison, mais ils ne devraient pas passer leur temps à s'assurer que celui-ci est bien fait. Cela devrait être l'affaire du professeur. Ce scénario fonctionne effectivement quand l'enfant réussit à l'école. Mais lorsque les choses vont mal, les parents en viennent rapidement à jouer le rôle de relais entre l'enfant et le professeur et un enfant manipulateur a vite fait de tirer profit de la situation. Les parents se trouvent alors chargés de s'assurer que le travail à la maison est fait alors que ce n'est pas eux qui l'ont imposé au départ. Lorsque cela ne suffit pas, des méthodes de communication sophistiquées sont mises en place entre les parents et l'école pour essayer de faire en sorte que le travail soit fait. Mais ces efforts sont voués à l'échec parce qu'ils mettent trop d'intervenants en jeu, à l'exception de l'enfant lui-même. Les parents perdent alors confiance dans le professeur et dans l'école, le fonctionnement de l'équipe parents-professeur en souffre, ainsi que l'estime portée au professeur. Finalement, le soutien des parents à l'enseignant diminue et la relation, essentielle, entre élève et professeur est ruinée.

Il s'agit là d'un casse-tête difficile à résoudre. De nombreux professeurs semblent attendre des parents qu'ils s'assurent que le travail à la maison est bien fait et ne se considèrent pas comme responsables des performances de l'enfant. La meilleure solution est peut-être la prévention. Nous suggérons la chose suivante.

Établissez un programme sans attendre une routine de travail à la maison. Différents horaires peuvent être adoptés, selon la situation familiale. Si un des parents est à la maison lorsque l'enfant rentre de l'école, il est peut-être bon que celui-ci termine son travail scolaire avant de faire quoi que ce soit d'autre. Si l'enfant participe à une activité parascolaire après ses cours ou s'il est seul jusqu'à ce que ses parents rentrent du travail, il peut travailler après le repas du soir. Quoi qu'il en soit, une fois le moment choisi, tenez-vous-en à votre décision.

Choisissez soigneusement l'endroit où l'enfant devra travailler. Travailler sur la table de cuisine a l'inconvénient d'encourager la dépendance vis-à-vis des parents. Ceux-ci risquent d'être appelés à superviser le travail, à intervenir pour y ramener l'enfant et à s'investir excessivement. Nous suggérons plutôt un endroit tranquille avec un bureau, de la lumière et un minimum de distractions. Idéalement, ce devrait être la chambre de l'enfant.

Observez la règle : «Le travail d'abord, le reste ensuite.» Arrêtez la télé et interceptez les appels téléphoniques pendant ce temps. Donnez l'exemple : faites votre comptabilité ou lisez un livre; si votre émission de télé favorite passe à ce moment-là, enregistrez-la pour la regarder plus tard. Rappelez-vous la règle : «Fais ce que tu dois avant de faire ce que tu veux.»

Dites au professeur que, pour vous, le travail scolaire à la maison est avant tout un arrangement entre l'élève et le professeur. Si votre enfant ne veut pas le faire, dites au professeur que vous serez heureux de l'appuyer quoi qu'il décide de faire pour que l'enfant travaille et que vous l'autorisez, par exemple, à le priver de récréation, à le garder après l'école ou à lui donner des devoirs supplémentaires. Mais expliquez-lui que vous ne voulez pas servir d'intermédiaire entre lui et votre enfant.

Vérifiez le travail de l'enfant lorsqu'il l'a terminé et félicitez-le s'il y a lieu. Lorsque le travail est négligé ou inexact, faites-lui-en la remarque. Faites ainsi comprendre à votre enfant, par l'une ou l'autre de ces interventions, que vous attendez de lui qu'il fasse de son mieux.

Cela ne posera pas de problème si votre enfant réussit à l'école et aime faire ses devoirs. Mais s'il a des difficultés, vous ne pourrez pas le laisser continuer à avoir de mauvais résultats. Il peut alors être nécessaire que vous vous investissiez plus activement pendant un certain temps, jusqu'à ce qu'il réussisse à faire son travail de lui-même. Faites comprendre à votre enfant que vous avez la conviction que s'il fait ses devoirs, ses résultats vont s'améliorer. Mais abandonnez ce rôle aussitôt que possible.

Expliquez à l'enfant quelles sont vos priorités. S'il pratique un sport ou quelque autre activité, faites-lui comprendre que le travail passe en premier : si son travail scolaire n'est pas satisfaisant, il devra interrompre ses autres activités jusqu'à ce que les choses aillent mieux. Ce n'est pas une punition, mais une question de priorité. (À ce sujet, vous pouvez consulter l'excellent livre de Sylvia Rimm, *Le syndrome d'échec*.)

Les parents ont souvent l'impression que le personnel de l'école attend d'eux qu'ils punissent l'enfant pour sa mauvaise conduite. Nous suggérons plutôt que vous vous assuriez que l'enfant comprend ce qu'il a fait et en accepte la responsabilité. Expliquez clairement à l'enfant la manière dont vous désirez qu'il se comporte à l'école, mais ne le punissez pas : le faire risque seulement de provoquer plus de révolte et plus de manipulation. En revanche, vous pouvez faire appel aux conséquences morales, comme les lettres d'excuses, et dire au professeur que vous le soutiendrez, quoi qu'il décide de faire. Mais comme vous n'êtes pas sur place quand l'enfant se conduit mal, c'est tout ce que vous pouvez faire. L'école risque de ne pas aimer cela, mais tenez bon : les punitions à retardement favorisent la dissimulation et améliorent rarement le comportement. Et surtout ne demandez pas à votre enfant d'expliquer son comportement et n'acceptez pas qu'il vous l'explique. Généralement, les enfants qui expliquent les raisons de leur comportement n'acceptent pas la responsabilité de celui-ci.

Malheureusement, beaucoup de programmes qui visent à améliorer le comportement dans les écoles sont fondamentalement manipulateurs. Les récompenses et les incitations, les menaces et les punitions sont utilisées couramment dans les salles de classe sans aucune utilité pour ce qui est d'améliorer l'attitude des enfants qui ont des problèmes. De plus, elles apprennent aux enfants à manipuler eux aussi pour jouer le jeu. Si vous pouvez, découragez l'utilisation de ces méthodes envers votre enfant, mais attendez-vous à avoir l'impression de ramer à contre-courant dans la plupart des cas.

Il y a quelque temps, un des auteurs de ce livre a fait une conférence devant des parents et des professeurs, à l'école du quartier. Il y a insisté sur l'importance pour ceux-ci d'être guidés par des valeurs dans leurs rapports avec les enfants. À la suite de la conférence, le principal a déclaré : «Je suis d'accord avec vous, mais vous avez utilisé le mot "valeur"!» Dans beaucoup d'écoles, le mot «valeur» est comme une patate chaude : il vaut mieux ne pas y toucher! Les enseignants et les administrateurs se sont tous trouvés mêlés à des controverses à ce sujet, notamment à propos de l'éducation sexuelle, si bien que les écoles se trouvent aujourd'hui sans aucun principe éthique pour les guider si ce n'est, peut-être, d'agir dans l'intérêt de l'enfant. En même temps, les gouvernements, à tous les niveaux, ont imposé toutes sortes de règles et d'objectifs aux écoles et ceux-ci se sont souvent substitués aux valeurs. Or, il est indispensable, si une entreprise veut réussir, qu'elle ait des objectifs bien définis à atteindre et s'appuie sur des valeurs pour le faire. Dans ces conditions, il n'est guère surprenant que les écoles aient autant de problèmes. Étant donné que l'administration des écoles relève essentiellement de considérations politiques, nous ne nous attendons pas à beaucoup de changements dans ce domaine dans un avenir proche, sauf peut-être dans celles dont les dirigeants possèdent un fort leadership. Vous comprenez maintenant les problèmes auxquels se trouvent confrontés les professeurs qui essaient de faire leur travail correctement à l'intérieur d'un système qui ne leur fournit pas toujours l'appui nécessaire. Vous pourriez aussi aider à remédier à cette situation, au moins au niveau de votre école, et donc aider votre enfant, en participant activement à une association parents-professeurs.

Si votre enfant a de gros problèmes de comportement à l'école, on vous demandera probablement de rencontrer une équipe pédagogique. En arrivant, vous vous sentirez peut-être coupable, comme si les difficultés de l'enfant étaient entièrement de votre faute et n'étaient dues qu'à la mauvaise éducation que vous lui avez donnée à la maison. Quand vous vous retrouverez assis au milieu de huit ou dix personnes appartenant à l'école et représentant toutes des disciplines différentes, vous risquez de vous sentir plus intimidé que vous ne l'avez jamais été au cours de votre vie. On nous demande souvent de participer à ce genre d'assemblées, plus pour apporter notre support aux parents que pour intervenir de façon substantielle. Malheureusement, il en résulte rarement un changement quelconque pour l'enfant, mais elles réussissent à tout coup à terroriser les parents.

Nous suggérons que vous demandiez à connaître le programme de la réunion à l'avance – ou tout au moins à avoir une indication sur ce qui doit être discuté. Demandez au principal d'y assister et asseyez-vous à ses côtés, si c'est possible. Essayez de faire en sorte que la réunion soit centrée sur ce qui se passe à l'école et sur ce que celle-ci entend faire pour y remédier. Essayez de repartir avec un plan précis que vous pourrez soutenir sans réserves. Rappelez-vous que tous ces gens sont embauchés pour répondre aux besoins de votre enfant. C'est leur travail et vous devez leur demander de le faire. Si vous avez l'impression qu'ils vous blâment pour les difficultés de votre enfant et s'ils vous disent que vous devez faire quelque chose à ce sujet, ne laissez pas la réunion se terminer là-dessus. Demandez autant de fois que cela sera nécessaire ce qui va être fait à l'école. Demandez-leur s'ils pensent que ce qui se passe à l'école est de votre faute, de votre responsabilité. Soulignez que vous entendez repartir avec un programme d'action, que vous êtes prêt à faire votre part mais que vous ne pouvez en aucun cas accepter que l'école n'ait pas elle-même un programme clair. Soyez précis. Si l'école propose une évaluation, acceptez mais exigez un plan intérimaire. L'école peut vous demander d'aller chercher de l'aide à l'extérieur et vous pouvez suivre ou non leur conseil, mais n'acceptez pas que le programme se résume à cela : demandez qu'on vous explique clairement ce que l'école a l'intention de faire pour régler les problèmes au jour le jour. Si vous ne parvenez pas à obtenir satisfaction, adressez-vous à une organisation de parents, elle pourra vous aider à vous faire entendre. Malheureusement, dans certaines écoles, la seule manière de progresser est d'insister sans cesse, au risque de devenir agaçant.

Parfois, la seule manière de réagir aux problèmes de comportement d'un enfant est de le mettre dans une autre école, plus précisément dans une école religieuse ou privée. Les écoles privées ont plus de latitude pour contrôler le comportement des enfants et sont souvent guidées par des valeurs plus claires que les écoles publiques. Elles collaborent aussi plus volontiers avec les parents. Selon notre expérience, le changement est salutaire pour un grand nombre de parents qui ont des problèmes avec l'école publique, mais ce n'est pas automatique. Si vous envisagez un tel changement, contactez plusieurs écoles et rencontrez le principal ou le surveillant général. Vous voulez que celui-ci ait de l'autorité, qu'il soit capable de soutenir son personnel pour faire ce qu'il y a à faire et qu'il partage votre opinion en ce qui concerne les besoins de votre enfant. Les enfants difficiles ont besoin d'être encadrés de façon ferme et résolue, avec des objectifs et des valeurs clairement déterminés. Les professeurs ont besoin de savoir que l'administration et les parents les appuient, que tout le monde est dans le même bateau et rame dans la même direction. Un des parents que nous connaissons et qui avait fait passer son enfant d'une école publique à une école privée (ce qui l'avait obligé à rétrograder de septième année en sixième), nous disait en riant : «Les trois premiers mois ont été horribles. Mais ensuite il a commencé à s'habituer et aujourd'hui il aime l'école, il aime son professeur et ses résultats sont bien meilleurs. Heureusement, le principal était toujours disponible quand nous avions besoin de lui et nous avons vraiment pu travailler de concert.» Cet enfant a très bien réussi par la suite et quand on lui demande comment va l'école il sourit. Ainsi, même si la décision a été difficile à prendre pour ses parents, ils ont réussi grâce à leurs efforts acharnés et à ceux du professeur à obtenir d'excellents résultats.

Bonne chance!

Annexe A

Différentes étapes du développement adaptatif

Âge	Tâche	Résultats positifs	Symptômes d'échec
0-6	Communication	Développe des aptitudes verbales interactives satisfaisantes.	Absents ou aberrants – Développe des aptitudes physiques à contrôler les autres : cris et pleurnicheries.
	Lois physiques	Aptitudes croissantes au mouvement, équilibre.	Ne fait aucun effort; faible développement des aptitudes physiques; laisse les autres tout faire.
	Limites imposées au comportement	S'adapte rapidement à un nouvel ensemble de limites; teste les limites et les intègre rapidement.	Contrôle les autres ; essaie de changer les règles plutôt que de s'y adapter.
	Relations avec des camarades	Apprend à participer, à prendre l'initiative de(s) jeux/interactions; apprend à faire des compromis.	Contrôle : tyrannique, brutal, physiquement agressif; cherche à se faire protéger.
	Réalité et imaginaire	Apprend à percevoir la différence.	Se construit sa propre vision de la réalité; procède à des modifications sélectives.
	Raison	Tente de résoudre des problèmes faisant appel à l'entendement.	Discute et négocie pour n'en faire qu'à sa tête.

Âge	Tâche	Résultats positifs	Symptômes d'échec
Âge sco-laire	Environnement et travail scolaire	S'adapte aux règles de l'école; apprend à surmonter la peur et la frustration; travaille.	Problèmes de comportement; demande de l'aide, doute de ses capacités, développe des craintes, abandonne facilement.
	Camarades	Apprend à participer, coopère, entreprend des activités avec ses camarades; se fait des amis.	Essaie de contrôler; a peu d'amis; impose ses propres règles; incapable de participer; finit par s'isoler du groupe de ses camarades.
	Sports	Joue, apprend à échouer, à perdre et à réussir; comportement sportif.	Impose ses propres règles, incapable de participer, s'isole; comportement non sportif.
	Clubs	Participe et peut prendre la tête.	Essaie de contrôler les règles du jeu; lorsque cela ne marche pas, abandonne, blâme les autres et dit qu'il n'aime pas jouer.
	Maison	Apprend à accepter des responsabilités : travaux ménagers, effets personnels, etc.	Se débrouille pour qu'on fasse les choses à sa place; apprend à rejeter la responsabilité et le travail sur les autres.
	Valeurs	Apprend à respecter les valeurs, les règles et les décisions familiales; accepte les conséquences de ses actions; assume la responsabilité de ce qu'il fait ou pas.	Ne respecte pas les valeurs ou les discute; refuse la responsabilité de ce qu'il fait ou la rejette sur les autres.
Ado-les-cence	École	Réussit correctement, relativement à son niveau de compétence : s'efforce de réussir; fier lorsqu'il y parvient.	Juge l'école «ennuyeuse, sans intérêt» et dit qu'il la hait; résultats médiocres ou bons seulement quand il aime le professeur et le sujet.

Âge	Tâche	Résultats positifs	Symptômes d'échec
	Devoirs à la maison	C'est sa priorité.	Le travail n'est pas fait ou pas rendu.
	Sports	Aime participer : n'aime pas perdre mais l'accepte : ne triche pas; persévérant.	Renonce à pratiquer un sport; hait ou redoute les compétitions sportives.
	Camarades/ Relations sociales	Relations élargies; apprécie ses amis; participe aux activités entre camarades avec enthousiasme.	Renfermé, solitaire : a peu d'amis; se joint à des groupes d'adolescents marginaux; les autres sont blancs ou noirs – jamais gris.
	Associations étudiantes	Peut participer; intéressé.	S'isole : les associations sont «stupides».
	Emplois	S'il décide de travailler, réussit.	Échecs répétés, excuses : «mauvais patron», «job stupide».
	Adultes	Trouve des mentors et des modèles parmi les adultes.	Méprise les relations avec des adultes.
	Intimité	Relations étroites avec ses amis et les personnes du sexe opposé; apprécie les autres à leur juste valeur; pas de jugement du type «blanc ou noir».	Activités sexuelles irresponsables ou mercantiles; recherche l'excitation, pas l'intimité; relations de dépendance – rarement solides.
	Collège	Fait des plans pour sa profession future (ils peuvent changer); fait appel à des mentors pour le guider.	Peu de décisions concernant le futur, peu d'objectifs à atteindre.
	Inclinations	Intérêt intense pour le monde/des hobbies/ diverses activités.	Se désintéresse de ce qui se passe dans le monde sauf, parfois, d'une activité précise (ordinateurs, chasse, surf, etc.)

Âge	Tâche	Résultats positifs	Symptômes d'échec
	Valeurs	Réexamine les valeurs familiales; commence à développer son propre système de valeurs; explore les valeurs des autres (mentors, notamment); applique généralement ses propres valeurs qui tendent à être sans nuances.	Rebelle aux valeurs parentales, adopte la sous-culture de ses camarades ou des valeurs flexibles qui varient en fonction des circonstances.
	Estime de soi	Confiant, en connaît déjà beaucoup sur ses compétences personnelles : se préoccupe moins de lui-même que du monde en général. Heureux de participer.	S'intéresse surtout à lui-même, à son fonctionnement, à son image et à son visage; attitude timide ou provocante (habillement voyant); faible estime de soi; ne se sent bien que lorsqu'il contrôle tout.
	Émotions	Large gamme d'expériences; considère ses émotions comme privées.	Gamme réduite d'émotions : colère, bonheur, mélancolie, haine, peur; ne prend pas la responsabilité de ses émotions mais la rejette sur les autres.
	Problèmes	Conflits avec les parents sur leurs valeurs.	Désordres alimentaires, drogue, mauvais résultats scolaires, dépression, suicide.
Jeune adulte	Résultat	Confiance en soi; comportement fonctionnel, moral, orienté vers un but, indépendant; s'intéresse au monde; renforcement de l'identité propre; succès dans le travail ou les études; parvient à entretenir des relations intimes sans sacrifier ses objectifs personnels; responsable; motivé.	Amer; drogues ou autres formes de dépendance; absence de but; cherche la solution de facilité; cherche une manière simple de se forger une identité : grossesse, mariage, emploi, allure, etc.; attitude plus opportuniste qu'éthique; dépendance; rejette les responsabilités sur les autres.

Annexe B

Styles d'éducation

Méthode basée sur les récompenses/punitions	Méthode basée sur la fixation de limites
Basée sur les récompenses, incitations, menaces et punitions; règles souvent peu claires, mal définie; émotions très importantes : l'efficacité des punitions et récompenses dépend de la manière dont l'enfant les ressent.	Basée sur des règles clairement définies (= limites du comportement acceptable); l'enfant est libre à l'intérieur de ces limites; les sentiments de l'enfant quant aux règles et limites et vis-à-vis de sa famille sont considérés comme secondaires.
L'enfant a moins de liberté car les choix qui lui sont offerts sont mal définis.	L'enfant a toute liberté à l'intérieur des limites déterminées par les objectifs et valeurs familiales.
Les parents oscillent constamment entre la gentillesse et la sévérité.	Attitude uniformément calme et douce lorsque la méthode est bien appliquée.
Manipulatrice.	Fondamentalement non manipulatrice.
Souvent malhonnête.	D'une honnêteté rigoureuse.
La punition intervient généralement trop tard pour avoir l'effet désiré; risque d'escalade et de perte de contrôle.	Le temps est capital : les parents réagissent tout de suite et ne laissent guère passer d'occasion de redéfinir les limites.
L'intensité des récompenses/punitions varie.	La fréquence varie, mais non l'intensité.
La réaction aux menaces/punitions varie dans le temps : elle peut décroître ou devenir plus vive, avec colère et comportements manipulateurs.	La réaction à l'imposition de limites et à l'arrêt des comportements indésirables est prévisible; elle ne s'affaiblit pas avec le temps mais s'améliore à force de pratique et de constance.

Méthode basée sur les récompenses/punitions	Méthode basée sur la fixation de limites
Ne peut venir à bout des comportements d'évitement.	Met fin aux comportements d'évitement.
Ne produit pas d'effets durables même quand elle fonctionne.	Produit des effets à long terme.
Exige d'être planifiée de façon extensive et systématique; demande beaucoup d'investissement de la part des adultes.	La perspective, les objectifs, les valeurs et les règles sont clairs et forment un cadre à l'intérieur duquel l'enfant peut trouver sa propre voie.
Change d'un adulte à l'autre.	Simple, constante et cohérente.
Les punitions ou menaces de punition ne donnent aucune autorité aux parents et peuvent renforcer l'opposition de l'enfant.	Les parents gagnent le respect de l'enfant par leur constance dans le temps; ils apparaissent comme déterminés et non manipulables.
Irrespectueuse; l'enfant est jugé.	Respectueuse : l'enfant est accepté.
Beaucoup d'interactions verbales sur le comportement : discussions, négociations, justifications, blâmes; avec l'escalade les valeurs tendent à disparaître.	Peu d'interaction verbale sur le comportement, peu de discussions et de négociations; pas de blâmes, mais identification du responsable; les valeurs déterminent les règles qui déterminent les limites.
Résultat : personne dépendante, manipulatrice, attachée à contrôler les autres pour gagner des avantages à court terme.	*Résultat : personne indépendante, morale, maîtresse d'elle-même, attachée à réussir ses objectifs personnels.*

Méthode «ARRÊT, PAUSE, RÉORIENTATION» : résumé des règles

ARRÊT

1. Avant de réagir à un comportement de quelque manière que ce soit, vous devez d'abord l'arrêter. Si vous ignorez cette règle, tous vos efforts seront inutiles.

2. Le comportement de l'enfant est indésirable dès que celui-ci fait quelque chose que vous ne voulez pas qu'il fasse. Il peut s'agir de n'importe quel comportement, que vous l'ayez ou non corrigé auparavant, pour autant que ce n'est pas un comportement que vous ayez demandé à l'enfant d'adopter.

3. Rappelez-vous que vous ne devez jamais utiliser la méthode APR après coup : ce n'est pas une punition.

PAUSE

1. À l'étape de la pause, rappelez-vous que l'enfant doit se calmer avant toute interaction. Ne réagissez à aucune de ses tentatives sauf pour le ramener physiquement à sa place. Interagir avant que l'enfant ne soit calmé ne fait que «relancer la machine» et réduit vos efforts à néant.

2. La pause n'est pas une punition. Elle doit durer le temps

que l'enfant se calme mais il n'est pas souhaitable de la faire durer plus longtemps. En revanche, s'il faut à l'enfant quarante-cinq minutes pour se calmer, la pause devra durer, elle aussi, quarante-cinq minutes.

3. Avec la pratique, votre enfant apprendra à se calmer rapidement et sans problème et la procédure se déroulera facilement, sans même y prendre garde. C'est là le but recherché et vous y parviendrez d'autant plus vite que vous utiliserez la procédure plus souvent. La pratique est la clé du succès.

RÉORIENTATION

1. Faites une réorientation rapide et précise. Ne faites pas de sermon à l'enfant, contentez-vous de lui indiquer, si vous y tenez, ce qu'il a fait d'incorrect et envoyez-le faire ce que vous voulez qu'il fasse. Dites-lui, par exemple : «Va jouer», «Va ramasser tes jouets» ou «Va t'excuser auprès de ton frère». Les grandes envolées ne rendent pas la réorientation plus efficace et vous n'avez pas non plus besoin de donner des explications : celles-ci n'aident en rien le processus.

2. Rappelez-vous qu'il s'agit d'un entraînement au respect des limites du comportement acceptable. Celui-ci n'a pas pour but de provoquer des émotions désagréables, même s'il peut arriver qu'il le fasse, surtout au début. La clé du succès réside dans un usage fréquent et non dans l'utilisation de méthodes plus sophistiquées.

3. Si vous voulez parler à votre enfant de son comportement, ainsi que de vos règles, valeurs, raisons, etc., faites-le à un autre moment mais pas au coeur de la bataille.

EXEMPLE

George, un élève de seconde année, court en criant devant le porche de l'église. Sa mère, Amy, qui est en train de parler à une amie, se rend compte que son comportement est hors de contrôle. Elle interrompt sa conversation un instant, le temps de demander à George de venir la voir, puis poursuit tranquillement son propos. Quand George arrive elle continue à parler jusqu'à ce qu'il soit calmé depuis vingt ou trente secondes, puis lui chuchote à l'oreille : «Tu y vas trop fort. Va jouer, mais sans courir ni crier.» Voici un exemple de ce qu'est la méthode APR lorsqu'on l'applique à la perfection.

LE MOT DE LA FIN

La méthode APR est efficace et son efficacité ne diminue pas avec le temps. Elle montre que vous assumez votre autorité tout en étant calme et sans élever le ton. Mais rappelez-vous que si vous ne procédez pas exactement comme nous vous l'avons indiqué, elle ne marchera pas. Si vous reprenez vos anciennes habitudes sitôt que vous avez le moindre succès, vous en serez vite revenu au point d'où vous étiez parti.

Bonne chance!

imprimerie gagné ltée

IMPRIMÉ AU CANADA